Invito a Suy Consuelo
a oír este concierto.

PIJAO
EDITORES

COLECCIÓN
MAESTROS CONTEMPORÁNEOS

JORGE ELIÉCER PARDO

EL PIANISTA
QUE LLEGÓ DE HAMBURGO

Novela

Pardo Rodríguez, Jorge Eliécer, 1950-
El pianista que llegó de Hamburgo / Jorge Eliécer Pardo. --
Editor Carlos Orlando Pardo Rodríguez. -- Ibagué: Pijao
Editores, 2014.
    374 p. ; 24 cm. -- (Maestros Contemporáneos)
    ISBN 978-958-46-4023-9
    1. Novela colombiana 2. Novela histórica 3. Violencia -
II. Tít. III. Serie.
Co863.6 cd 21 ed.
A1437557

    CEP-Banco de la República-Biblioteca Luis Ángel Arango

Pijao Editores
Colección Maestros Contemporáneos
© Jorge Eliécer Pardo Rodríguez 2014
jorgeeliecerpardoescritor@gmail.com
© Pijao Editores 2014.
Pijaoeditores@gmail.com
Rincón del Vergel, casa A-7, Ibagué

ISBN 978-958-46-4023-9

El pianista que llegó de Hamburgo
1ª edición, Cangrejo Editores, Bogotá, abril de 2012
2ª edición, Cangrejo Editores, Bogotá, abril de 2014
3ª edición, Pijao Editores, Bogotá, abril de 2014

Dirección general: Carlos Orlando Pardo
Diseño de portada: Jorge Eliécer Pardo
Impreso en Colombia

Comprendí el silencio de los cielos;
las palabras humanas jamás las entendí.
Friedrich Hölderlin

Para los míos:
Gloria Inés, mi madre artista
Carmen Sofía, mi tía dramaturga
Carlos Orlando, mi hermano novelista
Elsa, mi ángel protector.

Una sinfonía inconclusa

Hendrik, mi pianista, es un personaje prestado de la música, como sacado de un pentagrama donde las líneas son las cuerdas que aprietan y torturan. Creo que vino por el camino de las sombras y el dolor, el mismo que posiblemente recorrieron sus coterráneas, las Weismann, que florecieron en mi *Jardín*, huyendo de la guerra. Hitler lo hace abandonar su patria pero jamás dejará de torturarlo. Con Hendrik caminé y reconstruí las migraciones y el desarrollo de la ciudad. Creí en su fidelidad y su sueño en el amor y el arte. Siempre que pensé en él para viajar y recorrer su mundo interior y exterior tuve como figura corporal la de Azriel Bibliowicz, mi amigo escritor. Sus bucles canela cubriendo las orejas, sus ojos azules y su caminar lento, vestido con su traje de lino ratón a punto de elevarse con los vientos de los Llanos Orientales. Con Hendrik toqué el velo de la locura y el detritus de las calles imposibles de las grandes ciudades, los callejones de los milagros, en busca del amor y la cordura. Con él sufrí la zozobra de la creación y el fracaso. El sino de la tragedia nos arropó para ser reivindicados por el arte y el amor-desamor.

Es el primer libro de mi *Quinteto de la frágil memoria* que se publica. Mi amigo, el poeta René González me presentó a Cangrejo Editores porque conocía no sólo la novela sino todo el magma de mi obra inédita. Así inició el periplo, con Leyla Cangrejo como excelente editora desde México, que ahora se complementa con la segunda edición de Cangrejo, a propósito del premio nacional de literatura 2013 que me otorgara la revista Libros y Letras, a través de los lectores colombianos. La tercera está contenida en esta colección Maestros Contemporáneos, dirigida por Carlos Orlando Pardo.

Dos reportajes, de dos mujeres conocedoras de la literatura, auscultan la novela y mi trabajo creativo. Las comparto como una manera de hacer mérito a sus lecturas y porque contienen mis apreciaciones acerca del oficio como escritor.

Conversación con Julia Beatriz Gutiérrez

En "Un transeúnte de nuestra literatura", la periodista Julia Beatriz Gutiérrez logra meterse en el ser de mi libro. En la revista *Entremares* publicó:

"Una sinfonía entre literatura e historia surge mágicamente de las páginas de *El Pianista que llegó de Hamburgo*, (Cangrejo Editores, Bogotá, 2012) la última novela del escritor colombiano Jorge Eliécer Pardo, en la que narra la tragedia que arrastra la guerra y el drama de amor de un bello personaje hamburgués que llega a nuestro país: Hendrik Joachim Pfalzgraf.

Gracias a esta obra, el autor retoma la narrativa histórica que lo presentó al mundo de las letras con *El Jardín de las Weismann*, sin dejar de lado los avatares de la cotidianidad que envuelve a sus personajes en obras del mismo género como *Irene* y *Seis hombres una mujer* o en las antologías de cuento *Las pequeñas batallas* y *Transeúntes del Siglo XX*. Se podría decir que este libro es la suma de un trabajo "sin prisa pero sin pausa", como diría su hermano, también escritor, Carlos Orlando, en el que se refleja la realidad de nuestra sociedad que irremediablemente empuja a quienes la conforman en un maremágnum de hechos que trazan su destino.

Cada suceso es la puntada de una cadena armoniosa en la que se mezclan la rigurosidad histórica, la riqueza del lenguaje y los conflictos emocionales de Hendrik, en los que en ocasiones nos sentimos frente a un espejo. El pianista no está solo. Surge como el abrebocas de una zaga de cinco libros que, poco a poco, irán viendo la luz y nos permitirán mirar las entrañas de un mundo que, a veces, se nos sugiere irreal pero que irremediablemente ha marcado la vida de los colombianos.

Jorge Eliécer Pardo duró 20 años de su vida tejiendo esta filigrana denominada *El Quinteto de la Frágil Memoria*, sumergido en su bibliotecas, leyendo viejos periódicos, escuchando contadores de relatos y recordando su propia realidad como testigo fiel de la violencia interna en la Colombia del siglo XX, la que vivieron sus padres y abuelos.

La literatura es su razón de ser. Por ella, un día decidió dejar de lado la cátedra de literatura, profesión en la que se había titulado, y dedicarse a vivir de la mano del periodismo.

Nos sentamos a hablar, una tarde soleada de octubre, en una de las tiendas Juan Valdez, en donde se degusta el mejor café colombiano, cerca a la calle 72, centro financiero de Bogotá.

Asiste a este sitio puntualmente todas las tardes. Allí se da cita con diversos personajes del arte y las letras con quienes se sumerge en discusiones sobre su oficio o acerca de los últimos acontecimientos de la política nacional. Mantiene un hablar agradable aunque no deja de lado el humor y la irreverencia.

—¿El punto de partida de *El Pianista que llegó de Hamburgo* es el mismo de *El quinteto de la Frágil Memoria* o cada libro tuvo una fuente de inspiración diferente?

—En el 2012 cumplía 20 años sin publicar una novela. Desde *Seis hombres una mujer*, editada por Grijalbo Mondadori. Mi generación fue estigmatizado por el tema de la violencia en la literatura (la que ocurrió luego de la muerte de Jorge Eliécer Gaitán, conocida por los violentólogos como La Guerra de Laureano Gómez). A pesar de que mi ópera prima, *El jardín de las Weismann* fue recibida con grandes expectativas por críticos y lectores (lleva nueve ediciones, traducida al francés por Jacques Gilard y con una adaptación para la televisión colombiana), sin dejar el tema social escribí *Irene* y *Seis hombres…* que auscultaban los resquicios existenciales de parejas enamoradas en un entorno lleno de contradicciones ideológicas y

13

políticas. Desde entonces comprendí que las vidas de autores y amigos no eran tan sugestivas y trascendentes para escribir novelas. Esta tendencia pululaba en los años ochenta. El país se desangraba ante nuestros ojos. Me retiré a estudiar la historia de Colombia, la historia de nuestras confrontaciones desde antes de la Guerra de los Mil Días. Entendí desde entonces que no quería hacer novela histórica a la manera de Georg Lukács sino desde los anónimos y sus vidas simples pero que la guerra los espoleó. Inicié la escritura de un libro sin nombre que fue tomando cuerpo, que se engulló mi infancia, mi juventud, mi madurez y seguía ampliando el espectro del amor y la muerte. Imposible editorialmente publicar un libro de más de dos mil páginas. El mismo libro me indicó el camino para separarlo en cinco, cada uno con su propia autonomía.

—Cuando dice que duró 20 años haciendo las cinco novelas, surge un interrogante: ¿sintió angustia porque el tiempo trascurría y no llegaba al punto final?

—Mi angustia crecía en la medida que estudiaba la realidad triste de nuestro país. Pasé por estados de ira e intenso dolor, de lágrimas y preguntas y llegué a la conclusión que esos mismos dolores debía ponerlos en la piel y el corazón de mis personajes. No me preocupaba el punto final. Si el escritor sabe el punto inicial y el final, no permite a sus seres imaginados que deambulen libres por el libro. He afirmado que sufro mucho escribiendo, no solamente por los temas sino por el lenguaje y el estilo, por eso viajo con mis libros, duermo con ellos, los corrijo hasta la demencia.

—En El pianista sorprende la descripción detallada, en ocasiones metafórica, de los elementos que rodean los personajes, sus sentimientos y la música frente a la narración de unos hechos que afectaban dos naciones. ¿Fue difícil entremezclar estos lenguajes o, en ocasiones, sintió que la historia le ganaba a la literatura o viceversa?

—El escritor no busca las historias, ellas encuentran a sus autores. Las Weismann de *El jardín*, nacieron en mi niñez, viendo a unas mujeres enfiladas hacia la iglesia. A los 20 años conecté la violencia de la segunda guerra mundial con la guerra colombiana, desde el amor y la metáfora de las flores. No pretendía volver a hablar de otro judío alemán, no. En un viaje a Alemania, no incluía Hamburgo, pero el azar me llevó allí, a la casa de Brahms, navegando por el Báltico con un músico que me contó la historia de su abuelo que siempre soñó con vivir en América. Lo demás fueron los sueños y el Concierto Número Uno para piano de Brahms. Lenguaje donde la poética se mezcla para los silencios. Creo que es una novela de silencios, como los tiene la música para existir, como lo tiene el amor para existir. Tenía claro que la historia con mayúsculas debía ser controlada, no por el autor sino por el personaje.

—La felicidad le es esquiva a sus personajes. ¿Por qué los sumerge en la desventura? ¿Cree que la guerra condena a los que la viven?

—Lamentablemente el proyecto humano tiende al total fracaso. Estamos devorándonos el planeta, destruyéndolo. Y las guerras se lo devoran de la misma forma. La pobreza en el mundo es otro de los anuncios de la destrucción. El hambre y, sobre todo, la indiferencia de los que determinan que el mundo sea como es. Quizás por eso mis personajes se refugian en el arte, la música, la poesía. La felicidad no existe, la felicidad es un momento fugaz entre dos angustias. Existen escasos momentos de felicidad que sumados no llegan a ser la felicidad. Por eso la desventura, por eso el romanticismo a ultranza, por eso los silencios. Todas las guerras nos condenan a la infelicidad y la desventura. No sólo quienes la viven de manera directa sino a los que nos duele en la piel de los desaparecidos, de los sacrificados.

—Hendrik, el personaje de *El pianista...* es un hombre derrotado no sólo por los hechos externos sino por su misma naturaleza. ¿Considera que más que el mundo que lo rodeó, él fue el artífice de su desgracia?

Los hombres no determinan sus vidas. Hay fuerzas externas que los llevan al caos. Hendrik no quería ir a las filas del ejército nazi, por eso huyó de Hamburgo, en pos de la libertad y la música y encuentra esa otra guerra que lo cerca a su destino, no el de los dioses sino el de los hombres. La fragilidad de su corazón de poeta no le

15

permite hacer frente a esa realidad voraz que lo atormenta, incluido el otro dolor, el amor, enamorarse de la mujer equivocada.

—¿En algún capítulo del libro se mezcla la narración con la historia del autor?

—Los escritores que digan que separan la vida privada de sus libros son unos farsantes. Hay en cada personaje jirones de nuestra propia angustia. Los personajes nos confrontan, son espejos en añicos de nuestra vida, que no es la que se desarrolla cotidianamente sino aquella que está detrás de las sombras, en las lecturas, los sueños y aspiraciones, dolores y sentimientos. Hendrik me enseñó la ciudad, las pesadillas. Él soñaba con Hitler, yo, con los cadáveres que vi en mi infancia en El Líbano, mi pueblo natal. También me he creído vampiro, como él se creyó Nosferatu. Estoy regado por todos mis libros, en las cinco novelas, como salpicadas por mis espermatozoides.

—Sin ser su oficio ¿es difícil escribir sobre música? ¿ha recibido comentarios al respecto?

—Mi literatura siempre ha sido calificada como poética y, donde acaban las palabras empieza la música. No soy erudito ni melómano, simplemente degusto la música con sagrado rito. Soy un apasionado en todo. Los músicos me han felicitado y yo me siento como si usurpara ese sitio sacro del arte. Pero luego, vuelo con ellos con una sinfonía, con la nostalgia de un jazz o la alegría de un rock-and-roll.

—¿El pianista guarda una línea coherente con sus anteriores publicaciones o, por el contrario, surge como un ápice de su literatura?

—Mis libros siempre han hablado de lo mismo y, creo, con los mismos recursos narrativos. Pequeños capítulos, redondos y autónomos. Lenguaje subyacente, simbólico, discursos no explícitos. Considero que los escritores sólo escriben un libro con múltiples ramificaciones. Lo demás no es el tiempo del autor sino el tiempo de la fantasía. Nací en un país donde la literatura para mí es un camino a la sensibilidad que hemos tendido para mitigar el sufrimiento de nuestra historia lejana y reciente.

—¿Cuándo saldrán al mercado los demás libros de *La Frágil Memoria*? ¿Nos puede adelantar algo de sus temáticas?

—La temática es la misma: sagas familiares, historias de amores y guerra. Dolores y pequeños triunfos en las anónimas batallas de los seres insignificantes como somos la mayoría de los colombianos. Desde las guerras civiles hasta la caída de las Torres Gemelas. Éxodos, magnicidios, resistencias, música, gastronomía, arte… todo lo que nos ponen al frente para bien y para mal. Eso es *El quinteto de la frágil Memoria*.

—Colombia no es un país de lectores y son pocas las editoriales que publican literatura. ¿Cómo ve esta situación para un escritor?

—El escritor sólo debe escribir sin ser determinado por los vaivenes del mercado editorial. El escritor verdadero escribe o se muere. Lo demás viene luego, con todo lo que la globalización y las intrigas, los gustos y las mareas económicas del mundo imponen. Aspiro a la inmensa minoría que lee, por ellos y para ellos hago mis libros. El resto es silencio.

—¿Qué se siente parir un libro?

—Como el amor, existe una extraña delicia entre hacer un libro y terminar un libro. Lo demás, como el mismo amor, es verlo publicado, vestido y desvestido. Poseído muchas veces.

—Hay una pregunta que he querido hacerle a propósito de que su hermano se dedica al mismo oficio ¿Se nace escritor o este oficio se va forjando con el transcurrir de la vida?

—Nacemos con sensibilidad para el arte, todos los seres humanos la tenemos, algunos han sido mutilados, otros, a través de nuestras vidas, nuestros padres y maestros, nos la han respetado y cultivado. No basta la sensibilidad, se hace necesario el estudio, la disciplina, el trabajo. La obra no se construye sola hay que ponerle alas, las que en muchas ocasiones se vuelven de cera.

—Ustedes crearon Editorial Pijao, en la que han publicado más de cuatrocientos títulos de autores colombianos. ¿Por qué no publica sus obras allí?

—Siempre he respetado las ediciones regionales, las ediciones de autor. Hay un momento en nuestro quehacer que nos obliga a confrontarnos con otros, de otras latitudes. El fenómeno de la distribución del libro en Colombia es otra de las razones para lanzarme a buscar editores con mayor cobertura comercial no tanto por el dinero pero si para llegar a más lectores.

—El periodismo también ha hecho parte de su vida. Ha dirigido el programa de televisión Babelia, la Revista de Literatura Pijao y producido los documentales de Palabra Viva ¿Existe una línea fácil de traspasar entre el periodismo y la literatura?

—He ejercido el periodismo cultural que se hermana con la literatura. Fui profesor de periodismo y literatura en varias universidades y sé que hay un hilo invisible entre una buena novela y una buena crónica, por ejemplo.

—Ganó el Premio Nacional de Cuento sobre Desaparición Forzada con el título *Sin nombre, sin rostro ni rastro*. ¿Tiene algo entre manos en la escritura de este género?

—Escribo y sufro un libro de cuentos que tiene que ver con dar voz a los desaparecidos en la larga guerra colombiana. Se llamará *Expedición al olvido* y navegará por los ríos-tumbas del país. Recogeré con respeto y poesía los pedazos de cuerpos insepultos".

REPORTAJE CON LUZ STELLA MILLÁN GRAJALES

"Jorge Eliécer Pardo y el arte de novelar"[1] a propósito del decálogo de la novela, propuesto por Carlos Fuentes, es el resultado de largas conversaciones con Luz Stella Millán, bajo tardes soleadas alrededor de un macchiatto en el café Valdez.

"En la infancia mi padre tenía la costumbre de leer a sus hijas historias que ilustraban el entorno en que habían crecido. En tardes de sábado, lo escuchábamos a voz en cuello, *«remedar»* a Peralta, en la historia de las aventuras de Cristo en una fonda paisa.

Con Gabriel Millán como padre y acucioso lector, era posible saltar de los «gozosos» a los «dolorosos». Esta muchachita *«brincona»* y que por fortuna ya *«se mandaba sola»,* tenía que prepararse rápidamente para otra cosa. Después de tan risueñas y novedosas interpretaciones, pasaba a leer en voz baja, y con profundas inflexiones la historia de las *Wiesmann*, unas mujeres muy tristes que deambulaban por el Líbano, Tolima, su pueblo natal.

Incluso, en diversos momentos de su vida volvía a hablar de ellas, como unos seres que vivían y caminaban como fantasmas por una calle lastimosamente llamada *«de las abandonadas»* como si nombrara a múltiples mujeres del mundo señaladas así y desde siempre injustamente olvidadas por la historia. Ellas vivieron en mi memoria sin conocer a su creador, Jorge Eliécer Pardo, hasta que tuve un encuentro con él en la Feria Internacional del Libro en Bogotá, 2012, y es él quien narra la vida de estos personajes que me sensibilizaron. Aquí y ahora, vuelven a inundarme y conmoverme

---

1 Aquelarre. Revista de filosofía, política, arte y cultura, núm, 23, Universidad del Tolima, abril de 2013, pp., 109-114. Luz Stella Millán: *Jorge Eliécer Pardo y el arte de novelar.*

Luz Stella Millán, en su programa, *Cámara de papel*, para la televisión pública, entrevistó al autor, al igual que en *Micrófono de papel*, en la emisora de la Universidad Nacional de Colombia.

después de veinte años de silencio público, pero no privado en el trabajo del escritor Pardo.

Regresa Jorge Eliécer Pardo, como uno de los escritores relevantes de nuestro tiempo, para narrar de nuevo a los inmigrantes del mundo con su trascendente novela *El pianista que llegó de Hamburgo*. A los *«trasteados»* como son llamados en México, se une el legado *Decálogo de la Novela*, promulgado por un mexicano universal y más vivo que nunca, el inmenso Carlos Fuentes, para dialogar desde sus postulados con Jorge Eliécer Pardo y su novela *El pianista que llegó de Hamburgo*.

1. La novela imagina todo lo no visto. Hace visible lo invisible.

LSM: ¿Cómo inscribe dentro de este marco la novela El pianista que llegó de Hamburgo *al primer enunciado?*

JEP: Lo invisible es lo que nos han expropiado, las distintas verdades de la historia, lo imposible de borrar. Está en la memoria colectiva, es nuestro ADN doloroso, social y político.

La novela es un maravilloso formato literario donde convergen del pozo escondido pero no seco, razones para la historia. Hoy se afirma con certeza, por la novela pasa el mundo, la vida particular y colectiva. En ella habitan los más profundos sentimientos, las luchas de cada día y la construcción de los entornos, escenas que interpretarán la vida, si sabemos indagar.

Conviven igualmente, lo invisible y además el silencio, de la misma manera como lo hacen la poesía y la música, a veces se tornan intangibles y el artista está obligado a traspasar el velo misterioso, asumiendo el riesgo que el talento y la creatividad imponen, y además exigen a la creación literaria.

En la novela *El pianista que llegó de Hamburgo*, me propuse narrar la exclusión a la que han sido sometidos los inmigrantes en Colombia después de la Segunda Guerra Mundial. La historia empezó cuando viajé a Alemania a ver unos amigos en Hamburgo, navegando, con un músico que cargaba el estigma de un pasado no vergonzoso porque había sido estigmatizado en su propio país. Visité la casa del compositor germano Johannes Brahms, donde escuché el Concierto Número Uno para Pianoforte y Orquesta en versión de la Orquesta Filarmónica de Berlín bajo la conducción de Emil Gilels y el pianista Eugen Jochum.

Fue entonces cuando rememoré a aquellas mujeres exiladas que narré en mi primera novela, *El Jardín Weismann*, contadas desde las explosiones en el momento de los bombardeos en Berlín y habitadas en el velo de mi memoria perforada por el tiempo y los años, venían otra vez con la música en el aire húmedo del Báltico. Evidencié los desastres de los bombardeos y los vestigios de las eternas confrontaciones entre los hombres, por el poder.

Fue el personaje central de la novela, Hendrik Pfalzgraf, el que me condujo por la Bogotá de los años transcurridos entre las décadas del 20 al 70, las transformaciones de la ciudad, el 9 de abril o *El Bogotazo*, que cambió la historia de Colombia. El relato contempla lugares emblemáticos como la Calle del Cartucho, el barrio La Candelaria, el salón de onces Las Margaritas, el Pasaje Hernández, las voces de los retratos y los muertos deambulando como fantasmas. Los sueños de los verdugos de todas las épocas. También me mostró el camino de la insurgencia asesinada desde las falsas amnistías e indultos. Recorrí con el pianista, el paisaje del llano y los intersticios del amor, más allá de la poesía y la música.

2. La novela crea una nueva realidad. Añade algo nuevo que no estaba allí antes en el mundo.

LSM: *¿La guerra ha sido narrada muchas veces y paradójicamente, nos hemos olvidado de ella.* El pianista que llegó de Hamburgo *tiene la intención de reescribirla de una manera nueva, explorando desde la narración el diálogo de lo público y lo privado?*

JEP: Como antecedente en la publicación *El jardín de las Weismann*, los lectores resaltaron la manera estructural como se construyó el lenguaje poético y erótico, para contar un fenómeno cruento. Las contradicciones planteadas entre flores y fusiles. Los monólogos que van y vienen en la narración me enseñaron a callar, y plantear un elemento definitivo en toda obra artística, el silencio.

Quise volver del silencio de veinte años sin publicar mas no de dejar de escribir hasta completar *El quinteto de la Frágil Memoria* del que hace parte *El pianista que llegó de Hamburgo*.

En *El Pianista que llegó de Hamburgo* quise expresar la contradicción entre el amor, el fracaso y el dolor. El ausente diálogo entre lo privado y lo público. Mujeres que huyen de la guerra, hombres que huyen de la misma guerra, todos en una nueva guerra que es la misma, narrada con víctimas y victimarios.

Encontrar al escritor surafricano J.M. Coetzee confirmó lo que la respiración narrativa indicaba en los quince años que luché con la idea de hacer un libro sobre la guerra en Colombia, sin que la guerra abiertamente, estuviera allí. Siempre me persiguió la imagen de un médico que cosía la cabeza a un cadáver en El Líbano, Tolima, mi pueblo natal, en los años cincuenta, y el rojo intenso de su guante puesto en mi cara de niño, como a Hendrik, a quien lo persigue la cara y la presencia del dictador Hitler en su vida.

La guerra estará siempre en el sitio invisible desde donde deben hablar las novelas. La gran disyuntiva del escritor que se enfrenta a los documentos históricos consiste en que ellos no devoren a los personajes de ficción. Siempre tuve claro, no escribiría novelas históricas a la manera del siglo XIX, sino intimistas, con personajes anónimos cuyas vidas estuvieran cruzadas, tamizadas por hechos fundamentales de la historia. Creo en el compromiso no partidista del autor, en el político en el mejor sentido de la palabra. Toma fuerza nuevamente el postulado sartriano, *"el escritor debe ser testigo de su tiempo, sin compromisos con el poder"*.

3. LA NOVELA CONVIERTE LA PARTE NO-DICHA DEL MUNDO EN PARTE DI-CHOSA. AÚN A COSTA, MUCHA VECES, DE LA DES-DICHA DEL ESCRITOR.

LSM: *¿La novela* El Pianista que llegó de Hamburgo, *convoca el tema de la guerra para iniciar una nueva forma de narrarla? ¿Sobre todo en el ámbito colombiano donde la constante narrativa social ha sido por décadas, la misma?*

JEP: Nuestras guerras, además de ser producto de las venganzas, son también el resultado de las desigualdades. Sociológicamente podríamos afirmar, son muestra de las confrontaciones entre víctimas y victimarios, victimarios que a su vez se vuelven víctimas, en las luchas por el poder y la tierra.

Por la novela discurren generaciones que se debaten, tejidos humanos que dirimen sus diferencias con odio y violencia. La cadena de la guerra habla del hijo de un asesinado, nieto de un asesino, hermano de un determinador, bandolero, *pájaro*, guerrillero, paramilitar, sicario, mercenario, todos ellos aliados secretos de los grupos de poder en conflicto, seres humanos que han sido contados en la literatura, sin tener en cuenta el contexto general de la guerra.

Sicarios, guerrilleros y mafiosos, porque sí. Un crítico literario llamó la atención al expresar, *"la novela psicológica está mandada a recoger"*, fue el comienzo de los fuegos artificiales de la posmodernidad. Ahora reafirmo, no pueden escribirse novelas, sin que lo psicológico esté presente de manera profunda y no descriptiva.

Quisieran muchos autores contar seres de ficción como lo hizo por ejemplo Sábato en su novela *Sobre héroes y tumbas*, o debatir el mundo de hoy como el catalán de mi generación Jaume Cabré en *Yo confieso*. La narrativa social es la misma narrativa particular que se vuelve colectiva. Pero no es desde lo colectivo como debe escribirse esa literatura que tanto necesitan los pueblos para reconstruir la memoria, visibilizar los fantasmas que murieron para erigir todas las historias. Ahora, sólo la literatura les otorga la voz.

4. La novela imagina todo lo no visto en el mundo.

LSM: ¿En El Pianista que llegó de Hamburgo *el personaje hace acopio todo el tiempo de lo imaginado, lo no narrado, busca permanentemente nuevas formas de contar, pensar, hablar, conocer, explorar y por supuesto escribir?*

JEP: El escritor se alimenta de la tradición literaria. La novela puede contener todo. Lo importante, es apropiar al personaje de esas formas de narrar. Cada personaje requiere y exige su propio lenguaje, referido o directo. Este es un acto imprescindible. Que los muertos y fantasmas hablen y actúen en un libro no es nuevo, quizá lo novedoso es que sean *nuestros* muertos, fantasmas reclamando su corporeidad, el mundo privado.

5. La novela no sólo refleja la realidad. Crea una nueva. Añade algo que no estaba allí, en el mundo.

LSM: ¿El Pianista que llegó de Hamburgo *necesita, de manera total, crear una nueva realidad, inventar un mundo a partir de vasos comunicantes desde sus propias realidades culturales?*

JEP: Todos los éxodos presuponen nuevos mundos. Somos un país escaso en inmigración, si hacemos una comparación con Argentina, Brasil y Estados Unidos. Un país cerrado que padece el mono culturalismo, excluyente y estigmatizante ocurrido antes del desarrollo de las nuevas tecnologías y del auge de la comunicación.

Creo en el mundo propio de los libros, aquel que se hace cómplice del lector. Los nuevos espacios inventados para construir novelas, son únicos e irrepetibles.

Los ojos del narrador y de los personajes son de muchos lectores, testigos del hecho mágico de la lectura de acontecimientos individuales que sobrepasan lo local, regional, nacional, en procura de lo universal.

Algunas personas dicen conocer a Hendrik, el pianista, otros, que compraron una guitarra en su almacén o que lo vieron de la mano de Matilde su amante, muy conocida en la Bogotá de los años sesenta. En realidad, estos lectores estuvieron allí y son parte de la novela. Utilizan el mismo ropaje de Nosferatu, el vampiro, para cruzar invisible las paredes de la casa y poseer a su enamorada al compás de los acordes de la música de Johannes Brahms, los rumores del Parque Nacional, en el barrio La Merced.

6. La novela afecta el futuro anticipado. Ensancha el territorio de la conducta social, y el comportamiento humano de la historia. Es decir, constantemente ganando todo el tiempo un poco, como los holandeses tierra al mar.

LSM: *¿El pianista logra anticipar el futuro y el comportamiento humano a la manera holandesa?*

JEP: Me asomo al velo de la memoria, lo he tocado para poderlo correr y ahí encontré todo, o parte, da igual, porque siempre ha sido igual. Los personajes, son tan humanos, como inhumana es la guerra. Tenía la posibilidad de hacer literatura propiamente imaginaria, como muchos autores lo proclaman, pero el dolor ha sido tan profundo que no pude calmarlo. Corriendo riesgos, ya no le temo a las críticas generales sobre el tema de la guerra. Las sufrimos los de mi generación en la década de los setenta cuando las Editoriales y la gente decían que estaban hasta el cuello con la violencia. Ahora, seguimos hasta el techo con la guerra, desmembramientos y decapitaciones. Sí, le he ganado tiempo a mi tiempo. Lo demás es simple vanidad.

¿Tendrá sentido hacer libros que no hurguen el corazón, no detengan la respiración ante la barbarie? Si la literatura debe cumplir la función de divertir, también debe motivar a la reflexión: la de los conflictos humanos, particulares y colectivos.

7. Esa creación afecta al futuro anticipado. Pero esa creación también depende del pasado.

LSM: ¿El escenario político y humano es quizá el mayor valor en su novela, El Pianista que llegó de Hamburgo?

JEP: Las pasiones y sentimientos sobrepasan las crónicas periodísticas y solamente la literatura, la poesía y la novela, pueden acercarse a lo más íntimo, haciendo polifonía con otras artes. Existe un momento en el que el autor no puede manejar esos sentimientos porque seres, personajes transparentes, van adquiriendo su propia voz. Son iguales al pianista, viven con dolor y soledad. No conocía sus pesadillas ni el golpe incesante de una ventana que escucha a lo lejos y le hace saber que sigue vivo. No sabía que escribía una sinfonía ni que había sacado de un inquilinato a la que creía su Isolda. No sabía, tampoco, que existía, en el Pasaje Hernández, en una sastrería, un grupo de conspiradores ingenuos como muchos colombianos.

Todo, me lo dictó el entorno de la vida de abuelos, tíos, padres y el de nosotros. Caminé con mis personajes por distintos escenarios durante muchos años, y al final me di cuenta de que ellos siguen esperándome en todas las esquinas.

8. La novela, así, crea un nuevo tiempo. Un tiempo de la lectura asimilada. Un tiempo inmediato en el que el pasado deja de ser museo y el futuro una especie de fantasma que vive en las acciones y elaboraciones literarias de sus personajes.

LSM: ¿La novela puede crear también un nuevo tiempo?

JEP: Si la novela tiene personajes embalsamados, ha fracasado. Si tiene documentos amarillos, también ha fracasado. Si contiene discurso panfletario, juicios de cualquier índole por parte del autor, ha fracasado. El nuevo tiempo es el mismo tiempo recobrado. Los días de los almanaques no existen en literatura, existe el presente eterno en la historia. Las llamas que quemaron el almacén de pianos del personaje, la tarde de *El Bogotazo*, siguen ardiendo, continúan los disparos permanentes, el lector debe saber que el Centro de la ciudad seguirá humeando en el eterno presente de la historia.

9. LA NOVELA SE TRANSFORMA ASÍ EN UNA VASTÍSIMA ARENA... DONDE PUEDEN ENCONTRARSE REALIDADES QUE DE OTRA MANERA, SERÍAN IMPOSIBLES.

LSM: *¿La novela contiene todos los tiempos en la historia?*

JEP: La novela es el género literario que permite todas las experimentaciones, donde convergen tiempos, ritmos y personajes. No es un mundo atrapado en el lenguaje, se trata de múltiples lenguajes conviviendo en el libro. Así la vida. Así la sociedad. En un mismo lugar de Colombia se pueden palpar la pre modernidad, la modernidad y la posmodernidad, en un solo instante.

10. LENGUAJES EN CONFLICTO, CIVILIZACIONES SEPARADAS POR SIGLOS, GÉNEROS, INDIVIDUOS QUE ENTRAN EN CONFLICTO.

LSM: *¿Se abrazan y se transforman en la novela que se convierte, por último, en la parábola preciso de un mundo no concluido, abierto, hecho por hombres y mujeres, que no han dicho su última palabra de ninguna manera?*

JEP: Cabalgo con Miguel de Cervantes, viajo en tren con León Tolstoi, en carruajes con Gustav Flaubert, llego al espacio con Ray Bradbury, al fondo del mar con Julio Verne, a las calles de Estados Unidos con Paul Auster, a las guerras norteamericanas con William Faulkner, tomo té en la mesa de Orhan Pamuk, todo lo permite la novela. Pero lo más sorprendente es el viaje que el lector puede hacer a lo profundo del sentimiento humano, al odio y al amor, al fracaso y al logro. Es ahí donde los conflictos sociales se vuelven personales.

Cuando inicié la escritura de *El quinteto de la Frágil Memoria*, había tanto por contar, que mis personajes empezaron a hablar sin control hasta completar dos mil quinientas páginas. Existía tanto silencio en mi corazón y en el de ellos como en el de la realidad colombiana.

Consideré imposible, editorialmente hablando, el libro completo, entonces opté por dividirlo en cinco, pero me encontré con tantos sucesos por recuperar que sería imposible. Muchas veces debatí con Arturo Alape, Etiquio Leal y Germán Guzmán Campos, el reto de hacer la novela de la guerra. Ellos decían que era inmanejable. No alcancé a mostrarles el proyecto de mi saga, todos se murieron, pero los libros están ahí, siempre inacabados, abiertos y dispuestos a dialogar con otros que traten la condición humana y la dura realidad de nuestro país. Mi aliento está sosegado, los libros empiezan a salir y los lectores a ver en ellos el espejo de su propio mundo".

EL PIANISTA QUE LLEGÓ DE HAMBURGO

En aguas de Panamá © Foto de Jorge Eliécer Pardo

Antepasados de Hendrik Pfalzgraf

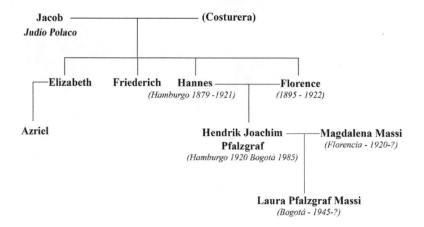

Jacob ——————————— **(Costurera)**
Judío Polaco

—**Elizabeth**   **Friederich**   **Hannes** ————————**Florence**
                                  (Hamburgo 1879 -1921)   *(1895 - 1922)*

Azriel

Hendrik Joachim ——**Magdalena Massi**
Pfalzgraf   *(Florencia - 1920-?)*
(Hamburgo 1920 Bogotá 1985)

Laura Pfalzgraf Massi
(Bogotá - 1945-?)

La desgracia de nacer donde no queremos

Deseó haber sido hijo de Brahms

Hendrik Pfalzgraf soñó con ser profesor de piano pero jamás pensó que terminaría en Suramérica y moriría en Colombia. Huía de la guerra pero la guerra lo persiguió siempre. Su abuelo judío polaco, Jakob, se amarró un contrabajo a sus espaldas y viajó a pie durante varios días, por un camino enlodado de la vieja Alemania, para cumplir su destino: ser músico. Tocaba en tabernas marineras, en cantinas y quioscos, en manifestaciones sinfónicas dominicales pero el dinero escaseaba y su talento se perdía en el olor a cerveza. Al abuelo Jakob el amor le daba la espalda y las mujeres que se le acercaron tenían el corazón ocupado por recuerdos imposibles de derrotar; además, era un pretendiente vagabundo sin fortuna. En uno de los atrios donde daban un concierto de música húngara, apareció una señora diecisiete años mayor que el abuelo Jakob, pequeña y coja, que se dedicaba a la costura y, con su ternura de *alegro ma non troppo*, enamoró con pasión al joven aprendiz. Se casó con ella porque jamás envidió su talento y porque nunca competiría con él. Tuvieron tres hijos: Elizabeth, Friedrich y Hannes —hamburgués de 1879— el padre de Hendrik.

A los doce años, Hannes tocaba el violín con Jakob en las plazas de mercado y recibían ovaciones. Una pareja admirable que llenaba los pequeños escenarios de Hamburgo y que

31

repetía el acto ante la insistencia de los oyentes. El amor imposible nacería en el corazón de Hannes al conocer a la mujer de un virtuoso pianista. Jamás pudo reponerse de ese sentimiento. El virtuoso dio un concierto en el puerto y él lo oyó maravillado. Hannes dejó en el mostrador del hotel las partituras de su primer *scherzo* pero el maestro no se dignó leerlo. El joven artista estaba descorazonado y con deseos de dejar la música definitivamente, pero lo dominaron el amor y la sensualidad al ejecutar el pianoforte. Su música preferida: Schumann. La mujer del pianista, dos veces mayor que Hannes, comprometida y enamorada de otro y con seis hijos: pero a él no le importó, siempre la amaría. Desesperado, Hannes, en las cantinas, tocaba el piano y se sentaba en los regazos de las prostitutas a recibir mimos de adolescente mientras imaginaba a la dueña de sus desvelos e ímpetus de compositor. Entonces pensó sobrevivir en un lugar donde no existiera la risa y se dedicó a estudiar con el rencor de quien descubre que la vida sólo le entregó el fracaso. Vería a su amor inconfeso en temporadas rápidas cuando ella pasaba por Hamburgo dando conciertos y divulgando la música del marido. Supo que el compositor se lanzó al Rin —vestido como el joven *Werther*— en medio de una locura idealista, porque estalló de música. No murió ahogado sino esquizofrénico en un sanatorio, viajando por siempre en los acordes de una de sus sinfonías, el lenguaje que le permitía comunicación con el más allá.

Hannes no pudo palpar el amor. Tocado por la chispa divina, era adorado por las mujeres pero escurridizo ante el matrimonio y se vanagloriaba de no haber gastado mucho tiempo en escribir cartas o adular damas. De estatura inferior a la media, armazón y constitución robusta, rubio, con hermosa cabellera echada hacia atrás. Cuidadosamente afeitado. De ojos azules, profundos. Por ser miope usaba con frecuencia gafas que llevaba colgadas del cuello con un cordoncillo negro de cuero y un pequeño botón de plata martillada. Lucía sombrero negro de fieltro y carecía de toda afectación. En las pocas ocasiones que tocó a cuatro manos con su enamorada, ella le permitió que fumara y oliera a un borgoña. Cuando su eterno amor platónico murió, sumergido en el licor, se equivocó de tren y no pudo llegar al funeral.

Odiaba los dictadores y conspiró contra el despotismo. Apoyó la revolución rusa, a los bolcheviques, y divulgó entre sus pocos amigos las ideas marxistas. De 1919 a 1920 vivió con Florence, una soprano que le dio un hijo al que llamó Hendrik Joachim, que nació en febrero, el mismo mes en que Adolfo Hitler expuso en Munich los veinticinco puntos del Partido Obrero que se convertiría en el Partido Alemán Nacional Socialista. Hannes presintió que estarían unidos a la desgracia de la guerra; Hitler odiaba a los marxistas y a los judíos y ellos estarían marcados con ese destino. No imaginó que su único hijo viviría, muy cerca y en su frágil corazón de artista, la violencia, en remotas tierras americanas.

Los padres de Hendrik se conocieron en un camerino de tercera donde Florence, soprano lírica, desmaquillaba su rostro triste luego de interpretar a *Isolda*. Tenía veinticuatro años y recorría el país con la pequeña y decadente compañía que rendía homenaje a Wagner. Hablaron de la soledad y del arte y en el tono de las palabras supieron —por separado— que aunque no encontraban su gran amor, por lo menos podían compartir los rigores de la miseria. Esa misma noche se hicieron amantes.

Hannes y Florence carecían de todo como todo el país y comprar provisiones era un milagro, Alemania empezaba a pagar el costo de reparación por la Gran Guerra que impuso el Tratado de Versalles para cincuenta años. Los Pfalzgraf no tenían muchas veces los miles de marcos que costaba una barra de pan. Hannes —entre las privaciones y el alcohol— murió de cirrosis y soledad a los cuarenta y dos años mientras Florence —de quien decían imitaba el canto del ruiseñor— de tuberculosis, un año después, a los veintisiete, cuando Hendrik tenía dos. Lo llevarían a vivir a casa de sus tíos Elizabeth y Azriel, músicos también.

Hendrik Joachim Pfalzgraf, sietemesino y con don especial para la música conquistaría —treinta y siete años después, en Colombia— a Matilde Aguirre. Hendrik supo que su padre deseó haber sido hijo de Brahms y que la herencia de su abuelo Jakob lo ayudó a sobrevivir; sin él hubiera muerto en la tristeza.

Un viejo clavicordio

Esa hija obediente de la música

Elizabeth Pfalzgraf y su esposo Azriel Ganitsky llevaron al silencioso Hendrik a su casa. Hasta los diez años vivió el recogimiento de sus tíos, las viejas enseñanzas, y soñaba con el deseo incompleto de su padre: ser un *mujik* para vivir en Moscú y además tocar el piano hasta su vejez. Asistía a la escuela y en las tardes recibía clases de música y piano en la academia donde trabajaba Azriel. Hendrik, retraído y dedicado a las labores caseras y a su vocación, no frecuentó los sitios de los adolescentes.

Cuando Hitler llamó a los jóvenes al ejército decidieron, en reunión de sábado, que debía refugiarse mientras pudiera salir del país. Acondicionaron un cuarto en el sótano y llevaron un viejo clavicordio donde Hendrik practicó durante sus años de exilio obligado. No era un desertor, simplemente odiaba la guerra y la política y el tío Azriel le suplicó que se escondiera porque presentía la hecatombe. Su abuelo Jakob había sido polaco, judío, comunista y, su padre, bohemio e irresponsable con sus criterios en cantinas y reuniones; además tenían lo que el dictador jamás logró: el arte. Hitler —desde los once años— lo intentó, en el coro de Linz, como pintor, ilustrador de postales y avisos publicitarios, en el teatro y la ópera, pero su destino estaba en la guerra aunque veía en el artista la ruta de escape a la sumisión, la disciplina y la obediencia. Así usurpó a Wagner. El tío Azriel le hizo entender que no había que amar a las naciones sino al arte. Fueron cinco años en los que Hendrik pudo sumergirse en libros y discos, hasta cuando llegó el momento de la fuga.

Hitler convocó a los alemanes a un plebiscito preguntándoles si querían que él continuara como Canciller; el noventa por ciento votó sí, Azriel dijo no y convenció a algunos profesores para que hicieran lo mismo. El pensamiento del dictador se cumplía: *toda mi vida puede ser resumida como un incesante esfuerzo por persuadir a los otros.* Un mes después Azriel supo que serían perseguidos. Lo identificaron como judío, le prohibieron ejercer la docencia, a sus amigos el periodismo y los catalogaron como ciudadanos de segunda. Azriel llevaba las noticias al sótano y Hendrik veía el viaje a Rusia cada vez más remoto, entonces prefería no hablar y meterse en los acordes de su instrumento, a tono discreto. Era alemán, hamburgués, músico, lo demás estaba fuera de sus convencimientos pero afectaba la vida de su familia. Todos los que estuvieran contra los principios del Canciller serían ejecutados como los dirigentes Camisas Pardas de la sa o Sección de Asalto, que mandó fusilar, en la fatídica *Noche de los Cuchillos Largos.* Las noticias eran alentadoras para los alemanes sumisos a Hitler pero ellos se hundían más en la pequeña mazmorra —en las afueras de Hamburgo— donde intentaron no existir. Hendrik se hacía adulto sin ver el puerto que siempre amó, la partida de los barcos, sus campos verdes donde tantas veces escuchó el ruido incesante de su corazón al ritmo de un violonchelo. Empezaba a desesperar pero la guerra llegaba al punto del no retorno y la idea de escapar apremiaba. Debería estar en las tribunas del Estadio de Berlín, como todos los de su edad, cuando se inauguraran los juegos olímpicos, pero sólo escuchó la noticia en boca de Azriel: un negro norteamericano, Jesee Owens, había ganado cuatro medallas de oro en cien y doscientos metros planos, relevos y salto largo, imponiendo nueva marca olímpica y el Führer estaba enfurecido. Las consignas deportivas del amigo de Hitler, Benito Mussolini, *vencer o vencer*, no se cumplían en Alemania, mientras Italia ganaba el segundo campeonato mundial de fútbol al derrotar a Checoslovaquia. Los *Camisas Negras* trataban de imponer la idea del fascismo italiano para dominar el mundo, como lo hizo el imperio romano.

A pesar de todo, el pueblo exacerbaba con las invasiones de su Canciller a otros países y por la decisión de romper el *Tratado de Versalles*. La persuasión se convertía en hipnotismo. No tenían por qué saber que su líder no se comparaba con César o Napoleón, sino con Alarico —saqueador de Roma—, Atila —azote de Dios—, o Genghis Khan. También ignoraban que Hitler decía haber venido al mundo no a hacer mejores a los hombres sino a hacer uso de sus debilidades. Revolución de la destrucción, dominio de Europa o aniquilamiento.

El tío Azriel compartió con su sobrino la posibilidad de ir a los Estados Unidos y no a la Unión Soviética. Hendrik aceptó resignado y viajó en sus ilusiones y pesadillas por las noticias que traía su tío, las que escuchaba en la radio o relataban los amigos que tenían familiares en ese país. Ya no veía el metro de Moscú o Palacio Subterráneo sino el *Empire State*, el edificio más alto del mundo; no veía las películas de Leni Riefenstahl sino a Marlene Dietrich, el hermoso Ángel Azul, y oiría a Benny Goodman, el rey del *swing*, acompañado por Duke Ellington interpretando un *jazz* que por entonces —en Hamburgo— era prohibido; ya no escucharía a Sergie Rachmaninoff, el virtuoso ruso del piano, sino a Ella Fitzgerald, con los gritos de las profundidades de su mundo caótico; sería testigo del cine sonoro, de esas primeras palabras que pronunció Greta Garbo en *Anna Cristie*: *Tráeme un whisky cariño, no seas miserable*. Reconstruyó el país de los inmigrantes en sus tardes de encierro y leyó todo lo que caía en sus manos, que su tío traía a la celda. Azriel ya no apostaría en el bar —el refugio donde conocía los pormenores de la guerra— por Max Schmeling campeón mundial de los pesos pesados porque había sido derrotado por Joe Louis, el negro norteamericano de veintitrés años, *El Bombardero de Detroit*.

El Partido Nacional Socialista y su aspiración de conservar el poder por mil años al mando de los dioses arios, apresuraron la partida. Los estandartes empezaron a lucir en calles y mítines: la cruz gamada daba sentido a sus seguidores: sol, vida, fecundidad, luz, fuego, alegría. La nueva historia iniciaba un giro rápido al revés de las manecillas del reloj, contra el destino de los hombres, sin pactos de protección. Hendrik —desde su cueva— veía crecer el fervor en la gente y el miedo en los ojos de su tío cada vez que se reunían a estudiar a los que conformaban el triángulo en *B* de la música alemana: Bach, Beethoven y Brahms. Cuando le preguntaban si era alemán puro, contestaba que era hamburgués. Azriel había comprado los pasajes y las visas, partirían en junio de 1940 mientras las tropas nazis entraban en Francia y colgaban orgullosos la esvástica en la Torre Eiffel. Ondearía durante cuatro años. Salió de su celda, enfermo de gripe y destruido a pesar del futuro que en boca de la tía Elizabeth era como la tierra prometida. Hitler postraba a los franceses haciéndoles firmar el armisticio en el mismo vagón donde el 11 de noviembre de 1918 los alemanes capitularon bajo la humillación de la derrota. Ahora, el Palacio de los Espejos no reflejaría la abyección en el Palacio de Versalles.

La persecución se acrecentó cuando un joven judío polaco —Herschel Grynzapan— de diecisiete años, llegó a la embajada alemana en París y pidió hablar con el embajador. En su lugar lo recibió Ernest von Rath, tercer secretario. El muchacho buscaba vengar a su padre —uno de los dieciocho mil judíos alemanes deportados a Polonia días antes— y asesinó al diplomático. El hecho enervó a Hitler: ciento diecinueve sinagogas fueron incendiadas, setenta y seis destruidas, siete mil quinientos negocios de judíos saqueados, veinte judíos detenidos y treinta y seis fusilados. En *La Noche de los Cristales Rotos* —como se conoció la venganza— el valor de los vidrios destrozados se calculó en cinco millones de marcos.

Hendrik rescató los objetos de su padre antes del viaje: poemas, cartas de amor, un retrato de Juan Sebastián Bach, una mecedora barroca, un escritorio, una foto de la Gioconda, un camafeo con Robert y Clara Schumann, partituras; entendió las palabras resaltadas en uno de sus libros: *hay que fabricarse una razón y vivir para la música y viajar para beber con los amigos... agotar los secretos de todos los hoteles*. En uno de los cuadernos Hannes lamentaba la muerte de un deseo secreto, escribía que el amor-pasión es una enfermedad muy natural, lo mismo que la muerte. Aunque las palabras desperdigadas por las partituras no tenían destinatario, Hendrik las tomó para enseñar a amar la música. Los poemas los cargó siempre en su cartera de cuero burdo. Donde acaban las palabras empieza la música.

Los amigos de la familia decidieron quedarse, sus propiedades y dinero estaban perdidos y en sus brazos —por obligación— lucían la estrella de David para ser identificados por los alemanes puros. El exterminio se agrandó después de los dos atentados al Führer y muchos fueron presos en guetos, con muros rematados por alambradas de púas. Se morían lentamente, hacinados —trece personas por habitación— entre el hedor insoportable de sus propias heces mientras aguardaban el turno de ser conducidos a las *duchas*.

Juntaron las monedas, vendieron sus objetos de valor y, con la decisión del retorno, optaron porque Hendrik y su tío Azriel emprendieran la aventura a Norteamérica. Una vez instalados mandarían dinero y reunirían para siempre la familia. La guerra no los separaría. Se meterían en el silencio y la soledad; precio de la libertad y la poesía, esa hija obediente de la música.

Los nazis hunden la goleta *Resolute*

El semita es enemigo del país donde reside

Elizabeth se quedaría, a su pesar, con sus dos hijos mientras Hendrik y Azriel buscarían la forma de abrir la escuela de música en la ciudad que el gobierno norteamericano permitiera. Subieron al barco en una mañana brumosa y, desde el atracadero, la tía y los primos dijeron adiós con pañuelos blancos que cortaban el aire y limpiaban las mejillas húmedas. A Hendrik la fiebre le aumentó en las madrugadas y, encerrado en uno de los camarotes de tercera clase, no pudo ser parte de la protesta por el cambio de rumbo. El barco con banderas alemanas tuvo que desviarse hacia el Mar Caribe y atracar en La Habana. Después de varios días, permitieron bajar a unos pocos. Azriel y Hendrik subieron a una goleta que los llevaría a Barranquilla, Colombia.

Los ahorros que la familia entregó a los buscadores de la nueva tierra prometida no resistieron al comercio de pasajes y visas en los distintos puertos. Hendrik, a sus veinte años, dispuesto a sobrevivir, junto con su frágil tío, ingresó a trabajar en la compañía alemana de máquinas Pfaff al lado de Emil Prufert, gerente de la compañía desde 1936; Azriel en el laboratorio Riosol. Eran germanos, la política no les importaba y así lo hicieron saber a los jefes de personal. No estaban dispuestos a servir a las que serían señaladas como redes de espionaje. En las noches, Azriel y Hendrik planeaban la manera de marchar al interior del país, a Bogotá. Los primeros meses fueron de gran depresión para ambos pero cuando lograron hacer contacto con Hamburgo y recibieron dos cartas de Elizabeth, la razón de estar en silencio tuvo sentido porque la música enmudeció con ellos. No dirían a nadie que en sus maletas estaban las partituras, métodos y direcciones de los contactos en los Estados Unidos para establecer su academia.

A pesar de la clandestinidad seguían en la mira. Dos profesores, amigos de Azriel, que se arriesgaron para ser socios en la Escuela, lograron por una buena suma subir en una goleta con bandera colombiana que navegaba por el Caribe. Vieron surgir de las aguas azul verdosas el submarino alemán al mando del almirante Karl Doenitz. El Tercer Reich, ordenó que sus unidades se concentraran en puntos vulnerables: Curazao, Aruba, Punta Gallinas, en La Guajira y Cabo Corrientes, Chocó, donde los nazis se aprovisionaban de combustible. El capitán colombiano, al ver emerger el submarino, ordenó izar el tricolor. En La *Resolute*, además de los amigos de Azriel, viajaban algunos oficiales y marinos británicos. No bastó la bandera porque el submarino alemán disparó, sin dar en el blanco. A quince metros de la nave colombiana lanzaron granadas de mano que destrozaron la goleta. Por negocios sucios o ataque político, la *Resolute* fue hundida. El capitán se salvó junto con otros pasajeros pero no pudo explicar el ataque como consecuencia del ajuste de cuentas con los alemanes por venta de combustible. Los amigos de Azriel se perdieron en las aguas del Caribe. Los capitanes, al servicio de Hitler, Alex Olaf Lüewe y Hans Rutger Tillesen, recibieron medallas por hundir otras dos goletas colombianas, *Roamar* y *Ruby*.

Azriel y Hendrik seguían en Barranquilla a pesar del canciller Luis López de Mesa quien escribió en una circular que el gobierno consideraba a los cinco mil judíos establecidos un porcentaje insuperable. Pedía a los cónsules que pusieran las trabas posibles al visado de nuevos pasaportes para impedir el ingreso de judíos, rumanos, polacos, checos, búlgaros, rusos, italianos. Afirmaba además, que estos personajes llegaban a los puertos en tal grado de miseria que carecían de los centavos necesarios para el pago del timbre nacional y del transporte al lugar de destino, aumentando el número de desocupados que se dedicaban a negocios ilícitos o de ilícita operación. Hacía énfasis en que los judíos que abandonaban Alemania perdían su identidad, adquirían la condición de apátridas y que para dejar de serlo solicitaban la nacionalidad y que Colombia no estaba en condiciones de aceptarlos. Cuando la Unión Paname-ricana exigió la entrada de refugiados, López de Mesa dijo que sí lo harían si se trataba de inmigrantes de buena índole racial y moral, porque los judíos tenían una orientación parasitaria de la vida. Los extranjeros lo señalaron como pronazi, algunos comentaron que frecuentaba una amante espía y el embajador norteamericano lo acusó de que con una alemana tuvo un hijo ilegítimo que llegó a ser capitán del ejército colombiano con el apellido de ella. El gobierno de Eduardo Santos presentaba al canciller López de Mesa como el intelectual que logró determi-nar cómo era el colombiano: *biológicamente débil, fácilmente fatigable, más emprendedor que resistente, más alborotado que interesado en el conocimiento, más intuitivo y fantástico que inteligente, salta de una vez a las cumbres, más emotivo que pasional, más vanidoso que generoso, inconstante, impruden-te, improvisador e iluso, adicto al licor*. En contraste conside-raba a los alemanes como disciplinados, laboriosos, patriotas y algo muy importante para el cruzamiento con ellos: fuertes. Decía además cómo las colonias judías en Argentina fueron re-gresando poco a poco a las costumbres inveteradas de asimilación de riqueza por el cambio y la usura, el trueque y el truco, sin arriesgar en actividades de producción y transformación. Azriel y Hendrik se daban cuenta de que despreciaban a los judíos, y ellos lo eran, que medio mundo odiaba a los alemanes y ellos lo eran.

Como única oportunidad viajaron en vapor por el Río Grande de La Magdalena. Por esas aguas turbias entraban desde perfumes de Europa hasta cervezas, pasando por pianos alemanes, porcelanas chinas y cristalería de Bohemia. Salía quina, café y tabaco. El cauce permitía que los grandes buques llegaran a los puertos de La Dorada y Honda. A finales de los cuarenta la bonanza flotaba por el río, pasaban remolcadores de dos pisos que llevaban miles de cabezas de ganado de las sabanas de la costa atlántica a los mercados del centro del país. Azriel y Hendrik, en ferrocarril, llegaron a Bogotá. En la capital colombiana acudieron a la Bayer y se emplearon para sobrevivir. Llevaban poco dinero y esperaron varios meses con la esperanza de que la suerte mejorara pero las compañías fueron incluidas en las *listas negras* como posibles espías. Ante la excomunión económica, las empresas no podían comprar ni vender mercancías, ni llevar a cabo actividades comerciales. Con el laboratorio Román —de Cartagena— se inauguró la *caza de brujas*. El gobierno los tenía detectados: la mayoría de los alemanes estaban en Barranquilla, Bogotá, Medellín, Bucaramanga y Cali. La primera lista negra, del 17 de julio de 1941, contenía mil ochocientos nombres, el dos de mayo del 42 aumentó a ocho mil doscientos cuarenta y uno. El presidente Santos dijo a los Estados Unidos que los cuatro mil alemanes permanecían vigilados y que eran pocos los sospechosos. Pero el embajador Spruille Braden afirmó que en Colombia se fraguaba un golpe de Estado de inspiración nazi orientado por el conservador Laureano Gómez, después de recuperar el Canal de Panamá para Alemania. El gobierno de Roosevelt negó el permiso de importación de trescientas cincuenta toneladas de papel para el diario *El Siglo* dirigido por Gómez y ordenó retirar la publicidad de las empresas norteamericanas en ese periódico. También se dijo que El Siglo servía a la doctrina nazi y que Laureano trabajaba con un agente de la Falange Española y había recibido una fuerte inversión secreta de la legación alemana. Gómez, que sería presidente de Colombia tiempo después y a quien la historia le endilgaría trescientos mil muertos en la violencia de los años cincuenta, gritó con soberbia en el Senado de la República que *el semita es enemigo del país donde reside y está siempre listo a dañar a aquél país que lo acoge, es un fenómeno comprobado en la historia universal.* Además, denunció al gobierno por recibir un préstamo de dieciséis millones de dólares de los Estados Unidos para armas y equipo militar con el compromiso del ejército de mantener el orden público y garantizar que el Canal de Panamá nunca sería atacado desde Colombia. *Primero nos quitan el Canal y ahora tenemos que pagar para defenderlo,* —escribiría.

Mientras las acusaciones se hacían más fuertes, Azriel y Hendrik emprendían en sus fines de semana el sueño de buscar un sitio para la academia y el almacén donde venderían instrumentos musicales. Uno de los socios mayoritarios de la empresa Bayer los apoyó con un pequeño préstamo, pero la situación empeoró por la guerra en Europa. La persecución se hizo evidente cuando el gobierno colombiano ordenó la deportación de cincuenta extranjeros sospechosos de ser fascistas, el cierre de los colegios alemanes y la prohibición de exhibir retratos de mandatarios extranjeros, exceptuando el del Papa. Azriel y Hendrik se dieron cuenta de que eran perseguidos en todas partes y que en su país exterminaban a sus familiares en la esclavitud —*muerte natural*— o con los gases Ziclón B, en las *duchas*. Supieron que el dos de agosto de 1943 los aliados bombardearon Hamburgo y que entre las cincuenta mil personas muertas, figuraban Elizabeth y sus hijos.

HUÉSPEDES ENCARCELADOS

Decoradora de porcelanas

Tan lejos de Hamburgo, Azriel y Hendrik no tenían la culpa de lo que pasaba en Europa ni que el país que los recibía de mala gana ostentara como secretario de prensa de la legación alemana al hijo de Schmidt —brazo derecho de Himmler, jefe de la Gestapo germana—. Jamás asistieron a reuniones en la casa de campo de la señora Kemmler, en Fusagasugá, aunque la Bayer los hubiera informado. Eran obreros en público y artistas en secreto y así lo entendieron, pero también alemanes y Colombia lanzaba sus políticas contra el enemigo de los Estados Unidos. Todo se confabuló contra ellos. Abelardo Forero Benavides —como gobernador de Cundinamarca— negó la personería jurídica a la Asociación Israelita Montefiore de Bogotá, entidad dedicada al culto religioso, por ser judaica y contraria a la moral cristiana. Por eso evitaron pedir licencia para la academia y, mientras debatían cómo iniciar su trabajo, el 23 de marzo de 1944 el gobierno determinó tomar presos a los súbditos del Eje por considerarlos peligrosos y subversivos.

En la Semana Santa de ese año, el general Carlos Vanegas —con la asesoría de Alfonso Araújo y Joaquín Caicedo Castilla— dictó varias resoluciones donde se ordenaba la retención del primer grupo de cuarenta y cuatro alemanes en el Hotel Sabaneta de Fusagasugá, como prevención del orden público nacional e internacional. Por ser joven, taciturno y, para los especuladores, peligroso, Hendrik fue llevado a Sabaneta después de ser allanada su casa alquilada de La Candelaria; Azriel, trasladado a Cachipay. Hendrik preso de nuevo —como en el sótano de Hamburgo— no hablaba con nadie; sus gastos fueron cubiertos por la Bayer sin que él lo supiera.

En una tarde de lectura y música interior, se acercó a su mutismo Magdalena Massi, una italiana con la que pudo compartir parte de su vida. Ella también seguía atrapada en la guerra que no le pertenecía. Decoradora de porcelanas, entendió que la solidaridad era la mejor forma de resistir las consecuencias de la confrontación de sus dos gobernantes y sin darse cuenta —Magdalena y Hendrik, antes de salir de Sabaneta— se juraron solidaridad en la paz y el desarraigo, en la soledad y el silencio.

El tío Azriel no resistió el abandono y la derrota de sus sueños: representar en su tienda de música las casas comercializadoras de los mejores pianos, Steinway de Nueva York, Bechtein de Berlín y Blüthner de Leipzig, tener a su esposa y sus hijos en la tranquilidad de una ciudad fría, al lado de su sobrino. Todo quedó envuelto en el delirio de la fiebre oyendo a Hendrik tocar a Chopin y a Magdalena Massi en su taller alimentando la esperanza de un mundo mejor para la hija que esperaba con Hendrik. Magdalena dejó el restaurante que sus padres abrieron en Bogotá y Hendrik se veía feliz con su proyecto a largo plazo. Azriel murió sabiendo que su familia había desaparecido para siempre con la Estrella de David tatuada en sus corazones, borrados los números de sus brazos. Una vez liberado, Hendrik invitó a Magdalena a vivir en la casa de La Candelaria pero ella prefirió seguir con sus tutores el primer año y, después, asumió la Academia Brahms como propia. Hendrik clandestinamente asistía a los conciertos Glottmann de la Orquesta Sinfónica Nacional, organizados por Hernando Téllez en los teatros Colón y Colombia o los oía en la Radiodifusora Nacional o *La Voz de Colombia*. Buscaba secretamente a los músicos entre ellos al tenor Carlos Julio Ramírez de quien había dicho Charles Chaplin que era la voz más bella que había escuchado en sus tiempos de Hollywood. Evitó hablar con todos a pesar de su cercanía con el arte.

LA LUCIÉRNAGA Y LA LLAMA

Una noche, una noche toda llena de perfumes,
de murmullos y de músicas de alas

Laura Pfalzgraf Massi —la hija de Hendrik y Magdalena— nació el 30 de enero de 1945, tres meses antes de que las tropas
rusas ocuparan Berlín. La academia de música empezó a fun-
cionar en La Candelaria de Bogotá con dos violines y el piano
Apolo que compraron a los familiares del poeta José Asunción
Silva. Comentaron el triste final del lírico suicida y cómo se
rumoraba que no aguantó la ausencia de su hermana Elvira
muerta de neumonía, y que llevaban un amor secreto que en
cafés y tertulias identificaban con su poema *Nocturno*. Hendrik
y Magdalena leyeron el poema, no sólo como un ejercicio de su
español sino del alma y erotismo.

> *Una noche,*
> *una noche toda llena de perfumes, de murmullos y de*
> *música de alas,*
> *una noche,*
> *en que ardían en la sombra nupcial y húmeda las lu-*
> *ciérnagas fantásticas,*
> *a mi lado, lentamente, contra mí ceñida, toda,*
> *muda y pálida*
> *como si un presentimiento de amarguras infinitas,*
> *hasta el fondo más secreto de tus fibras te agitara,*
> *por la senda que atraviesa la llanura florecida*

caminabas,
y la luna llena
por los cielos azulosos, infinitos y profundos esparcía
                                                    su luz blanca,
y tu sombra,
fina y lánguida,
y mi sombra
por los rayos de la luna proyectada
sobre las arenas tristes
de la senda se juntaban
            y eran una
y eran una
 ¡y eran una sola sombra larga!
¡y eran una sola sombra larga!
¡y eran una sola sombra larga!

Otros decían que el amor de José Asunción y Elvira era fraterno, que ella siempre vivió enamorada de un conde italiano.

Magdalena comprendió que la vida empezaba a sonreírles al saber que los partisanos habían linchado y expuesto en la Piazza Loreto de Milán, a Musolinni y su compañera Clara Petacci. Colgaban con la cabeza hacia abajo.

LA TARDE DE LOS ASESINOS

Se abrazaron y comenzaron a sollozar

Laura, la hija adorable del amor y el miedo, caminaba por los salones y cogía los instrumentos del almacén. A sus tres años se le veía el deleite por la música, cantaba, bailaba y hacía pequeñas demostraciones de su temperamento histriónico. Marina, una de las alumnas de la profesora de pintura en porcelana, se ofreció a cuidarla mientras Magdalena y Hendrik daban clases. Marina llegó a Bogotá en busca del porvenir que no encontraba en su pueblo de Boyacá a doscientos kilómetros de la capital. Los ricos viajaban a las poblaciones donde los domingos los campesinos vendían sus productos en las plazas de mercado. Aprovechaban para buscar servidumbre. Muchas jóvenes dejaban a sus padres y se aventuraban a trabajar en casas ajenas por poco dinero con el sueño de vivir en Bogotá. No importaba si sabían cocinar o planchar las camisas con puños y cuellos almidonados. Las *señoras* les enseñaban con el compromiso de que sólo salieran a misa los domingos y no tuvieran novio. Llegó a la Academia y Almacén Brahms en busca de una oportunidad para su vocación. Dibujaba bien y Magdalena le dio una beca. Se escapó de la casa donde la humillaban y exigían atender a los jóvenes en sus aventuras nocturnas, en su cuarto de atrás. Entró llorando donde los extranjeros —así les decían los vecinos de la zona céntrica a Hendrik y Magdalena— y negándose a regresar al pueblo les suplicó que la dejaran vivir con ellos, sin sueldo, que ella pagaba sus gastos. No querían tener criadas porque estaban en desacuerdo con la explotación y, además, se repartían los oficios de la casa y la academia, la atención a Laura y demás obligaciones.

Los negocios de los instrumentos: lentos pero firmes. Las clases, al contrario, seguían viento en popa porque las *niñas bien* —de la burguesía, o *gente pudiente*— complementaban sus asignaturas de canto y ejecución de un instrumento que les enseñaban en el colegio. Así las conexiones dejadas por el tío Azriel no fueran las mejores con las casas o compañías de instrumentos musicales del exterior, no faltaba un piano, varios violines, guitarras, tiples, bandolas, arpas, piezas de percusión, atriles, libros y partituras. En el patio, acondicionaron los bancos para las clases de modelado, los caballetes y los tornos para la cerámica. En algunas ocasiones discutieron la posibilidad de regresar a Europa pero Hendrik tenía recuerdos y pesadillas que lo alejaban de la opción. Si a su esposa le quedaba parte de la familia, sobrevivientes de la guerra, él era huérfano. Tenía un muerto amado en el cementerio y una hermosa hija colombiana fruto de la desgracia, la persecución y la alegría del amor. Magdalena insistía que aún eran jóvenes, que el arte estaba en los países avanzados, que si bien la tranquilidad de Bogotá no podía compararse con lo que vivieron, el futuro esperaba a Laura en Florencia. No hablaba siquiera de Hamburgo, sólo Florencia, con sus tíos y abuelos. En los dos años que llevaban con las clases y en los cuatro de convivencia, la clientela del almacén y el prestigio como profesores los situaba en lugar de privilegio. Compraron la casa de La Candelaria con la ayuda de los padres de Magdalena que vendieron los restaurantes de comida italiana para regresar a Florencia, la amueblaron con enseres antiguos que muchos de los aristócratas vendían clandestinamente y, en algún momento, hablaron de otro hijo. A Hendrik le encantaban los niños y Magdalena —a pesar de su recia personalidad y su ímpetu de independencia— lo estaba pensando.

El 9 de abril de 1948 —al medio día— Magdalena ponía la mesa. Acostumbraban almorzar en la academia, con Marina que salía del almacén de telas —donde era dependiente— y se sentaba con ellos en uno de los bancos del taller. Por las noches, atendía a Laura, trazaba los bocetos de sus dibujos que los sábados copiaba en las piezas de porcelana y dormía en uno de los cuartos de la casa de La Candelaria. Además, recibía clases de aritmética y mecanografía y hablaba de viajar con ellos cuando lo decidieran.

El tropel entró por el zaguán y los gritos que vociferaban el asesinato de Jorge Eliécer Gaitán los aterrorizó. *¡La guerra!*, dijo Hendrik levantando los brazos. Magdalena cogió a Laura y la llevó hasta una de las habitaciones acondicionadas como aula.

—Laura, no te retires de mi lado —dijo con serenidad.

Fue hasta la sala donde Hendrik empezaba a guardar dentro de una tula de lona los objetos amados, la herencia de Hannes —su padre—: poemas, cartas de amor, el camafeo doble con los retratos de Robert y Clara Schumann, las fotos de la Gioconda y Bach, los libros, las partituras. Todo de prisa porque los gritos —que conocían muy bien— los cercaban. Magdalena abrió la vitrina victoriana y extrajo las porcelanas. Con delicadeza las llevó hasta el cuarto que servía como oficina y las puso sobre el escritorio de fuelle. Regresó por los documentos de su familia que, como reliquias para el público y sus alumnos, reposaban dentro del mueble de cedro con incrustaciones de palo santo, abeto, acacias y apliques en bronce. Hendrik cerró el portón de madera y se lamentó no tener un radio para escuchar las noticias. Cuando todo lo de valor estaba embalado, se miraron en silencio; luego, como si una fuerza de agonía los atrajera, se abrazaron entre sollozos.

Unos golpes secos los separaron. Los vecinos, comerciantes de ropa y joyería, les pedían que se fueran porque *la cosa se iba a poner fea*. Eran las tres. Los grupos de manifestantes rechiflaban y pedían venganza.

—Más tarde será peor —dijo Magdalena.

—¿Y Laura?

—Nada le pasará... nada nos pasará.

Marina cargó con la maleta de cuero donde transportarían los objetos. Se echó a sus espaldas la tula. Laura no entendía el afán y pidió otro poco de jugo de mora. Cuando cerraban, un grupo de revoltosos violentaba las vidrieras de los vecinos y se metía por las ventanas gritando que los millonarios de mierda pagarían por la muerte del *Jefe*. Hendrik no alcanzó a dar las tres vueltas a la cerradura cuando uno de los vándalos, envuelto en una ruana de lana oscura, lo empujó. Quiso enfrentarlo pero Magdalena lo tiró por la chaqueta para que se fueran. A unos metros vieron cómo tumbaban la puerta y entraban.

—Debemos salvar a Laura —dijo ella.

Rumbo a la casa, pudieron ver los muertos sobre los andenes y los saqueadores rompiendo almacenes. La lluvia los empapó y no dejaron de caminar rápido. Un hombre cubierto por cortinas moradas, con una mitra en la cabeza, bebiendo aguardiente que vertía en los cálices, les ofreció un trago. Lo miraron sin desprecio y siguieron de prisa. En la esquina de la Calle Once con Sexta, la turba, encabezada por una mujer, le arrebató la maleta a Marina. En el forcejeo la muchacha cayó encima de la valija con un ruido seco. Magdalena la ayudó a levantar. Laura lloraba contra el hombro de su madre. Abandonaron la maleta y siguieron corriendo hacia la Carrera Quinta. Varias veces quisieron arrancar la carga terciada de Hendrik pero él, como un animal herido, se enfrentaba. Tenía un palo en una mano y un machete que le quitó a un muerto, en la otra. Al llegar a la casa y calmar a la niña, se sentaron en el sofá.

—Marina, sintoniza la radio —ordenó Magdalena.

Mientras escuchaban las noticias a bajo volumen no podían creer que la guerra siguiera persiguiéndolos. La niña estaba cansada y a las dos horas se durmió. No hablaron hasta el amanecer cuando el aguacero amainó.

—Nos vamos para Italia.

TÚNEL DE LA SOLEDAD

Caserones con mezquinos huertos de brevos y duraznos

Saquearon todo. Permanecieron dentro de la casa de La Candelaria los siguientes cinco días, sin asomarse a la ventana ni oír la radio. Hendrik tocaba en el pequeño clavicordio y Magdalena preparaba las cosas que llevaría a Florencia. Uno de los vecinos de la academia llegó a su portón a decirle que el gobierno pagaría los daños por lo que empezaron a llamar *El Bogotazo*. Los restos del desastre: la entrada, semiabierta, con brochazos ahumados del incendio. Penetró en el salón del almacén, con el dueño del inmueble que lo esperaba desde la mañana. El esqueleto del piano y las maderas ennegrecidas le produjeron profunda tristeza. Mientras el propietario valoraba su pérdida, Hendrik buscaba vestigios de sus recuerdos. Al poco rato los dos se sentaron en uno de los corredores interiores. Hendrik firmó los papeles que el arrendador traía en un legajador. *Esto es increíble*, —dijo antes de tenderle la mano para despedirse, ya en la calle.

No valieron los ruegos, las caricias, las persuasiones, los alegatos y las lágrimas. Magdalena estaba decidida y no quería discutir. Empezó los preparativos el último día de abril. Hendrik buscó las familias que tenían a sus hijos en la academia para saber de qué forma podían ayudarlos, pero fue imposible, la mayoría no quería hablar del asunto hasta cuando el orden se restableciera. Así en la calle se dijera *aquí no pasa nada,* en el silencio de las habitaciones la población esperaba un nuevo ataque. Encontrar un trabajo, la oportunidad para hacer desistir a Magdalena. Pensó en no viajar con ella porque no dejaría a su tío Azriel sin dolientes. El aviso que Magdalena puso en el portón ofreciendo en venta la casa, sirvió de poco.

Después del 9 de abril, o del *Bogotazo,* la ciudad quedó bajo la dirección de Fernando Mazuera Villegas —familiar de Lorencita Villegas, esposa del expresidente Eduardo Santos— un hombre de la zona cafetera del centro del país que al decir de la Revista *Semana* había llegado a Bogotá con una mano adelante y otra atrás, sólo se había puesto zapatos en Manizales para ir a misa los domingos y se empleó por cincuenta pesos en el Banco de Colombia, retirándose para ser amante de la dueña de la pensión donde vivía. Se dedicó a los negocios e hizo fortuna; para completar su suerte se casó con una dama que parecía una reina, habitante de una espléndida mansión en Bogotá y una fantástica casa de campo adelante de Fusagasugá —donde estuvo preso Hendrik— única obra arquitectónica que el urbanista Le Corbusier encontró rescatable en Colombia. Con su empresa de inmunización de maderas tuvo el control de la venta de las traviesas para los ferrocarriles en todo el país. Mazuera, representando el gobierno del presidente Mariano Ospina Pérez y como alcalde de la ciudad, pagaría los daños de la turba desenfrenada.

El precio de la casa: la mitad del comercial porque necesitaban el dinero para los pasajes. Hendrik no pelearía la custodia de Laura, al contrario: prefería que las dos hallaran en Italia un mundo mejor. La posibilidad, siempre la posibilidad. La esperanza, siempre la esperanza. Las nacientes empresas de transporte privado le ofrecieron permuta de acciones por la casa. *Un negocio con futuro*, —le dijeron. Se prohibió al tranvía circular por la Carrera Séptima —principal avenida de Bogotá— entre San Agustín y San Diego; los pasajes de los buses rojos y amarillos aumentarían de cinco a diez centavos y los proponentes del intercambio garantizaban por sus contactos políticos, facilidades aduaneras para la importación, de Estados Unidos, de vehículos nuevos. El transporte urbano manejado por particulares sería uno de los negocios más lucrativos del país. Poco a poco se relegó al tranvía a la periferia, llevándolo a la banca rota; sólo los abiertos atenderían la ruta San Francisco porque los carros cerrados, llamados *Nemesias*, se destinaron al barrio Ricaurte. En la línea que comunicaba a Chapinero con el Centro y que carecía de trolebús y de vehículos Mack, se movilizarían los llamados *servicios de obreros*. Con la asignación de las rutas a los nuevos buses y empresas privadas, y la facilidad de importación, en mayo se levantaron los últimos rieles del tranvía y los cien automotores de madera quedaron en el cementerio de su estación central, en la Calle Veintiséis. Hendrik dijo *imposible* al vendedor de las acciones porque no tenía alma de comerciante, ni de oportunista. También le ofrecieron permuta por casas modernas pero debía completar el valor con dinero. Supo —cuando las llamas se apagaron y el gobierno dividió el poder entre los dos partidos— que los edificios incendiados fueron ciento treinta y seis, siete oficiales del gobierno nacional y de la gobernación de Cundinamarca. El costo de la destrucción se calculó en treinta y siete millones de pesos. Hendrik y Magdalena vendieron los muebles para completar el valor del viaje y esperaron tres semanas más para la partida.

Una jauría de constructores y urbanizadores logró en una sola tarde más de lo que en veinte años de legislación urbanística y reglamentos municipales alcanzaron antes de la revuelta popular. En 1947 se dijo que Bogotá era una ciudad de tierra con viejas casas en palma y remodeladas desde hacía cuatrocientos años con cagajón de vaca y tapias pisadas. En los círculos de arquitectos e ingenieros se burlaban al afirmar que mientras existían ciudades de mármol, como Atenas y Roma; de piedra, como París, Bruselas y Madrid; de acero, como Nueva York, Toronto y Chicago, Bogotá seguía siendo de bahareque y adobe. Los mejores terrenos para iniciar esa nueva ciudad estaban en el Centro con vetustas edificaciones que los inversionistas no se atrevían a comprar para demoler; les interesaba el solar o lote, la parcela, y estaban dispuestos a negociar por varas cuadradas sin incluir los arcaicos caserones con mezquinos huertos de brevos y duraznos. Los arquitectos decían que los bogotanos eran de mal humor por las calles angostas, y que el rozarse les ocasionaba percances y reyertas. Se necesitaban calles anchas que generaran entusiasmo y optimismo; además, enfatizaban, ampliar una calle valoraba los terrenos adyacentes. Antes del 9 de abril, Bogotá necesitaba *una cirugía* porque en el Centro estaban los más desaseados y sórdidos barrios, al lado de las oficinas del Estado. Se hacía urgente derribar la ciudad para iniciar una nueva; dieron gracias a Dios porque era perentoria una gran catástrofe natural o una revolución. Se afirmó, además, que Nerón había sido un gran urbanista por quemar la vieja Roma.

Magdalena le aconsejó a Hendrik que si reabría la academia lo hiciera en Chapinero; pero allí sólo podían vivir los ricos porque —de 1890 a 1920— la parcelación del barrio y la urbanización de la zona la convirtieron en sector de privilegio. Los barrios que aparecieron después de los años cuarenta, habitados por los migrantes de Boyacá y los pueblos de Cundinamarca: La Perseverancia, Las Cruces, Santa Bárbara, San Cristóbal y el Veinte de Julio, pegados a las laderas, no estaban en los planes de Hendrik. ¿Tomar una habitación en uno de los inquilinatos de las casas que en otras épocas habitaron los propietarios de negocios y que se convirtieron en viviendas de arriendo y subarriendo? ¿O un apartamento de los dos o tres pequeños en las reformas locativas? ¿Sobrevivir en un sitio donde el alquiler podía pagarse con clases a domicilio? Hendrik no había hecho amistad con los miembros de la comunidad judía que tenía sinagoga en el barrio Teusaquillo. Después de la partida de Magdalena y Laura, pretendió vivir en Santa Teresita, especialmente en una de las casas de estilo francés neo-renacentista; pero al verse dentro de ella, sin dinero y desamparado, se dio cuenta de que estaba condenado a un pequeño taller, sin ostentaciones ni ruidos, sin espacios abiertos ni adornos mal copiados de la antigüedad greco-romana.

Lo que le ofrecían lo comparaba con su casa de La Candelaria: dos solares, estructura de madera y techos con tejas de barro; el primer patio —llamado de prestigio— adornado con matas, que daban luz a los espacios construidos y que lo enmarcaban en forma de claustro; la planta de arriba con balcones interiores en el piso alto y otros, saliendo a la fachada; los grandes portones de madera, sobre pasillos en piedra y ladrillo, arcadas que dejaban ver los espacios que daban a la entrada y su cabeza de león, golpeador de los años de la Independencia. Su bella casa la remató un agiotista que se la arrebató a cambio del dinero para el viaje de su esposa e hija. Con su clavicordio —en un hotel del Centro— aceptó la invitación de Germán Campos, un proveedor de arpas del almacén, de alejarse de la violencia que lo perseguía. En busca de una vida mejor, lejos de las armas, dejó el instrumento con un alumno y se marchó a los Llanos Orientales.

Nacimiento de los Centauros

Tres mil descamisados

Germán Campos, el vendedor de arpas que llegó de Venezuela hasta el taller de Hendrik Pfalzgraf reapareció después del 9 de abril. Se encontraron en uno de los cafés del Centro y al verlo tan abatido, le propuso que se fueran a Villavicencio, capital del Meta, en busca de mejores horizontes. No dijo ni sí ni no, sólo atinó a posponer la decisión hasta el mes siguiente mientras despedía a Magdalena y Laura. A pesar de que la gente comentaba que la cosa se pondría peor después de la muerte de Gaitán, nada podía ser más terrible para Hendrik que la pérdida de su negocio y familia. Para Hendrik carecían de importancia las consignas de los grupos políticos: *hay que hacer la revolución y, nos van a hacer la revuelta.* Le dijo sí a su amigo llanero y después de organizar las pocas cosas que no quiso feriar, alistó su eterna maleta de cuero burdo, con la ropa mínima, los objetos más íntimos y se fueron rumbo a la llanura. Llegaron a Villavicencio y al poco tiempo *el alemán* —como empezaron a conocerlo— comprendió que allí se gestaba otra guerra; para evitarla se interesó por los instrumentos autóctonos de la región. Sin darse cuenta se involucró con los que tomarían las armas para hacer la revolución o defender la vida. En medio del conflicto, el amigo arpista lo escondía y trataba de excluirlo de la contienda. Se enamoró de los morichales con sus palmas gigantescas, del clima y de las canciones románticas a la mujer y al paisaje; y de los *joropos* que esos hombres cantaban y bailaban en los atardeceres, mirando hacia el amplio llano. Por eso no regresó a Bogotá; tenía la esperanza de que la violencia no tocaría más su espíritu de hombre libre. Se acercó a los que formaban parte de la idiosincrasia del hato: al cunuquero, que no podía tener ganado y era visto como un miserable, silencioso, de quien el dueño desconfiaba por considerarlo abigeo; al veguero, dueño de algunas reses y una casa ubicada en las riberas de los ríos dentro de los grandes fundos; a los más jóvenes, caballiceros, que cuidaban los potros para las faenas y se levantaban a las dos de la mañana a llevar los mensajes por la llanura; al vaquero, altivo y respetado, dueño del caballo, la silla, la soga, el admirado trabajador que pasaba sobre la bestia todo el día; y, como a su amigo Germán Campos lo respetaban por su arte, pudo entablar conversaciones con los encargados o mayordomos que atendían el hato, donde trabajaban con su mujer y sus hijos. Con el tiempo, Hendrik visitó a varios caporales, los dueños del llano, conocedores de los ríos, de los bancos de sabana, matas de monte, morichales, caños, tembladales y caminos, jefes de la ganadería —con un vaquero por cada veinte novillos— expertos en la técnica del ganadeo, rodeo, hierra, marcada, selección para la venta, cura y amaño. También conoció a los auxiliares del caporal, a los corinches o coquis, peones que cargan el rancho y el avituallamiento. Supo que antes de la violencia se acostumbraba que los hombres maduros convivieran con mujeres adolescentes y las mujeres mayores con muchachos. Los caporales —de quienes huyó después de que la mayoría se convirtieron en los mejores jefes de la revolución— le tenían aprecio porque interpretaba el *cuatro* llanero o guitarrilla de cuatro cuerdas y los *capachos* o maracas oblongas, en compañía del maestro Campos.

Lo invitaron a formar parte de los hombres de Eduardo Franco Isaza, el revolucionario que después del asesinato de Gaitán se enroló con los guerrilleros de Eliseo Velásquez. Cuando Hendrik preguntó quién era Eliseo Velásquez le contaron que, como todos los rebeldes, estaba por venganza y rabia. Propietario de un aserrío y una lancha que transportaba madera a Puerto López y Puerto Carreño. Le mataron a su padre en El Líbano, Tolima, y él como retaliación asesinó a garrote a Antonio Céspedes, jefe conservador y a tres de los victimarios. Como buen liberal fue defendido por Gaitán y salió libre y envalentonado. Cuando se referían a Eliseo Velásquez, a la gente se le llenaba la boca para decir que no sabía sino matar *godos* —como llamaban a los militantes del Partido Conservador— un desquiciado como todo buen sargento de la policía, agregaban. Formó su propio ejército de descamisados que se proclamaban *libres lo mismo que el aire*. Los prohombres del liberalismo de Bogotá, en la Convención del Partido en junio de 1950, reunida en el Teatro Imperio, lo presentaron como ejemplo por el *valor indomable de tan insigne combatiente y la forma leal como luchaba por la causa*. Eliseo Velásquez se hacía llamar Comandante en Jefe, General, Jefe del Gobierno Militar. Asaltó a Puerto López, asesinó a veintitrés personas y mutiló los cadáveres. Si los *godos* mataban, ellos también. Todos odiaban las coplas de los uniformados del gobierno:

> *Que vivan los chulavitas*[2]
> *Y también los de Güicán*
> *Y abajo los hijueputas*
> *Del Partido Liberal.*

2 (N. del E.). Campesinos armados del Partido Conservador, asesinos. Paramilitares.

Franco Isaza abandonó las huestes criminales de Eliseo Velásquez y se acercó al nuevo jefe, al centauro Guadalupe Salcedo Unda. Germán Campos le pidió a Hendrik que participara en el proceso de la revolución enseñando a muchos a leer y escribir, relatando las historias de la guerra fascista, que podría compartir con los *enmontados* o combatientes sus conocimientos de geografía y arte que lo embelesaban pero Hendrik prefirió quedarse en Villavicencio dando clases en el Colegio Departamental. Cuando su amigo se enrumbó en las filas de los rebeldes quedó desprotegido y meditó seriamente en volver a Bogotá.

El arpero pasaba por *Villavo* —como nombraban a Villavicencio— y lo buscaba en su hotelito para comentarle el desarrollo de los acontecimientos. El objetivo de los grupos: aniquilar la policía *chulavita* y los *pájaros* o asesinos a sueldo. Frente al ejército existía un criterio diferente. Le contó que financiaban el movimiento rebelde con un impuesto que gravaba la ganadería de los liberales con el diez por ciento y la de los conservadores con el veinte, expedido por el Estado Mayor General del Ejército Revolucionario. Que no eran *cachilaperos* o bandidos sino insurrectos. Se despedían con la promesa de volver a la música después de la guerra y la toma del poder por la democracia, pero Hendrik veía cómo Campos estaba comprometido con la guerra más allá de cualquier arte. Había perfeccionado sus instintos montaraces y se convirtió en un baquiano experto en deambular por los caminos a altas horas de la noche. Veía en medio de la oscuridad. *Si te digo que vendré pronto es porque vendré pronto, somos leales y cumplidos, no te preocupes, te traje hasta aquí y de aquí te saco, palabra de llanero,* —le dijo en uno de sus encuentros. Pero Hendrik no quería su ayuda esta vez; sólo que se fuera porque la policía rondaba buscando guerrilleros y auxiliadores de los grupos liberales. La política de corral —que los amos incentivaron armando a sus peones— ahora se devolvía contra ellos en forma de cuadrillas de bandoleros. También las tropas oficiales imponían un impuesto a los ganaderos para reparar a los que caían haciendo la pacificación. Los dos apoyos financieros acrecentaban la matanza. Antiguerrillas o guerrillas para la paz, respaldadas por el gobierno contra los subversivos llaneros. Llegaron de Boyacá y Cundinamarca cientos de policías procedentes de Viotá y Soatá, los sanguinarios y exterminadores *chulavitas*, obedientes, disciplinados, dispuestos a cumplir las órdenes del cacique o jefe. Cuando en junio de 1950 empezaron a tomarse el Llano y a controlar la entrada y salida de alimentos, Hendrik le anunció al director del colegio que sólo trabajaría hasta diciembre por compromisos en la capital. Entre liberales y conservadores seguía la contienda a muerte. Intentó hacer su maletín de cuero burdo pero el canto de los pájaros le auguró tiempos de amor. Y se quedó en medio de la guerra enseñando a los jóvenes su pasión por Brahms y por las coplas que venían desde lo profundo del llano.

LOS LIVIANOS SUEÑOS

El último hombre del renacimiento

…mis pesadillas empezaron cuando Magdalena se marchó. Hitler, mi eterno enemigo, se apodera de mi cuerpo y me hace ver la terrible realidad de mi vida. Odio a Hitler y, aunque sé que está muerto, su imagen me avasalla hasta hacerme saltar de la cama. Yo también temo a las mujeres y hablo con desprecio de los artistas falderos.

…estoy en la mesa, con Eva Braun presidiendo el té, después, en fuga con ella, manejo su Mercedes Benz a más de ochenta kilómetros por hora, despreocupado, tomando las curvas sin pisar el freno. Otra noche volamos un pequeño avión y en lo más alto fornicamos y luego Eva me lanza al vacío. Caigo, caigo, caigo y me despierto lleno de sudor. Siento las gotas resbalar por mi espalda. Ejecuto el piano hasta el amanecer, acompañado por la botella de brandy. El hombre de los pequeños bigotes toca a la puerta. Siento pólipos en las cuerdas bucales, calambres en el estómago y zumbidos en los oídos. Me levanto de la butaca en busca de la cama y me doy cuenta de que camino sonámbulo. Dormido y con temblor en el brazo y la pierna izquierda, gano el lugar sin poder detener los estertores del Parkinson. Él pone un arma en mis sienes.

...abro mis ojos con miedo porque sé que está ahí, en el sillón de mi dormitorio de Hamburgo. No es mi enemigo mayor, es Martín Bormann y sus soldados. Como en las películas que hemos visto con Hitler en su casa de Obersalzberg, me arrastran de mi sótano; la ss me lleva hasta la casa de campo del Führer para que toque el piano mientras Eva me espera en uno de los vestidores: mama mi pequeño y débil pene de adolescente. Cuando intento hablarle de acabar con la destrucción, Eva me explica, sin quitar su boca de mi boca, que Hitler no es un traficante de guerras sino un artista y me exige volver a ejecutar el adagio del segundo movimiento de la Séptima Sinfonía de Bruckner.

...veo las mismas películas muchas veces, sobre todo la que muestra cómo asesinan a los traidores. El calor primero y el fuego que arde en mi cuerpo me hacen gritar y correr hacia el espejo para comprobar que mi torturador no está en mi cara. Aún tiemblo soportando el peso de los dos bultos olorosos a gasolina y chamusquina. Eva y Adolfo se ríen mientras afuera se escuchan ráfagas y gritos, en ruso.

...llegan los militares con sus rostros transparentes, expulsados del Partido por última voluntad del Führer. El antiguo Reichmariscal Hermann Goering, el Gran Visir, engalanado como un maharajá pero sin ojos ni dientes. Viene de Kerinhall, por el camino resbaloso de la muerte, del inmenso palacio campestre de Shorfheine. Me apunta con su bastón de oro puro y marfil, con incrustaciones de pedrería. Se desnuda mirándome. Se pone el uniforme azul, me observa en el espejo biselado y pide a uno de sus ayudantes la seda blanca que lo identifica como *dogo dux* veneciano, adornado con joyas, portando en su cabeza las astas simbólicas del siervo de santo Hubertus y una cruz esvástica de relucientes perlas entre las plumas de los cuernos. Luce la Gran Cruz de Caballero, creada por el rey Friedrich Wilhelm III, y otorgada por Hitler sólo a Goering. Es más grande que la Cruz de Hierro, es la original con bordes de oro. Me impone una de las copias con bordes en platino, de las que le entregaron el día de su condecoración, en 1940. Es El Caballero de Hierro. Me dice al oído, *soy el último hombre del renacimiento*. Su aliento calienta las aletas de mis orejas: *serás parte de La Solución Final*.

...soy el edecán de Hermann Goering. Ofrecemos una fiesta. En medio de escenas de lujo romano se da comienzo al festejo, mostrando los trofeos de sus cacerías y las maravillas arquitectónicas de su palacete. Desnudo entra al despacho, del tamaño de la mitad de una iglesia, a la biblioteca semejante a la del Vaticano, con una mesa de ocho metros de largo, de caoba, con esvásticas en bronce, sosteniendo dos grandes candelabros barrocos de oro, una escribanía de ónix y una larga regla de marfil adornada con piedras preciosas. Sus gánsteres o cazadores de arte de París y Roma, de Atenas y Kiev, e incluso alemanes, traen su tributo de joyas y estatuas, de cuadros de maestros, de objetos artísticos, tapices gobelinos, piezas de los plateros de Augsburgo, segmentos de altar y toda clase de obras sacadas de los museos y los viejos palacios de las antiguas y famosas ciudades del mundo. Rembrandt, Velásquez, Goya, Degas, Monet, Cézanne, Van Gogh, Vermeer, Matisse, Braque. En el brindis cae la puerta principal y entra Bormann a torturar a su enemigo y a su fiel edecán.

...estoy en la mesa de los experimentos nazis: Himmler listo con sus auxiliares rosacruces y fracmasones, simbolismo de la supresión del arpa en Ulster y el culto significativo de los pináculos góticos y de los sombreros de copa de Eton. En el laboratorio científico de la ss aislarían mi sangre aria de joven desertor. El explorador que acaba de llegar del Tibet con los rastros de una raza germánica que conservaría los antiguos misterios nórdicos, inocula desde tubos de vidrio, en la vena de mi brazo izquierdo, una sustancia rojiza. Estoy acostado sobre la enorme lápida del último emperador de la familia Hohernstaufen que el ejército alemán, al evacuar Nápoles, llevó a Himmler. Moriré, así lo mandan las runas vikingas, mensajes inalterables de mi verdugo. Ordena que antes de atravesar mi corazón con la daga Siria, adivinen los ideogramas japoneses tatuados en mi pecho que prueban que los nipones también son arios. Goebbels pone su deforme pie derecho en mi cara y escupe veneno sobre mi cadáver. Cuando el filo parte mi corazón, despierto llorando.

MINUETO PARA TRES

Café con leche y pan de centeno

Cuando Hendrik llegó a Villavicencio, alquiló una pieza de hotel lejos de la plaza principal y resguardó su dolor, separado de todo. Pero allí apareció, de nuevo, su amigo vendedor de arpas a contarle los sucesos de la resistencia y el amor por Guadalupe Salcedo, el jefe de los Centauros. La segunda vez que se vieron le trajo unos *capachos* que le hizo tocar mientras zapateaba sobre el piso de madera.

—¿Cómo me lo han tratado, camarita[3]?

La señora del hotel lo atendía como a un caballero medieval y le preparaba los alimentos que Hendrik le indicaba se comían en Hamburgo. Eso duró los primeros meses porque después comía sopa de arvejas y carne de ternera con yuca cosida. La joven casera tenía un esposo que trabajaba vendiendo madera y una hija adolescente y hermosa que iba al colegio y formaba parte del coro. Le servían en una mesa, en un *hall*, alejado de las otras donde acomodaban a los pasajeros casuales.

—Usted es como de la familia —le dijeron siempre,

---

3 (N. del E.). Expresión de afecto. Apócope de camarada.

75

aunque no estaban de acuerdo que permitiera a Campos en su habitación.

—Anda con malas compañías —le advirtieron.

—Germán es mi amigo. Estoy donde estoy por él. Si no están de acuerdo, buscaré otro sitio.

El colegio era pequeño y los profesores lo respetaban, sobre todo cuando tocaba el armonio, parecido al organillo alemán de la iglesia, los domingos, a la hora de la misa del medio día. Los muchachos lo apreciaban y, por su manera de hablar, a hurtadillas se burlaban de él. Al poco tiempo se acostumbraron. Durante los años en Villavicencio no cambió de habitación y siempre llegaba cumplido a la mesa. Hizo amistad con el sastre que tocaba la guitarra y componía versos y que, bajo indicaciones de Hendrik, confeccionaba sus vestidos de lino; los que llevó por esos nueve años cuando intentó olvidar las pesadillas, el amor de Magdalena Massi y los pocos mimos que le entregó a Laura, su hija del desastre, como comentaba a sus escasos contertulios.

A pesar de las doce horas de viaje a Bogotá nunca tuvo intención ni interés de regresar. Bastaba con la música que oía en su memoria y que su padre Hannes y su tío Azriel le recalcaron en los años de encierro en el sótano de Hamburgo. Esas escenas jamás las refirió a nadie porque al recordarlas las lágrimas alteraban la paz de sus ojos azules. Aunque muchas jóvenes querían su amistad las eludía con delicadeza. Hasta llegaron a pensar que no le gustaban las mujeres y que había que tener cuidado con los estudiantes. Lo veían pasar como a un fantasma por el parque central, con su maletín de cuero burdo, las alas de su saco movidas por el viento y su paso seguro y rápido. Era ya uno de esos habitantes a los que todos querían porque formaba parte de los eventos escolares. El segundo año fue triste. *Al hombre de la casa*, como se refería al esposo la dueña del hotel, lo encontraron ahogado. Lloró con ellas la desgracia y pretendió dejar la habitación pero las dos mujeres casi le suplicaron que necesitaban el respeto de un hombre en el hogar. Se quedó con la piel invadida por el compromiso. El luto lo llevaron los tres. Respondía a las oraciones que las vecinas coreaban en la salita principal durante el novenario. *Dale Señor el descanso eterno. Brille para ella la luz perpetua.* Jamás practicó religión en Colombia pero al ver el recogimiento de las personas que lo saludaban, *buenos días profesor*, le entusiasmaba. Hizo amistad con el cura que lo invitó a acompañar los cantos gregorianos de su parroquia.

No había interés por la viuda. Muchas veces comparó su voluptuosidad con la de la hija, más atractiva y vaporosa. Cerraba los ojos para no ser correspondido. La madre se llamaba Celina y la hija Ángela. Desde cuando murió el cejijunto vendedor de madera, Celina se sentaba con Hendrik a la hora del almuerzo y por las noches, cuando él tomaba café con leche y tostadas. A ellas les confió algunos episodios de su vida. Les habló de la guerra, de su padre, de su tío y del dolor que causaba la muerte. Celina le pedía *por favor profesor no se meta en peleas ajenas, que liberales y conservadores se matan por nada.* No era su guerra aunque perdió todo el 9 de abril en Bogotá: su casa, su academia, su familia. No era su guerra pero Germán le explicaba que seguían disparando para tumbar el gobierno de Laureano Gómez que pretendía exterminarlos.

Arpista de los dioses

Caja de resonancia

El vendedor de arpas estaba seguro de que la paz llegaría muy pronto, que no había ya más campesinos para masacrar. Además de vendedor amaba la música autóctona de su llano y eso lo hacía más solidario con Hendrik. Pero al saber que el dirigente liberal Carlos Lleras Restrepo había sacado el cuerpo a la revolución aduciendo que *ni aprobaba ni desaprobaba la lucha y dígale a los muchachos que estamos con ellos de todo corazón*, comprendió que la cosa iba para largo. *Pero no importa,* —motivó al alemán. *Usted, camarita, siga en sus clases que nosotros vamos a tumbar este gobierno.*

Cada vez que Campos lo dejaba solo entre el aire pesado de la habitación, recordaba cuando llegó hasta la academia con un arpa venezolana, un *cuatro* y unos *capachos*.

—Con estos instrumentos se canta el *joropo* o *jarabe venezolano* —le dijo desempacando su cargamento. Ejecutó algunos arpegios y movió con ritmo los frutos de totumo seco con semillas de capacho y granos de maíz. No era muy diestro en el manejo de las treinta y dos cuerdas pero cargaba un disco rayado, de acetato, para que supieran de qué estaba hablando.

79

Hendrik pasó las manos por el marco triangular, por la caja de resonancia, por el clavijero y el mástil.

—Es como el arpa clásica —dijo en su enrevesado español.

—No es clásica, es llanera y *tuyera* —explicó el hombre que aprovechaba la admiración del extranjero y agregó—: *represento a los fabricantes, algunos indígenas de los Llanos del Casanare. ¿Ha oído hablar de los Llanos del Casanare?*

Negó con la cabeza mientras tocaba las cuerdas, imitación de la guitarrilla española; rasgó el pequeño instrumento de cuatro cuerdas de tripa. Volvió al arpa y rememoró las clases de su tío Azriel cuando le mostró uno de los instrumentos más antiguos de la humanidad, *tres mil años antes de Jesucristo,* —afirmó. Mesopotamia, Egipto, Grecia y Roma… ahora en América, pensó Hendrik.

—¿Se recitan cantos o poemas épicos con su acompañamiento? —preguntó al vendedor, como perdido en las enseñanzas de su tío.

—Sí, poemas, que nosotros llamamos coplas.

—¿De qué está hecha la caja de resonancia?

—Le tengo arpas de cedro y de pino.

—¿Existen de encina o sauce?

—Por ahora le tengo ésta de cedro.

Por un instante —mientras escuchaba sin oír al vendedor— rememoró el concierto para flauta y arpa que Mozart escribió en 1778.

—¿Cantan en sol mayor?

—Es una belleza de instrumento, si está interesado podría traerle un amigo para que interprete un *pasaje*. Usted podría ser nuestro representante en Bogotá.

Vio cómo el instrumento que distinguía bien, tenía la caja de resonancia más angosta y las clavijas colocadas en doble fila. Si bien no ostentaban la elegancia de las arpas celtas clásicas, Hendrik se maravilló con los acabados de la madera.

Cuando de niño se sorprendió con el instrumento, Azriel le dijo que en la mitología griega Orfeo descendió a los infiernos con su arpa y con una música maravillosa convenció a los dioses para que le devolvieran a su esposa Eurídice, muerta el día de su boda. También le dijo que Las Sagradas Escrituras mencionaban al Rey David, que vivió en Jerusalén mil años antes de Jesucristo, como gran ejecutor del arpa.

Hendrik siempre asociaba a Campos con la historia de las arpas. Cuando dejaron de tener relación comercial entablaron una amistad soterrada, llena de misterios. Él no quería involucrarse con las guerrillas liberales pero su amigo le entregaba información y lo comprometía al permitir que durmiera en el *chinchorro* o hamaca de hilo crudo que traía en el morral cuando llegaba del Llano adentro a recoger mercancías, abarrotes, armas, o a establecer contactos con los líderes de Villavicencio. Lo llevó hasta ese lugar mágico y tenía una deuda que con nada podía pagar. Le hablaba de las nuevas arpas, los nuevos ritmos y bailes de corrales, las tonadas, los cantos de ordeño y los *pasajes*. También le dijo cómo el instrumento mitigaba las largas caminatas y las luchas contra los ejércitos gobiernistas. Hendrik nunca le contó que Cromwell, trescientos años antes, ordenó destruir las arpas y los órganos en círculos católicos y protestantes; quinientas arpas fueron confiscadas y quemadas en la ciudad de Dublín y unas dos mil en toda Irlanda. El arpa se convirtió en un instrumento prohibido, de sublevación. Luego su figura sería el emblema nacional y aparecería acuñada en las monedas.

Hendrik aprendió a escuchar las tonadas que cantaban al amor y a la tierra en décimas octosílabas, en combinación de coplas. En algunas ocasiones aceptó rasgar la guitarra llanera y llevar el ritmo con los *capachos* o maracas, con sus pepas bailando dentro del fruto seco. Pero lo que más lo emocionaba eran los cantores que con lamentos llamaban al amor e invitaban al baile. Hombres y mujeres tomados por las manos iniciaban un zapateo que recordaba los ritmos españoles flamencos y andaluces. Los hombres con el ceño fruncido demostraban quién mandaba en la relación. Altivo, gallardo, macho y dispuesto a todo. Ella, sumisa, dejándose llevar por su pareja. *Punta de soga y balanceo*, le explicaron en una de las reuniones donde el profesor de música se admiraba. Los repiques del arpa llaman al ritmo, el hombre zapatea, la mujer escobilla o balsea. El sonido de los pies contra la tierra es como el galope del caballo. Él, fogoso compás, ella, incitante, mimosa y esquiva sigue al que huye y huye del perseguidor. El baile de los pueblos de las orillas del río.

Le hablaron de los tiempos viejos cuando los curas jesuitas llegaron con cargamentos de arpas, violonchelos, clavicordios, flautas, guitarras —o cítara hispana— vihuelas y ritmos religiosos, repartiendo el evangelio y el temor al pecado. *El arpa es el instrumento para adorar a Dios,* — le recalcaron. Allí, las trovas antiguas que las damas de alcurnia declamaban con orgullo en los países europeos, estaban en boca del pueblo llanero. Los cantores deambulaban con su estorboso instrumento por las regiones de Paraguay, México, los Andes ecuatorianos y peruanos y las lejanas tierras de Chile y Argentina. También le dijeron que al expulsar a los curas jesuitas de la Nueva Granada, Colombia, los instrumentos dejaron de sonar y las escuelas de música cerraron sus puertas para indios y mestizos.

Hendrik también recordaba que su tío Azriel le dijo que una de las arpas más antiguas del mundo era teutónica, por eso sentía que el sonido provenía de tiempos ancestrales. Ahora amaba el arpa a pesar de que fue el piano el que la desplazó en muchas culturas.

—Estamos rescatando el instrumento de la persecución —le explicó Campos, en la academia.

—Quiero una de cedro —pidió Hendrik sin saber que ese primer negocio lo uniría al hombre que después lo llevaría a los Llanos para huir de la muerte y olvidar el amor y el abandono.

Durante los nueve años en los que estuvo esperando que la guerra terminara para regresar a Bogotá buscó, en viejos archivos de notaría y del gobierno municipal, datos de otros instrumentos que tocaron o tocaban en las regiones del alcaraván —el pájaro emigrante de patas coloradas y copete negro— como las llamaba Campos en sus esporádicas visitas. La *chucha*, cascabel o cascabelina, las maracas con semillas de capacho, raspadas y perforadas con muchos huequecitos; la *sirrampla* con su caja de resonancia en la boca de su ejecutante y el *ferruco* con su cilindro de madera forrado en cuero de venado y atravesada por una caña brava, embadurnada en cera de abeja.

A pesar de la contienda y los soldados que patrullaban la ciudad, los tiempos de las fiestas no podían ser aplazados. Después le contaría en Bogotá a su bella alumna Matilde Aguirre —cuando hablaron por primera vez de tauromaquia— sobre el espectáculo del coleo, la trilogía jinete, caballo y toro. Los concursantes altivos y valientes sobre las bestias rápidas, arrimadoras y veloces. Caballo y jinete al galope detrás del toro, el cuerpo del hombre en busca de la cola de la res, con una sola mano, a media silla, en un solo estribo, por debajo de las piernas y la que más le gustaba, la *güesiada*: el llanero se baja de su montura a pleno galope y a pie derriba al animal. Le describía las volteretas del novillo, la campanilla y campana, los cuartos traseros y el remolino.

—El toro no muere como en el sacrificio de sangre en la arena —le dijo a su enamorada, gesticulando—. El toro debe caer y levantar las cuatro patas para que la faena sea excelente; pero luego lo llevan al corral.

Los tiempos en Los Llanos no le quitaron las pesadillas pero el despertar era más apacible al oír la garza corocora roja, los gabanes y los arrendajos.

Las armas de la emancipación

*Lee el clima en los trazos del cielo, domina los ríos
y cabalga en las noches con los ojos cerrados*

Una de las tantas veces que Hendrik vio a su amigo Germán
Campos en Villavicencio fue la noche en que tocó a su puerta de
hotel para que le diera refugio. Venía agitado por la larga cabalgata y traía buenas noticias, según sus palabras. La Dirección
Liberal les mandaría las armas que llamó *de la libertad* para
tomarse el poder. En pocas semanas se juntarían con las otras
guerrillas y marcharían a Bogotá. Le entregó saludos del comandante Eduardo Franco Izasa y no lo dejó dormir contándole
hazañas de combates y dolores. Le confesó que el armamento
venía por el *correo de las brujas* o contactos clandestinos; que
Eduardo viajó a Venezuela, por el río Meta, con una carta fir-
mada por los demás comandantes donde lo autorizaban pactar
con el partido venezolano Acción Democrática; que a pesar de
haber ganado las elecciones los militares, en cabeza del coronel
Pérez Jiménez, usurparon la presidencia; que mediante nego-
ciación los venezolanos recibirían trescientas treinta y tres mil
reses a buen precio, pero que el treinta por ciento del dinero
sería para la causa guerrillera. Le contó que las fuerzas del comandante Guadalupe Salcedo ya arriaban tres mil.

En esa larga noche de 1953 el tema de la música se perdió en los acontecimientos de la guerra. Germán seguía rela-

tando los episodios como si hablara solo mientras Hendrik lo atendía sin interesarse por los atropellos y desmanes de la contienda. Los pormenores de la lucha y los liderazgos pasaron por su boca lenguaraz y sus ademanes de arpista. Después Hendrik le contó a Matilde pedazos de esos recuerdos, en sus tardes grises del segundo piso de la escuela, al darse cuenta de que sus destinos estuvieron a punto de cruzarse.

Como en su refugio de Hamburgo, desde donde podía oír los buques partir, el mismo sonido que a veces atormentaba sus sueños en las pesadillas con sus verdugos, en el cuarto de hotel de Villavicencio, sacando notas a su guitarra acústica española, entendía que en la guerra los sacrificios eran vanos. Los comandantes de la insurgencia, sin carrera militar, se mataban entre sí y los ejecutamientos garantizaban los liderazgos. Sin ninguna muestra de sorpresa Germán le contó que los hermanos Bautista, jefes de un grupo grande de rebeldes llaneros, fueron fusilados por sus propios subalternos y que por eso Eduardo Franco Izasa pidió que se fundara el Comando Supremo de la Revolución. ¿Qué te parece? Hendrik no dijo nada, le sirvió otro anisado en el pocillo de peltre chino donde calentaba el café en el mechero. Por eso *Guada* o Guadalupe es ahora jefe supremo y comandante mayor, le replicó brindando.

¿Quién era Guadalupe Salcedo?

Un jinete invencible en los Llanos que lee el clima en los trazos del cielo, domina los ríos, cabalga en las noches con los ojos cerrados, canta y toca tiple, es enamorado y le gusta el aguardiente. Moreno, alto, requemado, descalzo y con pantalón remangado a media pierna fue a la escuela y aprendió a leer y escribir. Su padre, Antonio Salcedo, le enseñó los secretos de la vaquería y su madre, Tosa Unda, las primeras coplas. En una tarde de *parrando* o fiesta llanera, los soldados lo alistaron y metieron al cuartel en las filas que combatían a los *chusmeros*. En esa ocasión cayó por ingenuo y por culpa de una mujer. *No queremos desertores sino amigos del gobierno de Ospina Pérez*, —oyó decir antes del reclutamiento. Odió la vida en los cuarteles y cuando supo manejar el fusil anocheció y no amaneció. Volvió a su paisaje y la libertad la acompañó con los primeros amigos, su primera banda de cuatreros. No le interesaba la política a pesar de vanagloriarse de su padre, seguidor de las ideas de Gaitán, *gaitanista* hasta las cachas y que si alguna vez se metía en esa mierda sería con los rojos, *collarejos* o liberales, porque los *chulos* o policías *godos* mataban sin consideración a mujeres y niños. Y le tocó meterse por dolor y rabia. Se sublevó porque ya se decía que era liberal y enemigo del gobierno. Él se reía y con su pistola al cinto y las cantoneras llenas de balas cruzando su pecho, chanceaba que sólo necesitaban llevar una oración a flor de labios, comida para muchos días, una morocha cargada y buena puntería.

Pero las cosas malas no terminan ahí, —agregó Germán Campos, entradas las dos de la madrugada—. *¿Y de novia qué?* —Una pregunta a golpe de jarro que sacó a Hendrik del adormecimiento. No, nada, —le contestó en su español pausado. *¿Y tú?* —*Nosotros los alzados en armas siempre tenemos una guadalupeña que nos espera en las andanzas. Hay que seguir las enseñanzas de Salcedo que no deja una moza sin atención.* Entonces le habló del comisionado José Antonio Alvear Restrepo que llegó al Llano con un discurso diferente al de los campesinos liberales. Al principio dudaban si era un godo infiltrado o un comunista y se planteó fusilarlo. Con el tiempo se dieron cuenta de que sus intenciones políticas tenían

más legitimidad que las expuestas en los documentos senci-
llos de las comandancias guerrilleras. Tanto fue el aprecio que
el 10 de junio de 1953, en el sitio La Perdida, en el Río Túa,
donde deliberó el Congreso Nacional Revolucionario con 226
representantes del Llano y de otros departamentos en guerra, lo
nombraron presidente de debate.

Seguían a la expectativa por el armamento de la libertad
que les enviaría la Dirección Nacional del Partido Liberal. Los
llaneros levantados en armas, en las zonas de Arauca, Casanare, Meta y el Vichada que creían ser la reencarnación de los
valerosos héroes de la época de la Independencia, esperaban
esas armas con las estrategias que sus jefes políticos trazaban
en Bogotá para derrocar a Ospina, a Laureano, o a Urdaneta.
Ellos estaban listos para lo que ordenara la Comandancia pero
el armamento no aparecía y las *razones* o comunicaciones tar-
días desde la capital no eran alentadoras. No llegaron las armas
pero sí la aviación del Presidente Ospina y los bombardeos a
los grupos de llaneros que se decían revolucionarios liberales.
Y cuando definitivamente se sintieron traicionados se desple-
garon por la llanura y concibieron las leyes que los goberna-
rían así fuera en la pobreza. Los ganaderos que antes les daban
apoyo y pagaban seguridad para que los conservadores no los
asesinaran, ahora hacían parte de quienes los atacaban. Si la
Dirección Liberal no proveía las armas había que buscarlas; el
ejército las tenía y pasarían a sus manos: carabinas automáticas
M1, fusiles Punto 30, Efea y morteros. Aparecieron los jefes
del monte, los Bautista, los Fonseca, Salcedo. Los llamaron
bandoleros, que en ese momento era lo mismo que decir guerrilleros o *chusmeros*. De ahí en adelante estaban solos y por
eso dictaron su propia ley.

Campos le comentó a Hendrik el proyecto de imprimir un billete respaldado con el ganado del llano que sirviera para comerciar con Venezuela y los otros países limítrofes. *Un billete de la revolución, ¿qué te parece?* —Cuando le preguntó por el fusilamiento, Germán le respondió que el Congreso aprobó abolir la pena de muerte; sólo se aplicaría a delatores y traidores a la causa.

Germán Campos durmió como murciélago colgado del chinchorro, balbuceando otras historias que deambularon entre el toldillo de la cama de Hendrik. Muy temprano se levantó sin hacer ruido y, cuando llegaba a la puerta, el profesor de música le dijo desde el liencillo: *¿te vas así no más, sin despedirte?* —Se devolvió y lo abrazó. *Tocaremos de nuevo, he compuesto unas canciones y quiero que me ayudes a corregirlas,* —le dijo estrechándole las manos velludas. Las luces de la madrugada entraban tenues por las hendijas de la ventana. Lo oyó caminar por el corredor de madera y cuando los pasos se perdieron en las escaleras, se levantó para espiar la calle. Lo observó y dudó si lo volvería a ver.

La amante de Guadalupe

Lo escuchaba como al canto de los pájaros

Una noche llegó al cuarto de hotel una mujer morena y hermosa que dijo llamarse Silvia, con una nota de su amigo Campos. Le pedía que la alojara, que era una amiga muy especial. Se acostó en el *chinchorro* que el profesor de música colgaba de dos argollas. Esa noche hablaron de la guerra y, sobre todo, de Guadalupe Salcedo.

Silvia amó a Guadalupe desde el comienzo, lo recordaría siempre a pesar de que no estaría con ella. Presentía, y se lo dijo después, que lo matarían a traición, como a Jorge Eliécer Gaitán o a muchos de sus centauros. Pero él —como enfatizaba Silvia al evocarlo, sin mirar a Hendrik— se comió el cuento de la paz, le creyó a los generales del gobierno.

—*¿Cómo se conocieron?* —preguntó el alemán para que no detuviera el relato. Silvia sabía mucho del capitán Guadalupe. Todo el mundo en el Llano sabía del capitán Guadalupe. Silvia se lo confesó al viejo sabio, maestro brujo, para que le leyera las visiones. No pudo resistir su mirada cuando la encontró bañándose en las aguas del Río Cravo. Estaba desnuda porque le agradaba sentir el fluir del agua sobre su piel cobriza. Cuando vio a Guadalupe en su brioso ruano, salió de las

91

aguas sin pudor. Sabía que lo esperaba. Dejó al descubierto sus pezones rojos como picos de garzas hambrientas. El caballo mascaba el freno con los belfos espumosos y las fosas dilatadas. Ahí estaba el deseado por tantas. Con su piel de cimarrón llanero que hablaba de muchas leguas bajo el sol picante y de recientes combates, bajó del caballo y la levantó en sus brazos fuertes y sin decir palabra se desnudó y cayeron en la playa de arena menuda. Silvia no olvidaría su brío y ternura. En el reposo, ella pensó que a partir de ese momento lo único importante en su vida era encintarse un arma y convertirse en una de sus seguidoras o *guadalupanas*. Desde entonces la visitaba en el rancho y a ella no le importaba que la gente, al escuchar las cabalgatas nocturnas, comentara que era el diablo el que hacía de las suyas.

Hendrik oyó tantas historias sobre el jefe liberal, pero saber una por boca de su enamorada lo entusiasmaba. Silvia apuró el café negro y cargado —cerrero, como decían los llaneros— que el músico le sirvió de la olleta de aluminio puesta en el reverbero. En una de las pausas del amor, Guadalupe Salcedo le contó a Silvia cómo se inició en la lucha por la guerra entre liberales y conservadores. Estaba preso y logró fugarse clavándose de cabeza en el Río Guatiquía. Le dijo: *a mi nadie me vuelve a zampar a la cárcel y si los tales chulavitas quieren matarme, les va a tocar que tiren muchos pedos y sudores porque yo les voy a enseñar quién es José Guadalupe Salcedo Unda, un macho con los cojones bien puestos, un llanero braga´o, dueño de mil caminos ramaliaos por los Llanos de Arauca, Casanare, por el Bajo Meta y las tierras de Tauramena. Seré revolucionario, no porque sea prófugo sino porque aún tengo metidos en los oídos los lamentos y quejidos de los presos torturados en la cárcel.* Silvia lo escuchaba como al canto de los pájaros. También le confesó que fue hasta donde sus cuñados, primos y parientes y les mostró los chopos o viejas armas de fuego que consiguió. ¡Alístense muchachos que nos vamos a prender una revolución que no la va a poder apagar ni el putas! Porque en estas tierras con olor a caballo, copla, mujeres y mamona[4] asada, no queremos chulavitas enemigos. Ya tenemos la zurra alborotada y cuando esto pasa no hay quien pueda recogerla.

Y como Silvia no lo interrumpía, Guadalupe, saboreando el café colado, le relataba sus hazañas de guerrero. Volvía a amarla entre el chinchorro, en el suelo, sobre el cuero de un toro cimarrón. Luego, antes del canto de la garza morena, aperaba su ruano y se marchaba mientras Silvia le decía adiós con la mano, con la esperanza de volverlo a ver. Y soñaba con Guadalupe todas las noches. Y cuando pasó el tiempo y su amado no aparecía por el rancho se echó a la pena, no volvió a salir y quiso que la muerte le llegara mirando por la puerta hacia el horizonte. La gente empezó a armar habladurías, de los pactos con Satanás y siguieron llamándola la Bella Durmiente, la enamorada no correspondida, la mujerzuela que agazapada espera el paso de los hombres por su camastro para hacerlos infelices. Por eso Silvia buscó al viejo sabio, maestro brujo, para que le sacara la tristeza contándole sus sueños y desvelos. El chamán le explicó que *no hay mal que dure cien años ni cuerpo que lo resista.*

Entonces —contó Silvia a Hendrik— en el caballete del rancho encontró ese otro mundo que se construyó en su abandono: palacio de lagartijas, lobones polleros, malezas descoloridas y comejenes como tumores cancerígenos a punto de reventar. Y bajó el baúl grande de cedro macho, lo abrió y sintió

---

4 (N. del E.). Ternera menor de dos años.

el avasallante olor a naftalina y vio el color amarillo que deja el tiempo sobre los retratos y las cartas. Desamarró el pañuelo y sacó el anillo con piedra de azabache que le envió su Centauro con un estafeta de la revolución y la carta donde le decía que le mandaba ese anillo *que nunca me he quitado porque es como mi talismán que me da suerte, esto quiere decir que mi suerte está contigo y que iré a recuperar esa suerte a tu lado.* Y Silvia se echó a llorar al imaginar que sin el talismán lo matarían en la guerra, porque jamás lo hirió una bala y aunque decían que la paz estaba a las puertas de los Llanos con el general presidente Gustavo Rojas Pinilla, ella tenía el presentimiento que sin el anillo lo asesinarían por encima de todos los armisticios. Puso entre sus dos pechos el pañuelo y quiso salir a buscarlo pero se dio cuenta de que llegar a Guadalupe era imposible. Estaba seguramente con su mujer, la que le dio hijos y respeto. Miró de nuevo el rancho, el que el capitán Guadalupe Salcedo y sus hombres construyeron en pocos días y recordó el *parrando* y las canciones que cantó su enamorado mientras rasgaba las cuerdas del tiple. Su teniente punteó la bandola y su sargento el cuatro.

Arrojó Laureano Gómez
los chulavitas al Llano
con fusiles, bayoneta
y verdes cascos de acero.
No importa que bajen miles
Hasta los dientes armados.
Nosotros los liberales
Donde apuntamos pegamos.

Esa voz del enamorado y guerrero llenaba la respiración a Silvia. Y la misma noche del festejo se metieron al *chinchorro* grande de palma de cumare que le quitaron a un gamonal.

Soy el león de los Llanos
Que asusta con su rugido
Soy Guadalupe Salcedo
Nunca muerto ni vencido.

Silvia despertó con susto y se dio cuenta de que Guadalupe se marchó o que no volvería en meses. Percibió el olor del tejido del *chinchorro*, el sudor que dejó su enamorado después de sus entregas. Le dio rabia de quererlo tanto, de saber que perdió mucho en las playas de los ríos. Recordó los últimos cuatro cantos de la garza morena en la orilla opuesta del Cusiana. Estremeció el umbrío de los montes más allá de las vertientes del Orinoco. Los caballos relincharon llenos de sudor. Los rebaños pasaron en estampida, de largo, frente al hato. Se oyeron múltiples coplas de jinetes y cantaron muchos gallos, ladraron muchos perros, lloraron muchos niños y después los lamentos de los sacrificados. Cuando el capitán se levantó, Silvia pudo ver que el caney se inundó de risa, brotaron olores pegajosos, a sexos húmedos. Sacó de su corpiño el amuleto y lo apretó en sus manos. El anillo se negreó y la piedra estaba caliente. *Te van a matar mi capitán,* —se dijo—, y salió a mirar la noche llena de luceros, las estrellas del Llano, las mismas que en las pocas noches de amor su amante le regaló. Guadalupe creía en la amnistía del General Presidente porque los que decían que era un *chulavita* mayor, yacían bajo tierra. Ella se quedaría en el rancho que le construyó porque su orden fue rotunda: *de aquí sales conmigo.* No regresaría pero Silvia lo buscaría así la castigara con la indiferencia. *No hay mal que dure cien años ni cuerpo que lo resista.*

Luego de la caída del dictador Gustavo Rojas Pinilla, bajo el mandato de la Junta Militar de Gobierno, una tarde Silvia llegó a la escuela de Hendrik, con otra nota escrita de afán por su amigo Campos. Esta vez Silvia le contó rápido lo que todos sabían sobre Guadalupe. Unos dijeron que lo fusilaron cuando levantó las manos. Otros, que estaba borracho y con una mujer joven en los brazos. Otros, que echó bala a la policía y que cayó traicionado por el General Presidente. Otros dijeron que murió como héroe después de decidir el regreso a los Llanos para encabezar de nuevo la revolución.

Silvia volvió al rancho, enterró el amuleto, besó y le echó candela a las cartas y retratos, desempolvó el revólver que dejó en una de las últimas ocasiones y, después de que todo estaba repasado y rasgado en sus entrañas, le prendió fuego a la casa y se fue a buscar las guerrillas comunistas que se organizaban en El Tolima.

Le dijo a Hendrik que necesitaba un dinero prestado por unos dos años y le aseguró: *profesor, se lo traigo cuando tumbemos a este malparido gobierno.*

Adiós aplazado

Domador de leones dentro de una jaula de gatos

Hendrik quiso llevarse en su maltrecho corazón de pianista las mejores imágenes de Villavicencio, donde pasó esos atribulados años de refugio. Refugiado siempre. Igual que las estampas, en su memoria, de su puerto de Hamburgo, del sonido del mar en la playa; los pájaros le dieron la despedida. El General Presidente alborotaba las esperanzas y también se contagió. Por momentos contemplaba la posibilidad de volver a Alemania pero luego, en el silencio de las madrugadas cuando el sol entraba despacio, como el insomnio, por la ventana de su cuarto de hotel, comprendía que no había allí sino malos recuerdos, ¡y Hamburgo... tan remoto!

Ese lejano sábado de 1953 visitó la casa del rector del colegio para decirle que ahora sí dejaría las clases. La guerra terminaba y buscaría la manera de *iniciar otra aventura*, así le dijo en la sala, sentado en la mecedora que le indicó su bonachón jefe. Trató de persuadirlo pero ante la decisión rotunda del profesor de música, guardó silencio. Si quería podían ir en ese momento hasta el colegio y hacerle entrega de los instrumentos que compró para la orquesta juvenil; pero el alemán lo detuvo con el *no te preocupes, es mi donación por todo lo que hicieron por mí en estos años de soledad. Los muchachos y el Llano me devolvieron las ganas de vivir.* La liquidación por el tiempo en el colegio la prepararía esa misma tarde y *si es mucho el afán, mañana mismo estará lista*. Cuando Hendrik cruzó la plaza principal y se encontró con muchos de esos hombres curtidos por el sol, bajó la cabeza porque no podía detener la decisión. Lo vieron, como siempre, con su saco de lino burdo, como alas de garza a punto de volar, sin detallarlo porque era parte de sus calles.

Ya en la entrada del hotel tampoco quiso pensar en Germán Campos que lo convencería de viajar a Venezuela a iniciar el negocio de las arpas. *Una sociedad comercial camarita, usted toca, yo vendo y todo por mitad*. Si no se marchaba el domingo temía quedarse definitivamente. Amnistiado o no, su amigo tenía —a diferencia de él— valentía para comenzar de nuevo, dejar las armas y recibir las migajas del General.

Celina y Ángela le prepararon una cena especial cuando estuvieron seguras de que partía. Un estofado humeante llenaba la ponchera que les trajo en uno de los pocos viajes que hizo a Bogotá. Una sopa de papas y la ensalada que les enseñó: repollo rojo desmenuzado, varias manzanas cortadas en cubos, cebolla picada, azúcar, vinagre blanco, pimienta y limón, precocida durante treinta minutos, servida en una bandeja de madera balsa, al lado de una jarra rebosante de espuma de cerveza, por la que el huésped tenía aprecio.

—Cuando venga a visitarnos prepararemos unos buenos bagres llaneros, de los que parecen pedazos de anaconda.

—Ojalá encuentre en Bogotá codillos de jabalí y lonjas de esturión —dijo Ángela recitando las conversaciones sobre comida que tuvieron en la mesa.

Hendrik se sintió padre y marido. Tuvo oportunidad de empezar un romance con alguna de las dos pero lo evitó porque su amor por Magdalena Massi aún lo atormentaba hasta el punto de prometer ir a Italia a reunirse con ella y su hija. Si aceptó a Celina una noche en su habitación fue más por recomponer con ella los pasados amores que por empezar una relación con futuro. Se lo dijo y ella lo aceptó como un juego. No tenía seguridad cuántas veces amanecieron juntos ni cuántas evitaron el tema. La última, la mañana en que Ángela los descubrió y esperó en el corredor, no supieron dar explicaciones: *jamás volveremos a hacer esto*, —prometió Celina—. Y aprendieron a vivir con el secreto. Frente al espejito del baño del patio trasero, Hendrik se dio cuenta de que había cumplido treinta y tres años y que el sombrero era parte de su cara. De vuelta en su cuarto, también supo que ya tenía tres maletas de cuero burdo y que hablaba con solvencia el español. En el maletín de mano llevaba el cuaderno con las letras de algunos joropos y *pasajes*. Aprovechaba cuando su amigo Campos se escondía en su alcoba para que le dictara o corrigiera los que acumulaba. No podía separar al vendedor de arpas del revolucionario. En una de las últimas ocasiones que lo visitó, le dijo que ellos no podían poner el pecho solos, que por eso dieron el ultimátum a la Dirección Liberal: o encabezan la revuelta o la hacemos por nuestra cuenta. Se lo explicó claro en uno de los cafés de Villavicencio, en las mesas de atrás, oyendo chocar las bolas de billar y, al fondo, unas canciones anónimas. Esta guerra se prolonga porque los liberales nos sacaron el culo, — secreteó Campos golpeando las botellas café oscuras. Alfonso López Pumarejo, el aliado de la revolución, ahora les mandaba a decir que "si es ésta la última oportunidad que tienen los directores del liberalismo para cumplir su destino histórico, según lo contemplan los jefes de la revuelta armada, estamos resueltos a perderla. Y más todavía, que se produzca el rompimiento definitivo con el pueblo..".
—¿Cómo te parece, profesor? —Hendrik quedó en silencio lle-

vando el compás con el pie derecho mientras Campos explicaba las decisiones, la Ley del Llano y cómo fue nombrado comisario dentro de la jerarquía de la justicia, al lado de los jefes militares y civiles. Lo invitó a visitar las primeras granjas y colonias que se administraban por cuenta y propiedad de la revolución. El alemán dijo sí; no quería quitar el entusiasmo a la voz del guerrillero que, después de beberse otra cerveza, le confirmó que tenía un contacto en Venezuela para un cargamento nuevo de arpas. Le reafirmó que ya no le interesaba y que no le recordara los años tristes, que ya habían pasado cinco de haberlo perdido todo, que estaba recomponiendo su corazón y su silencio para regresar a Bogotá y luego a Hamburgo.

—¿Y ese lugar dónde está? —preguntó Germán interesado en los sueños de su amigo.

—Muy lejos, más allá del mar. Hay que ir en barco. Pero no sé si en verdad quiera volver a donde nací y crecí.

—Para eso estamos peleando esta guerra, para tener dónde vivir sin renegar —replicó Campos asociando las luchas con los éxodos. Hay muchos campesinos en las filas, han tenido que venir de la cordillera porque los están matando. Los ricos, o pagan el impuesto del hato o se van para otro corral. Pero tranquilo profesor que usted es bienvenido en este llano donde cabemos todos.

Campos regresó a recoger unas remesas y unas encomiendas que venían de Bogotá. De nuevo lo esperó a la salida del colegio y lo invitó a comer *mamona*, con yuca hervida y cerveza fría. Le habló de la Segunda Ley Guerrillera que estaba lista. Cuando guardó una pausa demasiado larga, Hendrik le preguntó qué tenía oculto.

—Lo que pasa es que la guerrilla del Sur del Tolima se reparte las zonas como los antiguos gamonales. Hay una gran ambición de poder y parcelas. Los comunistas dicen que la tierra es para quien la trabaja y por eso la gente anda alebrestada por aquí.

Ellos no querían la anarquía y respetaban los niveles de mando desde la vereda —trató de explicar al profesor— pero él lo interrumpió:

—¿La vereda?

—La vereda está formada por la gente que se surte de carne de un mismo sitio de matanza. Esa es la base de nuestro movimiento. Juntas de Vereda, Comandante de Zona, Comandante en Jefe que se responsabiliza de los asuntos militares, el Estado Mayor y el Congreso, que son las palabras superiores de la revolución... porque allí están representadas las tropas y la población. Aquí entre nos —secreteó de nuevo— ahora soy Comandante de Zona.

Hendrik lo felicitó al ver el orgullo de su amigo.

—¿Y vos, camarita, cómo vas?

Antes de que el alemán pudiera responder, Campos descargó otra andanada de palabras.

—Por qué no te vienes al morichal con nosotros, les cantamos y les tocamos, hacen falta personas que nos instruyan y diviertan.

Él dijo no, otra vez, y vocalizó sus deseos: me voy para Bogotá y después para Hamburgo.

Pasó por el lado de las pocas mesas que pusieron Celina y Ángela para atender a los visitantes casuales y buscó la escalera para ir directo a su habitación, la misma de los últimos cinco años. Detenido, como en el aire, estaba Campos, sosteniendo un arpa *tuyera*; al ver al profesor, sacó unos arpegios.

—Aquí está tu regalo, camarita.

Vestido de dril y con un sombrero de becerro con el ala del frente cubriendo su entrecejo; curtido por la guerra y los años mostró la hilera de sus dientes parejos. Hendrik abrió el candado después de un saludo corto y lo invitó a sentarse en el taburete, compañero de la mesa. Pensó que era un buen momento para despedirse. Los dos presentían que no volverían a verse y los invadió una zozobra que el alemán rompió ofreciendo un trago de aguardiente de la botella de la anterior visita. Brindaron con los pocillos de siempre y después de explicarle desde dónde venía con el instrumento, abordó el tema político. Ahora ya no eran bandoleros criminales sino rebeldes revolucionarios y el presidente Rojas Pinilla ponía la Patria por encima de los partidos, como arengaba el general Benjamín Herrera luego de la Guerra de los Mil Días, terminada a comienzos del siglo xx *El rojo y el azul ahora son la bandera nacional*, —le aclaró con entusiasmo—; *el pensamiento de Bolívar, el Libertador, orientará al nuevo gobierno*. Estrechó las manos de Hendrik, que reposaban sobre la mesa con el mantel de algodón que puso Celina en los meses finales.

En la calle se murmuraba que no olvidaran que el General era todo un patriota: acudió a las filas de las reservas cuando los peruanos quisieron apoderarse de un pedazo de Colombia y muchos se pusieron firmes y conformaron la familia de los Hijos de Leticia mientras el senador Laureano Gómez detuvo los ataques a los liberales en el Senado de la República donde le tenían pavor por su gesticulación, rotación de cabeza, mirada, tono de voz y movimiento de las manos: un hombre que hacía temblar a sus adversarios. Ese era ahora el enemigo que el General Presidente enfrentaría. Poco le importaba lo que decían sobre su oratoria chasqueante como un látigo, luminosa como un relámpago, rápida y eficaz como la cuchilla de la guillotina que cae. Podía tener eso y mucho más pero el país estaba desangrándose y Rojas sería el salvador. Laureano Gómez, el domador de leones dentro de una jaula de gatos inofensivos, ahora debía salir del país. Diría, que a él por qué tenían que culparlo si la violencia entre los partidos políticos comenzó la noche en que Simón Bolívar el fundador de la República, el valeroso guerrero libertador de cinco naciones, para salvar su vida tuvo que huir en paños menores por una ventana y refugiarse debajo de un puente, mientras los revolucionarios armados eran controlados por una mujer en camisola. Entonces que no le vinieran con cuentos de culpables que en la guerra todos lo somos, que no era raro que los liberales apoyaran la dictadura, que ya lo habían hecho en cabeza de Uribe Uribe respaldando el cesarismo del general Rafael Reyes y el destierro de veinte próceres azules para imponer la tan necesaria y aplaudida Ley de las Minorías.

También habían oído a Arango Vélez decir que cuando Laureano Gómez entraba al Senado el recinto se dignificaba; sabe agrandarse por el tema, por su cultura humanística, por su velocidad mental, su belleza y coraje varonil, por su elocuencia portentosa; ataca pero acata; prefiere el desprestigio a la popularidad. El contrincante del nuevo Presidente. El temido *Monstruo*, la columna de mármol a la orilla de un río cenagoso, la conciencia de la República al decir del escritor José María Vargas Vila. Laureano Gómez no perdonaría al militar. Lo expulsó y eso lo cobraría. Utilizaría todo para verlo fuera del gobierno y fuera del país. La sátira, el sarcasmo, el golpe de flanco, la ironía, las usaría contra el General ambicioso. Esculcaría todo: su vida privada, sus defectos físicos, los desmanes de sus familiares, los negocios directos e indirectos, sus apodos y sus limitaciones, todo contra el que lo humilló con el respaldo de las armas. Lo aplastaría, lo ridiculizaría. El General no alcanzaba a ser interlocutor suyo y como él no tenía rabo de paja ni se había robado un centavo del erario tenía la dignidad moral para acusarlo. Lo de la operación k de usar dineros del Estado para publicidad en su periódico *El Siglo*, no había sido comprobada. Destruiría a Rojas porque él sólo podía amar u odiar. No hacía parte de las componendas entre liberales y conservadores para apoyar golpes de Estado como lo hicieron con Mosquera y Marroquín. Y regresaría años después para cobrárselas. Aliado con los liberales, lo depondría del poder, lo sacaría del país y le quitaría todos sus derechos políticos y personales.

Campos también le contó a Hendrik que su amigo Franco Isaza estaba furioso con él porque no creía en sus promesas. Las cartas que le mandaba al comandante Guadalupe advertían del peligro: a los militares que discutían la entrega de las armas se les salió el cobre y que él estaba seguro que vendrían la traición, el crimen y la dominación absoluta. Los ponía alerta para que despertaran y tomaran las medidas de rigor porque de todas maneras, tarde o temprano, los traicionarían. Le mostró a Hendrik una copia del radiograma que Franco Isaza le envió al general Presidente:

Puerto Páez agosto 15 de 1953 Punto excelentísimo Señor Presidente teniente general Gustavo Rojas Pinilla Punto Bogotá Punto Atentamente comunicamos vuestra excelencia que celebramos conferencia Puerto Carreño con delegados militares sobre bases pacificación Nacional Punto Actitud francamente contraria postulados vuestra excelencia Punto Hostilidad amenaza coacción exactamente expresadas Punto Rechazo absoluto nuestras proposiciones Punto Imposición dictatorial Punto Alentamos esperanza vuestra excelencia fin poder ventilar claramente nuestras posiciones de lealtad paz libertad derecho trabajo uniformemente identificadas con vuestros altos propósitos patrióticos Punto En nombre de nuestro pueblo grandeza colombiana ofrecemos inquebrantablemente nuestra adhesión incondicional mediante pacto racional justo grande consulte amnistía general formación federación trabajadores eliminación guerrillas aplicación programa trabajo Punto Todo bajo control gobierno Punto Paz libertad trabajo Punto Cordialmente Eduardo Franco Isaza Punto Rafael Sandoval Punto Revolucionarios liberales Punto.

Tenía la copia escrita en papel de cuaderno, como testimonio. Los documentos ya están firmados, enfatizó Campos. La paz es una conquista y nada ni nadie nos puede quitar el derecho a volver al trabajo, recitó chocando, otra vez, los pocillos. Franco prefiere quedarse en Venezuela que poner el pecho a la pacificación, dijo. Muchos estuvieron de acuerdo con su consejo de desplegar la gente en silencio, sin dejarse manosear tanto por los militares. Llegó a decirle a *Guada* que se amarrara los pantalones donde siempre los ha tenido y que se cuidara de los paseítos en avión y los besamanos con los *chulos* militares.

También extendió sobre la mesa la copia del documento que Guadalupe Salcedo, Dumar Aljure y los demás comandantes, firmaron en Monterrey el 8 de septiembre. Hendrik lo retiró a un lado pero el vendedor de arpas le insistió que lo leyera, por favor, en voz alta.

Al excelentísimo señor Presidente de la República, teniente coronel Gustavo Rojas Pinilla. Movidos por nuestros altos sentimientos de colombianos nos dirigimos efusivamente a vuestra excelencia para manifestarle nuestra gratitud y nuestro apoyo moral y material a vuestro gobierno, por la labor que ha desarrollado en pro de la tranquilidad y bienestar de nuestra querida patria. Fue motivo de orgullo y satisfacción, tener entre nosotros al preclaro y ponderoso oficial y jefe de las fuerzas armadas de la república, señor brigadier general Alfredo Duarte Blum, quien tradujo exactamente nuestros sentimientos de honradez y progreso en beneficio de esta región y de la patria. Por tal motivo, los suscritos jefes revolucionarios y representantes del pueblo civil de los Llanos Orientales, damos a conocer a vuestra excelencia nuestra determinación sincera y espontánea, cual es la de deponer nuestras armas con decoro bajo el amparo de vuestro gobierno y del pabellón de la patria, el cual flota hoy glorioso en nuestra nueva independencia y

en el fondo de nuestros corazones. Dios guarde a
vuestra excelencia.

Hendrik respiró y Campos pidió su opinión. Permaneció en silencio. Ésta es una guerra terminada, camarita. Echó el vaho del aguardiente en la cara triste del alemán. Estaba emocionado y alegre, por eso Hendrik aceptó que trajera otra botella de la tienda. Él quería hablar; el otro, escuchar. Recalcó que a cambio de las armas a muchos les entregaron en un taleguito de papel, una libra de fríjol, una camisa, un pantalón; a otros les dieron sombreros de paja enrollados, unos zapatos ordinarios, una caja de fósforos, un paquete de cigarrillos, una libra de azúcar, unos palillos; tanta lucha por tan poco. Pero han prometido entrega de tierras y ahí estaremos nosotros, camarita.

También le dijo que ya Laureano Gómez viajaba rumbo a España y que la reforma agraria era asunto definido, que podría hacerse a unas hectáreas, que él era parte de la revolución. Hendrik sintió miedo cuando oyó esas palabras martilladas con el nuevo brindis. Entonces abrió el armario para mostrarle que ya no había nada, ni su ropa, ni sus libros.

—Me voy para Bogotá.

Se abrazaron sin imaginar que el llanero alemán no tuvo fuerzas para dejar su casa. Volvió al Colegio Departamental y siguió siendo el ave del parque que envejecía en su cuarto de hotel. Fue el padrino de la boda de Ángela y, sin volver a aceptar a Celina en su cama, se encerró, mientras pasaba la dictadura, a escribir su sinfonía inconclusa.

107

LA FILA DIEZMADA DE LOS CENTAUROS

Caballeros, me clavo un whisky

Con la llegada del dictador Rojas los tres mil quinientos cuarenta milicianos liberales del Llano, desmovilizados por el general Alberto Duarte Blum, enfilados, curtidos por la guerra, miraban el cielo despejado de esa tarde de sol. Silvia, una de las *guadalupanas*, vio a lo lejos la polvareda de los caballos y de los carros militares por el mismo camino destapado. A un lado, en un jeep descapotado cubierto por la bandera nacional iba el general presidente Gustavo Rojas Pinilla junto a su esposa e hija; al otro, la briosa cabalgadura del Centauro, Guadalupe Salcedo. Silvia, el amor secreto del guerrillero liberal, supo que su amante ofrecería al dictador hombres y armas. A cambio de tan poco, el negro *Guada* quería que dejara a su pueblo en paz, con sus alcaravanes. Silvia sentía pena por su combatiente, rufián, mujeriego, parrandero, líder, santo y héroe. Salcedo estaba convencido de que el General Presidente cumpliría la palabra remachada a Olivetti en las hojas *calcantes* con manchas de papel carbón que firmó resuelto. La nueva constitución, apodada por el Congreso Liberal Revolucionario como de *La vega perdida*, la echaban a la basura. Ahora el General les ofrecía buena parte de sus peticiones sin exigir mucho en contraprestación. No seguirían siendo llamados *chusmeros* criminales sino rebeldes porque la Patria estaba por encima de los partidos. La amnistía, la desmovilización, sería general e incondicional.

También el líder agrario Juan de la Cruz Varela, en Cundinamarca, llegó con sus mil doscientos descamisados dispuestos a deponer los fusiles y empezar la tregua. Algunos de confianza sabían dónde quedó gran parte del armamento engrasado y envuelto en papel encerado, con los mapas de las *caletas* o escondites en espera de lo que pasara con el General Presidente. En la fila, comentaban sobre la firma y los compromisos del gobierno: dejarlos vivir, desarmar a sus peores enemigos camuflados, la contraguerrilla, y que fueran llamados revolucionarios y no bandoleros como muchos de los que, amparados en los partidos, asesinaban y robaban por todas partes. Los jefes liberales aseguraban que volvería la democracia una vez se acabara la tregua y llegara la paz; que podrían elegir y ser elegidos, hablar lo que quisieran porque la libertad de expresión se respetaría. Había que creerle al General porque ¿qué otra opción quedaba? Volverían a sus parcelas con préstamos a bajos intereses, se reencontrarían con sus parientes refugiados en distintas partes de Colombia. *Eso suena muy bonito, ojalá sea cierto, porque hasta ahora todo se ha vuelto palabrería*, —se oyó decir. *De todas maneras,* —dijo otro, refiriéndose al General y sus buenas intenciones, *hay gente que no se va a entregar y allí caeremos si nos traicionan.*

Muchos confirmaban que el General representaba a las clases trabajadoras, que no olvidaran que había sido zapatero en Nueva York después de recibir de las manos del presidente Marco Fidel Suárez su estrella de oficial, su sable de mando y su diploma de subteniente. Que no lo confundieran con un politiquero, que ante todo era un ingeniero que quería desarrollar el país y sacarlo de la sangre de liberales y conservadores que se mataban por una consigna o una orden de los *mandamases* de Bogotá. Ahora las manos de *godos* y *cachiporros* podrían estrecharse fraternalmente después de dejar las armas. El nuevo Bolívar salvaría a Colombia.

Guadalupe Salcedo, el Centauro Mayor, subió al avión de las Fuerzas Armadas y pudo ver su Llano desde lo alto mientras los militares brindaban con vasos plásticos. Abajo quedaban sus luchas y correrías, sus leyendas, verdades y mentiras. La pacificación, una parte de su deseo, porque sus hombres estaban cansados y con ganas de abandonarlo todo. La traición del Directorio Liberal, de Lleras Restrepo, los desmoralizaba. Todos en Bogotá y el país respaldaban a Rojas Pinilla y la modernización de las armas del ejército los alejaba de la victoria. No querían ser obstáculo, como los comunistas y sus combatientes. Los aguerridos llaneros recibieron el mensaje el 15 de septiembre de 1953 que mandó Guadalupe desde Monterrey —llave de la guerra y sello de la paz— para la entrega de las armas. Al toque de corneta salieron del monte hombres, mujeres, niños, dispuestos a acatar órdenes. La llegada del general Duarte Blum les recordaba el viejo revuelo de los días cuando el expresidente López Pumarejo los visitó, en ese lejano diciembre de 1951, en medio de la lucha contra los *chulavitas* que respaldaban el gobierno de Laureano Gómez. El esquivo Franco Isaza —que no se encontraba en el festejo del General Presidente— admiraba a López y por él hubiera entregado todo. El que sí estaba entre los combatientes era Enrique Barragán, uno de los mejores llaneros que fue hasta Bogotá a concretar la cita con el jefe liberal. Le encargaron licores, manteles prestados, vajilla nueva y un tendido completo de cama para atender al expresidente. Como en esa época, trajeron al mejor asador y se sacrificaron las mejores novillas. Improvisaron un aeropuerto en el hato para la llegada del Douglas de López y los dos aviones de guerra que lo escoltaban. Los visitantes montaron en los caballos y se dirigieron al lugar donde se encontrarían con los jefes guerrilleros.

Los hombres armados y con ropas limpias esperaban que les identificaran a López. *¡Es el del caballo rucio!*, —gritó uno de los ordenanzas. Franco Isaza lo distinguió en medio de la polvareda y se acercó a saludar. El político, a quien los llaneros respetaban, se quitó los zamarros y con sus intensos ojos azules, detrás de sus gafas de nácar, miró a los armados y levantó las manos a manera de saludo. Los guerrilleros lanzaron vivas al Partido Liberal. Uno de los jefes guerrilleros comentó, en voz baja: *la venida de López es más importante que el tratado de Wisconsin que acabó con la Guerra de los Mil Días*. Detrás del presidente de la Dirección Nacional Liberal, el coronel Rojas Martínez, hijo del General que comandó las tropas colombianas en la campaña del Amazonas cuando la guerra con el Perú, levantó el vaso y se dirigió al expresidente:

—Señor, ¿se clava un *whisky*?

—Caballeros, me clavo un *whisky*.

Luego las conversaciones donde se aclaraba que los rebeldes no eran bandoleros sino revolucionarios. Revolucionarios liberales. Por eso López Pumarejo se encontraba allí, para avalar sus luchas contra los *chulavitas laurianistas*. Por eso le recordaron que él los hizo envalentonar desde los años treinta y que estaban listos para recoger los frutos que sembró en su gobierno. El expresidente les informó que venía no en nombre de la Dirección Nacional Liberal, sino del presidente encargado Roberto Urdaneta para tratar de arreglar la desmovilización. Que la actitud de la Dirección estaba ceñida a una política de paz completamente ajena a esa rebelión, aunque no desinteresada con su destino por cuanto encarnaba la acción colectiva del Partido frente a la violencia oficial. Que desgraciadamente la contienda no podía tener un buen desenlace porque carecían de una fuerza suficiente para tumbar el bárbaro sistema imperante, desgracia del pueblo. Los jefes guerrilleros escucharon con atención. Luego de la frase final: *desgracia del pueblo*, le pidieron cinco mil fusiles para derrotar la dictadura civil. *Yo no conozco ningún militar, en Colombia, que sea capaz de manejar cinco mil fusiles.* Luego le hablaron de sus sueños, programas de trabajo con auxilios específicos y efectivos del Estado, con leyes sustanciales sobre derechos de tierra y con la constitución de un regimiento de policía rural montada con base en las columnas guerrilleras, adiestrados más en granjas que en cuarteles. Al mismo tiempo, los guerrilleros prestarían sus servicios policivos y harían un curso técnico sobre agricultura y ganadería. López se elevó en su Douglas y la guerra continuó, hasta ese momento, cuando el jefe de los Centauros entregaba el movimiento al general Duarte Blum, representante del teniente general Gustavo Rojas Pinilla, a cambio de las promesas. López lo advirtió: *detrás de las Guerrillas del Llano camina la revolución social*.

La dictadura de opinión de Rojas era el comienzo de la traición y Silvia lo presintió: tres años después Guadalupe Salcedo Unda, el Centauro del Llano, caía asesinado en Bogotá.

LOS RESTOS DE LA DICTADURA

Así la solidaridad, así el amor

Hendrik, como salido de una aparición, bajó del bus. Bogotá olía a fritura de vespertina, a arepas rellenas con queso y bocadillo de guayaba, en los pequeños asaderos públicos al lado de la calle de los buses intermunicipales. Las tres maletas de cuero burdo las puso en medio de las piernas porque ya tenía la malicia del colombiano de visita en la ciudad. Pedazos de afiches del General Presidente volaban por el aire frío que levantaba las basuras.

Los ojos del militar miran a la izquierda, su amplia frente invade la calvicie y su uniforme con charreteras y cinturón ancho le dan aspecto de gran mariscal. El cuello nerhu cerrado y con adornos y en el lado derecho de la casaca las medallas de su exitosa carrera castrense. En primerísimo plano, la bandera cortada por el escudo: República de Colombia. Otro pedazo de papel se lleva la sonrisa, a medio camino, del derrocado General Presidente. Fragmentos de uno de los diez retratos que la Oficina de Información y Prensa imprimió para exhibirlos en todas partes. A los lugares más recónditos del país llegaron con la nota: *colóquenlos inmediatamente en sitios visibles, en los despachos de las alcaldías, las parroquias, las tesorerías, la recaudación de impuestos, los juzgados, escuelas y colegios.*

El aire y el polvo abrieron la chaqueta de lino ratón del alemán; los ojos secos, irritados. Un automóvil se detuvo en señal de servicio. Negro, con el águila de bronce sobre el capó. Taxi Real. Subió como jalado por otra ventisca. El chofer pidió la ruta y después de un silencio, le preguntó de dónde venía. Hendrik lo miró despacio midiendo sus intenciones. Lo encontró indefenso y dicharachero. El taxista lo condujo a una de las casas donde rentaban habitaciones, en el barrio La Candelaria. El dueño, que había tenido que descuartizar su vivienda para subsistir de los arriendos, al verlo extranjero y taciturno, lo llevó por el corredor hasta la habitación del fondo, la más cercana a los servicios sanitarios. Una cama sencilla, de madera, un nochero que no hacía juego, una mesa a manera de escritorio, un armario de dos cuerpos y un perchero. No necesitaba más. La cama estaba tendida con tres cobijas de lana, pesadas, y un cubrelecho de dulceabrigo. Sintió el frío que entraba por debajo de la puerta y el viento que hacía golpear una ventana vecina.

Nueve años en Villavicencio pasaron despacio para cicatrizar su soledad y dolor. De la papelera de cuero burdo extrajo los billetes de su liquidación como maestro y un candado grande, moderno, Yale, con llaves amarillas. Escondió el dinero por varios sitios del cuarto y cambió el candado pequeño que le entregó el casero por el Yale de su antigua habitación en el hotel de Villavicencio. Se recostó vestido y lo invadió, otra vez, el deseo de volver a Alemania. Rememoró la Bogotá de sus malos tiempos y supo que muy cerca tuvo su academia Brahms y, unas cuadras más al sur, su casa, donde fue feliz al lado de Magdalena Massi y Laura. Un pálpito lo sobrecogió; el olor a madera quemada y la gritería y los bombazos de aquella tarde del 9 de abril de 1948, los sacos llenos de las pocas cosas que salvaron y las carreras de otros tropezando su angustia, lo estremecieron. Hacía ya diecisiete años, recién llegado, con planes e ilusiones, construyeron el negocio con el tío Azriel, la comercializadora de pianos e instrumentos, además del servicio de afinación que se hacía con destreza. Cuando cumplió los veinticuatro apareció una más de sus desgracias, enterró al tío con pocos dolientes. La pequeña tienda que abrieron al huir de Hamburgo, la cerró al quedarse solo, devorado por las deudas; acudió a uno de sus conocidos, el sacristán de la Iglesia de las Aguas, para que le aconsejara qué hacer. El diácono lo llevó hasta el barrio La Perseverancia donde tenía un cuarto y convenció al párroco para que le diera comida a cambio de tocar el armonio o los órganos tubulares en las misas y matrimonios poco importantes de las iglesias de Bogotá.

Así empezó el peregrinaje de Hendrik por La Catedral Primada, reconstruida cuatro veces; La Capuchina, la del Perpetuo Socorro, Santa Clara y San Francisco, uno de los templos más antiguos, con sus retablos dorados y sus tallas en madera que lo maravillaban al quedarse solo en el ambiente barroco de sus naves.

Le permitieron ejecutar el pianoforte cuando los templos estaban cerrados y recorrer los espacios cóncavos de las arcadas que retumbaban los compases de sus zapatos de charol. Ganó lo suficiente para vivir en la buhardilla de una casa en escombros, donde nadie interrumpía sus estudios de música, las lecciones desde las partituras con los ojos cerrados. Después, el encuentro con la italiana Massi que permaneció varios días en el campo de reclusión y el nacimiento del amor unido por el arte. Las historias de la música los sacaron del ostracismo envueltos en las notas del *maestoso* del Concierto No. 1 en do menor opus 15, de Brahms.

Ya en libertad, Magdalena Massi lo escuchó en una de las bodas, en una misa cantada y en los ensayos silenciosos cuando le propuso fundaran una academia; que sus padres le ayudarían porque les iba bien en el restaurante que abrieron después de la segunda guerra. Ella dictaría clases de pintura en porcelana y él de música. Retomarían los viejos contactos de las casas comerciales y venderían a baja escala instrumentos importados. Magdalena Massi le dio a escoger el nombre para la escuela y Hendrik no dudó en proponer el de su amado Brahms. Lo demás lo tenía claro: eran jóvenes y esperaban un hijo. Dos palabras los juntaron en las listas negras del gobierno colombiano y la posibilidad de ser enemigos de los aliados: Alemania, Italia. Ya tenían muertos en la otra guerra y ahora los ponían frente al muro. Bastaron dos encuentros para darse cuenta de que volverían a verse.

Hendrik buscó al señor Massi. Le dijo que si la bella y delgada Magdalena era su hija, fuera a presentarse porque lo estaban buscando para recluirlo en uno de los campos de concentración que organizó el estado colombiano para los amigos de Hitler y Mussolini. Explicó, sin importarle, que salió de Hamburgo huyendo de la guerra y que no era más que un ex patriado que pretendía esconderse del exterminio. No dijo más, tenía dignidad y el silencio de la música.

Lo llevaron al restaurante y le ofrecieron trabajo como cocinero o auxiliar. Con Magdalena no hablaron de las historias y anécdotas que no fueran de alegría; de los barcos saliendo del puerto, del cielo despejado, de los parques y la casa de Brahms, de sus amigos escondidos en otros sótanos, de Florencia y Miguel Ángel, de los museos de los Oficios y de la Academia, de Los Prisioneros, de comida y vinos, de las algarabías familiares. Así la solidaridad, así el amor. No hubo pasión, promesas, planes inmediatos, sueños de regreso. Estaban ahí en el mismo aire, oyendo las bombas, mirando las caras inflamadas de sus muertos. Del ramo de rosas que dejaron en la tumba del tío Azriel, sacaron dos y aceptaron no separarse jamás, compartir la cama, abrir la academia, estar juntos. *¿Te gustaría?*, preguntó ella. Hendrik le entregó su flor y recibió la otra. Las dejaron en una lápida con nombre de mujer. Desde entonces se hicieron pareja hasta el 9 de abril cuando lo perdieron todo y Magdalena no resistió la presión de sus padres y la guerra que intuían después de la muerte de Gaitán. Y se marchó con Laura sin lágrimas mientras él decidió no seguir huyendo. En ese corto tiempo, antes de los incendios en Bogotá y la pérdida de la academia, desaparecieron las pesadillas, deseó componer una sinfonía y no volver a hablar alemán. Pero después del saqueo omitió el español y maldijo la guerra que lo perseguía. Luego de la despedida de su mujer y su hija y la venta de lo poco que quedó del naufragio, volvió a las antiguas iglesias en busca de los sacerdotes que le permitían tocar misas intrascendentes por comida y, a veces, por una cama limpia en un cuartucho de las sacristías. Buscó a sus antiguos alumnos, los hijos de los abogados y políticos que aún preservaban sus casas lujosas, con gruesos tapices, pianos de cola Erhard o Chickering reflejados en los inmensos espejos con marcos dorados. Encontró sólo las criadas que no daban razón y el desamparo lo condujo a caminar sin rumbo, entre el desastre y las ruinas.

HAMBURGO EN LLAMAS

Operación Gomorra

Después de *El Bogotazo* transitó como sonámbulo por el centro histórico, por la Avenida Jiménez, por los amplios andenes o bulevares y presintió que detrás de las paredes de ladrillos y el olor nauseabundo, aún quedaban cadáveres de caras suplicantes como las seiscientas que se vieron en hilera en el Cementerio Central. Los obreros con alpargatas de lona revolvían el polvo con los sombreros puestos. Lo miraron como a un fantasma, con su saco agitado por la brisa. Saltando los andenes, una ráfaga de nostalgia golpeó su camisa blanca de algodón: Hamburgo bajo el bombardeo. Los pedazos de cuerpos de su familia desperdigados bajo los escombros. Bogotá, que creía conquistada, le arrebataba su futuro. El triángulo del desastre: de la Séptima hacia el norte, siete manzanas, diez alrededor de la Plaza de Bolívar y otro tanto en San Victorino; 136 edificios de donde sacaban todavía fragmentos de cadáveres calcinados.

Los últimos días en la Bogotá incendiada, Hendrik, como si lo tiraran con un hilo invisible, estaba en el Pasaje Hernández —en las Calles Doce y Trece con las Carreras Octava y Novena— donde su sastre, para que le diera consejo y oírlo hablar de política. Como al pasaje comercial no llegaron los incendios alguna idea daría a su desorientación. Una lejana evocación de su niñez en Hamburgo le traía ese edificio, con sus columnas en concreto y mampostería. Caminaba observando la marquesina en vidrio a dos aguas y las tejas de barro de la cubierta. El local con puerta de madera se hallaba en el segundo nivel. Subió muy despacio la escalera. Los listones crujieron bajo sus 80 kilogramos y su metro con ochenta centímetros de estatura, antes de entrar a la sastrería. Al hablador sastre lo encontró en su local —donde antes vendieron azadones, palas, picas y carretillas importadas y, después, abrigos y trajes de Londres para los bogotanos rebautizados como *cachacos* por ser los más elegantes de la capital— trazando líneas con sus reglas curvas y su tiza plana, la cinta decimal colgada al cuello, tirantes y chaleco y el infaltable *Pielroja* en los labios. Se saludaron estrechándose las manos y el reiterado *¿en qué puedo servirte? ¿a qué debo el milagro?* —golpeó al músico. *Sólo pasé a saludar,* —contestó Hendrik como disculpándose. En pocas palabras le contó su desgracia y en pocas también el sastre del cigarrillo sin filtro sentenció que eran tiempos difíciles, que en nada podía ayudarle. *A los extranjeros los tienen entre ojos,* —le dijo—, *mejor te vas de Colombia.* Las imágenes borrosas de Magdalena y Laura en sus recuerdos no se quitaban de los vidrios biselados.

Luego de nueve años de exilio en los Llanos Orientales, caminaba sin rumbo aparente; el viento amenazó con arrebatarle el sombrero. Dejaría de usarlo, sobre todo el Panamá de fieltro que no se veía bien bajo la lluvia persistente. Los transeúntes, con sus Borsalinos oscuros, parecían reservados y tristes. En Villavicencio su Panamá lo cubría de la resolana y creía esconderse en sus alas para pasar desapercibido, sin lograrlo.

El 9 de abril, tenebrosa fecha de su ruina, palpitó en su pecho velludo, debajo de su chaqueta lino ratón. Cuando entregó la casa de La Candelaria y respiró el abandono obligado de su arraigo en el mundo, deambuló, otra vez, las calles aún humeantes del centro de la ciudad. El olor mortecino que obligaba sacar pañuelos a los capitalinos no lo avasalló. Buscó de nuevo la iglesia donde seguramente a esa hora el sacerdote oraba en los pasillos, como todos los viernes de fin de mes, pidiendo perdón por los sacrílegos de los días anteriores. Lo recibió más por un acto de caridad que por amistad. Se sentaron en una de las bancas de madera del jardincito para comentar los acontecimientos y la mejor manera de afrontar lo que se venía. Era un cura alemán a quien poco importaba la guerra pero que utilizaba ejemplos de masacres para prevenir otras que se gestaban en todas partes. La destrucción de Bogotá en nada podía compararse con la de Hamburgo durante la guerra y lo sabían como si las cartas jamás recibidas de sus familiares la contaran con detalles. Inevitable para ellos que los despojos de ahora trajeran los lejanos días de julio de 1943 cuando cercenaron sus pasados. La guerra de Hitler contra Europa la llevarían ellos sobre los hombros por el resto de sus existencias. Discriminados, cuando sabían que la mayoría de los alemanes —después de la equivocación con el Canciller— no querían más el exterminio.

Hendrik volvió a nombrar la música, la escuela donde sus tíos daban clases y rehusaban el tema político. Los británicos y los Estados Unidos tenían la misión de destruir la vida en Hamburgo. Toda manifestación de vida. Lo lograron con la llamada Operación Gomorra. Los confidentes hablaban en voz baja, como rezo solitario. La noche del 24 de julio de 1943 del cielo cayeron toneladas de pequeñas tiras de aluminio que bloquearon los radares alemanes: *Window*, el artilugio de los ingenieros y científicos británicos lograba burlar la defensa de los cazas alemanes. Y a la una de la mañana del 25, los aviones marcadores de blancos volaban sobre la ciudad señalando objetivos; cinco minutos después caían las primeras de las dos mil trescientas noventa y seis toneladas de bombas desde los setecientos noventa y un aviones Lancaster, Halifax, Stirling y Wellington. Todo fue un mar de llamas que duró tres horas. Supieron que el fuego se alzaba dos mil metros y que recorría las calles como una inundación. De los copos de los castaños salía humo con figuras espantosas. Hendrik tenía el convencimiento de que en esa primera acometida su familia corrió a los refugios en procura de salvar la vida de los niños. A pesar de que un avión mosquito informó que la ciudad estaba cubierta de humo y polvo y dificultaba el avistamiento de los blancos, al medio día la Octava Fuerza Aérea de Estados Unidos ponía en el aire 127 bombarderos para destruir el astillero de submarinos de Blohm & Voss y la fábrica de motores de aviación de Klöckner.

Los contertulios se levantaron de la banca y empezaron a caminar por el corredor adoquinado. El joven músico sabía que los dos infortunios juntos, el de abril en Colombia y el de julio en Alemania, le darían las fuerzas necesarias para abandonar Bogotá y huir a los Llanos Orientales con Germán Campos, el vendedor de arpas. Cerró los ojos con fuerza, todos habían muerto en verano. Bastaron esos cinco años de diferencia entre una fecha y la otra para comprender que su familia había perecido en el segundo ataque, el de las bombas incendiarias. Las explosiones arrancaron techos, puertas y ventanas y los heridos se abrazaron entre los escombros; pero el bombardeo convirtió la ciudad en una enorme antorcha, tormenta de fuego, gigantesco lanzallamas que penetraba por los huecos donde estuvieron las entradas y miradores, calcinando a muertos y sobrevivientes. Tormenta de fuego. Se consolaron con saber que en Bogotá las casas las quemaron borrachos con botellas de cerveza llenas de gasolina. En su lejana Hamburgo, las llamas invadían los refugios antiaéreos sofocando y exterminando todo ser vivo.

Napalm-B, polvo de naftalina y palmitato mezclados con bencina. Monóxido de carbono que mataba por asfixia. Miles de grados centígrados carbonizando los cuerpos encogidos por las incendiarias. En esos 22 kilómetros cuadrados hechos cenizas, perecieron cuarenta mil alemanes. Con ellos, la familia de Hendrik. Pensó que hubiera actuado como el oficial Claus Philipp Schenk Graf von Stauffenberg —en la fracasada Operación Valquiria— quien, a pesar de tener un solo ojo y sólo una pierna, intentó asesinar a Hitler. De haberlo logrado hubiera detenido el curso de la guerra.

También reflexionó, caminando al compás del rosario de pepas de madera golpeando el cuerpo de su silencioso escucha, que los miembros de su familia no eran ni habían sido parásitos ni disgregadores, como aseguraba Hitler a sus adeptos. Artistas y maestros, tocados por la música y el amor. No el judío traidor que al decir de los nacionalsocialistas, estaba a los dos lados de la línea fronteriza, alemán pero extranjero, asimilado pero ortodoxo, adentro pero afuera. Por el prejuicio nazi los espectros de millones de compatriotas emergían con el humo de las chimeneas. La estrella de David, amarilla, invisible, la llevaba en su brazo. Quizá hubiera sido mejor la bomba atómica a las torturas en los campos de concentración. La obra de los físicos alemanes, encabezados por Albert Einstein, que descomponían el átomo, respondía a las órdenes de los presidentes Roosevelt y Truman: crear la bomba atómica. Se sintió japonés y desechó toda forma de aniquilamiento.

La destrucción de Hamburgo como la de Bogotá no la encontraba natural como tampoco la guerra. El sacerdote pronunció una oración cuando Hendrik ratificó su orfandad. *Las guerras son las guerras y pagan los que no se meten en ellas,*

125

—dijo el cura tomando por el brazo al desolado músico. *Creo que lo mejor es que busques vida en otra parte, lejos de esta ciudad que tanto atormenta tu corazón de artista*. Al sábado siguiente viajó a Villavicencio.

El Pasaje Hernández

*Lloró como en las noches tristes de los paisajes rojos
del Llano*

Ahora volvía de los Llanos sin esperanza, sin sueños, sólo con el despropósito de ver esas calles que le traían imágenes perdidas de Magdalena y Laura. Tal vez estaba igual de ilusionado, como todos los colombianos, que una vez derrocado el General Presidente podrían vivir en paz y gozar la democracia. Empezaba a envejecer desechando todo contacto con mujeres que se le acercaban para preguntar su historia, como si fuera la mejor forma de iniciar una relación pasional. Rehuía, y con tono cortés, hablaba de una esposa inexistente. Como recogiendo el ovillo sin laberinto, sin tomar el café de la mañana, supo hacia dónde se dirigía. Añoró los desayunos de Celina y Ángela en Villavicencio. Sobre sus huellas del triste abril bogotano llegó de nuevo al Pasaje Hernández. ¿Estaría su viejo conocido que le confeccionó los dos vestidos de paño negro con los que lucía su talento detrás de los estrados de las iglesias?

El centro comercial, construido en 1890 y terminado por Gastón Lelarge en 1918, albergaba a los descendientes de los más hábiles comerciantes de Bogotá. Luego del incendio de las Galerías Arrubla, el Pasaje ganaba el prestigio del buen gusto. Penetró por el Pasaje Santafé con la idea de comprar una manta y admirar el *art déco* de su diseño pero prefirió seguir en busca de su sastre. Lo encontró como si nunca hubiera detenido el pedaleo en la Singer, distancias de hilo seda que llegarían muy lejos del dolor. El aire olía a tabaco, al fuerte aroma del *Pielroja* sin filtro. Había perdido el pelo y ostentaba una apariencia más de banquero que de costurero. O de abogado como decían ser todos los del gremio. Ahora usaba gafas de lentes grandes y gruesos montados en marco de carey. Como todo buen sastre sabía las medidas de su entorno y por eso cosía y descosía la realidad de la ciudad y el país mientras unía las piezas de paño inglés que recomendaba a su selecta clientela. Hendrik creyó que lo desconocería por su pelo ensortijado tapando sus orejas y por el traje de lino en desuso. Pero el viejo lo recibió con ese *en qué puedo servirte ¿a qué debo el milagro?* Le informó que los ricos abandonaron La Candelaria y ahora se ubicaban en Teusaquillo, que hacia allá debía dirigirse si quería buscar alumnos o iniciados para sus clases. *Los del Pasaje Hernández están en quiebra, la gente quiere hacer sus compras en Chapinero, El Restrepo, El Veinte de Julio o El Siete de Agosto, en esos barrios puedes tener futuro, profesor.* No paraba de pedalear su Singer mientras lo miraba de vez en cuando para afianzar los consejos. *Éramos seiscientos mil bogotanos y ahora somos millón y medio de colombianos viviendo aquí.* La violencia sacó a los campesinos de sus parcelas y vinieron a esconderse aquí. Tocaba con su índice el palo de rosa de la máquina cuando reafirmaba el *aquí. Están amontonados en casuchas del sur y en los cordones de miseria de los cerros. La dictadura sólo nos dejó cemento. Ahora tenemos hipódromo, velódromo, estadio de fútbol y avenidas nuevas. ¿Las has recorrido?* Hendrik contestó no con la cabeza.

Esa primera semana de 1957 Hendrik tomó los nuevos autobuses que reemplazaron al tranvía y se bajó en la Calle Treinta y Dos con Avenida Caracas donde abundaban las casas republicanas. En el sector, las nuevas mansiones de estilo clásico, eran habitadas por dirigentes políticos como Darío Echandía, Gustavo Rojas Pinilla y Mariano Ospina Pérez. Hendrik tenía recuerdos de esos personajes: el de la frase *¿el poder para qué?* tras la muerte de Gaitán, lo mismo que la justificación de la toma del gobierno por parte del General al declarar que había sido un golpe de opinión del Presidente en ejercicio el 9 de abril porque ese día él, Hendik Pfalzgraf, perdió su hoy y su mañana. Más adelante, casas cerradas de dos pisos con antejardín, entornos de espacios abiertos, calles amplias y arborizadas rompían los esquemas coloniales que el pianista de Hamburgo conocía muy bien y que amaba con dolor. También admiraba el neoclásico afrancesado con sus yeserías, decorados superpuestos y mansardas chatas. Caminó por el barrio Teusaquillo y pudo ver en varias residencias las placas de los arquitectos chilenos Julio Casanovas y Raúl Mannheislet que imponían el estilo inglés y tudor. No se atrevió a golpear en ninguna de las primeras puertas porque la lluvia lo acobardó, otra vez. Regresó a la habitación y revisó los billetes de sus cesantías. Por fortuna estaban completos y en orden.

Reconstruía lo perdido y armaba lo novedoso. El plano de la Bogotá del futuro y los barrios con diagonales, el de Karl Brunner, con plazas en las intersecciones, calles curvas, parques, *parkways*, alamedas que llamaban *Ciudad Jardín,* en los barrios Palermo, Bosque Izquierdo, El Retiro, El Nogal, lejos de los edificios de las oficinas públicas, iban quedando atrás. En esas primeras semanas Pfalzgraf recorrió los ejes de la Carrera Séptima y la Avenida Jiménez, ahora liderados por el Plan Soto-Bateman, y el límite con la carrilera del tren. Rememoró, de su niñez, la estación de Hamburgo, el sonido de las locomotoras llegando con las mercancías y los pitos de los barcos atracando, devorados por el Báltico. Adioses y arribos llenaban su pasado y presente. Escuchó que los jóvenes arquitectos

129

querían ampliar y modernizar la ciudad; agradecían *El Bogotazo,* como los británicos y alemanes los incendios de Londres y Hamburgo, o los portugueses el terremoto de Lisboa. Los desastres modernizaban las urbes. Enloquecían con las ideas de Le Corbusier que había visto la ciudad ese 16 de mayo de 1947 donde señaló que el Centro Histórico tenía cierto grado de perfección mientras los barrios crecían en desorden. El afamado arquitecto franco-suizo regresó después del 9 de abril a evaluar la catástrofe, en marzo de 1949. Los bogotanos estaban expectantes por la proyección que el urbanista daría a su ciudad. Los comerciantes debían comprar rápidamente los terrenos cercanos a bajos precios para luego hacer los barrios que Le Corbusier diseñara y así enriquecerse. Ya Sierra, Mazuera y la urbanizadora de Mariano Ospina Pérez se hacían a gran parte de las varas planas de la sabana. El maestro Le Corbusier —como le decían sus epígonos— armó el Plan Piloto en torno a los elementos fundamentales de la ciudad: el centro cívico, los sectores residenciales, el sistema de vías o transporte y los elementos geográficos naturales que estructuraban el territorio. La urbe debía cumplir sus funciones: habitar, trabajar, recrearse, circular. La oficina del Plan Regulador controlaría que las viviendas ocuparan las zonas sur y norte, la industria el occidente —servida por el ferrocarril— por toda la Carrera Trece, en el área de Puente Aranda; que el aeropuerto nacional debía quedar en Techo y el internacional al occidente del Río Bogotá. El trabajo de Le Corbusier, en sus cinco visitas a Colombia, quedó a medio hacer por decisión del dictador General Presidente.

En el lugar donde Hendrik supo que salió el ministro Laureano Gómez dentro de uno de los tanques de guerra el día de la muerte de Gaitán, se levantaba el hotel San Diego, que luego sería el Tequendama, cercano al Parque de la Independencia. Vería cómo ese sector se convertía en el Centro Internacional junto a la antigua fábrica de la cervecería Bavaria creada por su coterráneo Leo Kopel al que ahora le atribuían hechos milagrosos desde su tumba. El hotel de cuatrocientas habitaciones, salas de baile y bar, reunía a artistas internacionales, políticos y comerciantes. Después, el General Presidente trasladaría gran parte de su gabinete de gobierno a la zona de El Salitre donde construyó el Centro Administrativo Nacional —can—. La Carrera Séptima ahora reemplazaba sus antiguas edificaciones republicanas por edificios de varios pisos; cerca, la Universidad Nacional, abierta en 1937. Maravillado, recreó la reconstrucción de Hamburgo y la idea insistente en sus sueños de volver al escondite, a tocar el clavicémbalo.

Bogotá crecía hacia el norte y el General Presidente dejaba iniciada la autopista hasta la Calle 170 Antes Hendrik había caminado hasta la 72, límite de la zona urbana de la capital. De regreso vio cómo, en el sitio del Hotel Granada, se levantaba un edificio para el Banco de la República, el mismo que al año siguiente demolerían para ampliar la Avenida Jiménez que tanto admiraba. Compró el periódico en el Molino de klm, al lado del edificio Francisco Camacho, donde años después los jóvenes intelectuales robaban ejemplares, en la librería Buchohlz, con la complicidad del poeta Nicolás Suescún.

De nuevo, en su clandestina habitación de La Candelaria, quería seguir pensando en lo que haría al día siguiente; pero el sueño lo condujo a su sótano de Hamburgo donde fue feliz a pesar de tener la muerte en la superficie de la casa del tío Azriel. Sabía que siempre las callejuelas de La Candelaria con su nostalgia de la Europa española y, muy cerca los nuevos edificios republicanos de la Francia lejana de Napoleón III, le revivían sus aciagos momentos con Magdalena y Laura. El frío que entraba por debajo de la puerta lo hizo temblar. Otra vez oyó la ventana movida por el viento en la casa vecina. Se tapó la cabeza con las cobijas y lloró como en las noches tristes de los paisajes rojos del Llano.

CONCIERTO BAJO LAS COBIJAS

La ciudad había crecido, también su destierro

Debajo de los cobertores Hendrik Pfalzgraf encontraba la oscuridad de su sótano en Hamburgo. El ruido del aire que entraba por los resquicios y, el insistente golpeteo de la ventana contra su marco, lo conducían al *moderato* del Concierto No 1 de Brahms. Tenía entre su maletín burdo las viejas partituras que conocía de memoria y que desplegaba sobre los atriles como una manera de sentirse acompañado. Pasaba las páginas en su mente buscando los mejores movimientos o escuchando, muy adentro de su laberinto, todo el concierto.

Dejaba que la música terminara en la madrugada sin sacar la cabeza de las mantas calientes. El frío de las blancas y negras en sus dedos, descifrando los dibujos de las obras musicales en la memoria perforada, lo hacía temblar levemente. Él también quería tocar para marinos ebrios en un bar de Hamburgo. No le importaba si había amanecido en los brochazos bermellones de los Llanos. Fue allí donde pudo pensar más en su sinfonía, porque su inspiración y espíritu nació de las montañas, los bosques y el cielo abierto, como en su Alemania perdida. El golpe de la ventana vecina tomó el ritmo de un lastimero *canto de ordeño*, de un *pasaje* con historia que no pronunciaba pero que veía en los esteros. El paisaje lo iluminó, bajo las frazadas. Pensó que ése era su verdadero Dios. Por eso jamás se acercó a los judíos quincalleros que le ofrecieron trabajo en los primeros años del exilio, vendiendo mercancías a crédito por los barrios pobres de Bogotá. El tío Azriel también los rechazó. No criticaban La Torá ni El Talmuth, simplemente adoraban la música y, dentro de ella, los dioses que reptaban por encima de Bach, Mozart, Beethoven, Schubert. Con Azriel se refugiaron en el pequeño almacén —la sala de la casa adaptada para las lecciones, reparaciones y ajustes— que abrieron con el aviso de las clases pegado en la ventana, más allá de los barrotes. Descartaron ser *clappers*, quincalleros, buhoneros, un oficio de espaldas y riesgos; además, no conocían el negocio de las ventas a plazos, menos el de cobrar todos los lunes de quincena, muy temprano, porque los sábados se destinaban a la oración. Se aislaron de las sinagogas y a Hendrik poco le importó cuando, en medio del dolor del 9 de abril, le dijeron que habían creado el Estado de Israel a pesar de que Colombia no votó a favor en la Asamblea de las Naciones Unidas. No acataban las normas que los judíos polacos daban a sus hijos para enriquecerse rápido: *si pierdes un día, nunca lo alcanzarás*. Querían perder todos los días con sus noches ensayando en el salón mientras buscaban los créditos para abrir el comercio de pianos así vendieran uno por año. Ahora que había pasado tanto tiempo y podía pensar en español y renegar en alemán, seguía agazapado entre las mantas como un gato de monte. Tenía el dinero de la liquidación, algunos ahorros y sus pertenencias amadas, sus papeles y sus libros pequeños, de hojas resecas.

El viento sopló fuerte y estrujó la puerta antes del golpazo de la fiel ventana. *Bienaventurados los que sufren porque ellos serán consolados*, pensó en español la cita bíblica con la que Brahms iniciaba su *Réquiem*. Luego lo habló en alemán, murmurado entre el calor de su aliento, a Martín Lutero: *Selig sind, die da Leid tragen, denn sie sollen getröstet werden. Die mit Tränen säen, werden mit Freuden ernten.*

Quiso retrotraer la presencia de Magdalena Massi, la imagen de su cuerpo desnudo bajo el mismo calor de su deseo, pero fue inútil. Si la perdía en la memoria, entonces la perdía en el amor. Muchas veces, en sus sueños, lo visitó en su cuarto de hotel; hablaban del viaje, de Laura, de la escuela, evitando el tema de la guerra. Despertaba sudando y corría al balcón para retenerla, pero Magdalena ya era una garza morena o un ruiseñor que buscaba el horizonte. Sintió unas ganas irrefrenables de volver al refugio del hotel, a las clases en el colegio, a las caminatas por las afueras de Villavicencio y a las visitas de Germán Campos. Un arrepentimiento se coló por entre los pliegues —a sus pies— y una sensación de equivocación rondó el contorno del cuerpo arropado. Las guerrillas liberales del Llano desaparecieron como Germán y, con él, la venta de las arpas venezolanas que traía dos veces por año en la época de Magdalena Massi. Quería poder dormir como los combatientes llaneros con un ojo abierto, en los *chinchorros*. La naturaleza era lo suyo, su sentido de viva, su inspiración. Volver a la llanura, internarse en ella como en su propio corazón, uno de los anhelos de extranjero en el país; habitante de las montañas y los árboles, en el otro. Al calor de su resuello volvió a desear a Celina, la casera de *Villavo*; a sentir sus muslos gruesos atenazando sus caderas, encaramada en su frágil humanidad, resoplando sudorosa como potranca en reposo tras una larga cabalgata, diciéndole palabras rápidas que no entendió pero que suponía eran gemidos de placer, de briosa hembra a quien se le da una segunda oportunidad sin compromisos.

Había cumplido los treinta y siete años debajo de esa cobija, huyendo del frío y de la maldita ventana que golpeaba ahora en la puerta de su cuarto, atrás de la casa, junto al árbol de brevo. Miró la cara de Celina pero no era ella sino Magdalena apretando sus senos contra el pecho de Hendrik, contra la cruz de sus vellos. *Nel mezzo del cammin di nostra vita /mi ritrovai per una selva oscura, /ché la diritta via era smarrita*[5]. Algo le transmitían esas palabras prestadas. Seguramente debía buscar la manera de ir a Italia y recuperar el amor perdido, a su hija Laura, la música, Alemania, Hamburgo… ¿Estaba en la mitad de su vida? Seguramente viviría cincuenta y seis años sin tiempo ni futuro, sin escribir su sinfonía y menos sin formar una familia. Las mujeres, todas, le parecían bellas; pero sabía que una, con una flor amarilla en la mano, caminaba desde el futuro hacia él. Lo merecía, pensó con un ojo abierto mirando la luz tenue que se colaba por debajo de la puerta y que se filtraba por entre las cobijas, abajo, a sus pies. Elucubró que empezaría sus clases, que buscaría al alumno para recuperar su clavicémbalo y que localizaría las familias bogotanas que aún tenían el prestigio de un piano en su sala o en un salón especial para sus hijas *artistas*.

La ventana dejó de golpear y Hendrik volvió a Brahms, a los pedazos de papel amarilloso de su escarcela, arrugados pero legibles. De nuevo los acordes se volvieron pampa y recuerdo. Podría ser buhonero y juntar dinero para abrir su tienda

---

5 (N. del E.). *A mitad del camino de la vida, /en una selva oscura me encontraba /porque mi ruta había extraviado.*

y dictar lecciones; volver a las iglesias, tocar por unos centavos y una habitación decente; volver al Pasaje Hernández y pedirle a su amigo sastre que le enseñara el oficio; podría presentarse ante la Junta Militar de Gobierno y ofrecer sus servicios para los grupos musicales del ejército; conseguir una mujer adinerada para hacerla la inspiración de sus melodías; recoger sus pocas cosas y tomar el tren para volver por donde llegaron con el tío Azriel hacía ya dieciocho años. Pero ninguna opción daba para dos pensamientos. El paisaje rojo se amarilleó al imaginar de nuevo su casa en Hamburgo, destruida por las bombas incendiarias. Cerró los ojos rebuscando el sueño detrás de sus planes pero encontró, otra vez, su cara triste mirándose en el espejo del gabinete en su cuarto de hotel, donde algunas veces vivió la felicidad. Se había beneficiado del silencio común para meterse en el arrobamiento de la música. Con su amado poeta del libro de pasta dura, comprendía el silencio de los cielos porque las palabras humanas jamás las entendía muy bien. Al contrario, le hacían mal. Siempre temía ser catalogado como un mediocre violinista o un pésimo pianista. Las especulaciones en sus dos idiomas, lo traicionaban. No había podido lograr que las palabras fueran superiores a sus silencios, por ello lo suponían tímido, a veces estúpido. *Dentro del silencio jamás serás traicionado*, —le dijo Azriel interrumpiendo la quietud de sus aposentos, en su enfermedad. Los dos disfrutaban la larga quietud del tiempo. También le había dicho aquella noche, antes de morir: *no rompas tu silencio si no es para mejorarlo*. La ventana volvía con sequedad. La ciudad había crecido, también su destierro. Los recuerdos lejanos no llenaban ese espacio de su respiración que llamaba las lágrimas; no habitaban su soledad; al contrario: la hacían más hueca y dolorosa. En los intermedios de la ventana contra el marco escuchó el silbato del guardia callejero, allá, muy lejos. Parecía un silbido venido desde El Alto de la Cruz, o desde el Santuario de Monserrate.

137

¿Cómo será esa bella dama que viene desde el futuro con una flor amarilla? *Fragt die große Natur um Rat*[6], masculló, y se quedó dormido.

6 (N. del E.). *Pide sólo consejo a la naturaleza*.

EL ÁNGEL DEL BLÜTHNER

Empezó a soñar, con una flor amarilla en la mano

Despertó polucionado. No sabía si lo visitó Magdalena o Celina, o la mujer de la flor amarilla en la mano. En Villavicencio también le ocurría, sobre todo cuando la música asediaba sus tardes o un *parrando* con Germán le llenaba las mejillas de calores más allá de los cuarenta grados del aire. Iría al Pasaje Hernández a que su amigo le hiciera un vestido de paño oscuro para disfrazar la aventura de buscar trabajo. También ordenaría, en una de las tipografías del barrio, que le imprimieran unas tarjetas ofreciendo clases a domicilio. Las repartiría por cafés y bares y se arriesgaría a introducir unas bajo los portones de las quintas de Teusaquillo, Palermo y Chapinero. El agua fría cayó por la regadera plana de puntos sobre su cuerpo entumecido y la nostalgia de la ducha tibia del Llano lo hizo sacudir sus cabellos ensortijados. Iría a la barbería y trataría de ser un bogotano más, así le abrirían las puertas. Salió envuelto en la toalla, como en su añorado hotel, y se encontró con una mujer que esperaba el turno de la ducha. Ella no lo creyó real, por eso no respondió al saludo que Hendrik le ofreció mientras agrandaba los pasos hacia su habitación. En la cara de la mujer descubrió la de Ángela, la hija de Celina. Sacó la cabeza desde la puerta, quiso verla de nuevo pero ya no estaba. Se vistió rápido para espiarla. Como no salía fue hasta el baño y lo encontró vacío. Antes de buscar la calle abrió el maletín burdo y extrajo el pasaporte.

Al llegar a la casa de su alumno para recoger el clavi-cémbalo, halló un aviso de se arrienda pegado en la ventana. Informes en la siguiente puerta. Golpeó con desgano en la entrada de madera pintada de verde; lo atendió una mujer mayor de ojos verdes y tristes. Le dijo que los inquilinos se habían marchado para el extranjero; que la casa era pequeña y se rentaba a buen precio.

...ahora que se acabó la dictadura y la chusma no nos va a robar las propiedades...

Hendrik le dio el nombre del muchacho que le tenía el instrumento pero ella no lo conocía, o decía no haberlo visto nunca. *Jamás estoy de fisgona en ninguna ventana,* —le dijo para terminar la conversación.

—Soy profesor de música y esta casa podría servirme —vocalizó Hendrik para que la mujer lo entendiera, disimulando su tono extranjero.

...¿Usted es turco? ¿De los que venden baratijas por las calles?

—No, profesor de música, he venido de los Llanos y necesito una casa así, pequeña, para dar mis lecciones.

...¿Qué tipo de música?

—Profesor de piano y arpa.

...Yo tengo un piano que estoy vendiendo, ¿le interesa?

Pasó el zaguán húmedo y oscuro; la puerta interior, con bolillos y frisos, se abrió y Pfalzgraf se introdujo en un patio pequeño con fuente de piedra.

…Siga…

La mujer le indicó el recibidor. Supuso que en el fondo, bajo la sábana que cubría el rincón, estaba el piano. Lo desnudó con delicadeza. No tenía etiqueta pero Hendrik supo que era de pared, un Blüthner de 1889, de costillas, bastidor, horquillas metálicas y teclas de marfil.

—¿Y la banqueta?

…No tiene banqueta, es así como lo ve, mejor, me lo heredaron así como lo ve…

—Es un gran piano —dijo Hendrik palpando uno de sus candelabros de bronce—. Muy buen piano.

…¿Le interesaría comprarlo?

Sacó de su maletín el diapasón y lo hizo sonar ante los ojos de la aparente dueña. Pulsó la quinta tecla blanca.

—Está desafinado y en muy regulares condiciones.

…¿Le interesa, sí o no?

—Me interesa, señora, pero cuénteme más de él.

…¿Le interesa o no le interesa, o le interesan más los chismes que el piano? ¿Usted es turco?

141

—No, ¿por qué?

…Porque no me gustan los turcos, han venido y me quieren robar diciendo que esto es basura, que no vale un comino…

—Soy un profesor de música que acaba de llegar de Villavicencio. Tuve una academia con mi esposa —que era italiana— y me la quemaron el 9 de abril, esa es mi historia.

…¿9 de abril? ¿Le quemaron qué el 9 de abril? ¿Le mataron a su esposa italiana?

—No, ella viajó con mi hija Laura a Florencia. Me quemaron la tienda de instrumentos y el salón donde dábamos clases de música y pintura.

…¿Usted también es pintor? Venga, siéntese y cuénteme, cómo es eso que perdió su almacén el 9 de abril. Yo también perdí muchas cosas ese día. Todos perdimos porque la chusma saqueó hasta lo que no teníamos. ¿Cómo se llama usted?

—Hendrik.

…¿Hendrik qué?

—Hendrik Pfalzgraf.

…Usted no es colombiano…

—No, nací en Hamburgo.

…¿Hamburgo?

—Sí, Hamburgo, Alemania.

…He oído hablar de Hamburgo, mi abuelo hablaba de Hamburgo. ¿Qué hace aquí y por qué estaba en Villavicencio? eso es muy lejos y primitivo…

—Es un cuento largo. Dígame, señora, cómo llegó el piano a esta casa.

...A esta casa no, a mi casa, ¿señor qué?

—Hendrik.

...Desde que me conozco he visto ese armatoste en la sala. Me dicen que fue mi abuelo el que lo trajo por el río primero y luego en autoferro, como llegaron todos los pianos a Bogotá. Pocas veces fue tocado, a mis hermanas y a mí no nos interesaba, nos gustaba la música pero tocar piano, no. Nos gustaba el baile pero no andar en orquestas, conjuntos o tunas. No. En la familia nadie se atrevía a decir ¡vendamos ese elefante blanco! ¿Puede usted señor... Hendrik, tocar algo, darle vida a este armario?

—No hay una butaca.

...Traeré una banqueta de la cocina...

Ella desapareció y Hendrik pudo pasar las manos, libremente, por las teclas marfiladas, las negras y las blancas, dibujando con suavidad la hendidura de una mujer, la que desde esa noche empezó a soñar con una flor amarilla en la mano. Acarició, con igual fruición, la madera negra y metió los dedos en los huecos de los candeleros en busca de huellas de cera. Fue de nuevo al maletín y extrajo las herramientas básicas del tío Azriel. Envueltas en piel suave, de cordero, puso sobre la mesa las dos pinzas, una cuña de madera revestida y, el diapasón. Los dedos le temblaron con la llave de afinación dispuesta. Pudo darse cuenta de que algunos macillos y cuerdas estaban rotos. Se arriesgó a hundir varias teclas y el sonido invadió la casa. La resonancia ocupó los recintos que Hendrik sospechó vacíos. La mujer surgió de los acordes destemplados con una banca de madera dura, de cuatro patas.

—Está desafinado y no se puede tocar.

…Pero usted estaba tocando algo lindo. Por favor, continúe…

Hendrik movió la cabeza en señal de duda pero se arriesgó a la hilera uniforme. Sabía que sonaba pésimo pero dio rienda suelta a su angustia de saber que estaba frente a un Blüthner. Miedo, rigidez en las manos. Pero en su cabeza, dentro de sus oídos, podía oírlo afinado. Cerró los ojos e interpretó una parte del Concierto No.1 de Brahms. Cuando se detuvo, la mujer había acercado una silla del comedor y secaba con un pañuelo blanco, bordado, las lágrimas.

…Es usted un ángel, ¿cómo puedo ayudarlo para que siga tocando así hasta el fin de mis días?

Hendrik también tenía unas lágrimas a punto.

—Hay que afinarlo.

…No importa, este piano es suyo…

—No, señora, este piano es muy valioso, cuesta mucho dinero.

…No importa, es su piano. ¿Tiene algún dinero simbólico?

—Algo, pero nunca lo suficiente.

…Podemos hacer un trato…

La mujer bajó la tapa del piano y llevó al visitante hasta el sofá.

…Usted se compromete a tocar para mí hasta cuando yo muera y yo le entrego el piano a cambio para que dicte sus clases, ¿qué le parece?

No entendió muy bien la propuesta pero le sonó mejor que el instrumento.

—¿Hasta su muerte?

…Sí, y no se preocupe que va a ser pronto. Además, la casa vecina está como mandada a hacer para que usted viva ahí y abra su escuela…

—¿Quién la arrienda?

…Yo…

—¿Es suya?

…Y suya. Escribiré a los Estados Unidos para que me den información sobre el instrumento que usted dejó guardado…

—No vale la pena —dijo él, abatido.

…¿Vale la pena este piano?

Allá en el fondo el Blüthner, desnudo.

…Voy a vestirlo para hacerle la despedida…

Fue hasta el rincón, lo acarició y mientras le ponía el pijama dijo con tono de segunda voz:

…jamás pensé que sonaras tan hermoso…

Se despidieron con el compromiso que en la tarde vendría con el dinero y su equipaje. Hendrik no vio la casa por dentro, no le importaba. Caminó sobre los pocos adoquines que quedaban en los andenes, rumbo a la zona de las tipografías. *¿Tocar para ella hasta su muerte?* Creyó que esa era la felicidad, así acabara a las seis de la tarde. Su memoria citó a Friedrich von Schiller: *la fantasía es una perpetua primavera*. Los transeúntes lo vieron sonreír y pronunciar palabras masculadas. *No existe la casualidad, y lo que no se nos presenta como azar surge de las fuentes más profundas*, volvió a Schiller. Sintió a esa mujer que acababa de dejar como a Elizabeth, su tía madre, la última tarde de Hamburgo cuando le vaticinó que encontraría a alguien que lo iba a querer sin interés, igual que ella. Dio al linotipista la dirección de la casa que le arrendarían como si ya la habitara. Fue a una barbería cercana al edificio de Comunicaciones Manuel Murillo Toro donde le contaron que el ejército de la dictadura había disparado contra los estudiantes asesinando a varios jóvenes. Aceptó el corte gardeliano o argentino y no le importaron sus bucles caídos en el encauchado. Giraron la silla para que se mirara en el espejo y notó que el ángel de aquella señora, que lo esperaría en la tarde, había perdido las alas. El peluquero le preguntó si le cortaba sus barbas rojizas y acarameladas y Hendrik dudó. También perderé la luz, se dijo; y le dio risa de sus estupideces. *Sí, la barba también.* Volvió a cerrar los ojos entre el aroma de la crema afeitadora y la suavidad de la cuchilla pasando por sus mejillas. Los abrió dándose cuenta de que era el niño que se escondía en el sótano de Hamburgo. Se percibió, otra vez, desamparado. Y anheló que a su nueva casa llegara la mujer que caminaba hacia él, desde el futuro, con esa flor amarilla en la mano, para iniciar su nueva vida. No le importaba que fuera una rosa con espinas, si era para el amor.

—Se quitó diez años —dijo el hombre del mandil blanco golpeándole las mejillas con loción ordinaria.

—¿Y si los que me esperan no me reconocen? —preguntó al hombre que ahora lo masajeaba con una toalla, blanca, humedecida en agua tibia.

—Nadie lo va a reconocer, quedó como si fuera otra persona.

Pascuas finales

Su ángel no sabe bailar

Abajo la sala, al fondo la cocina, los servicios y una alcoba para la oficina; después de la escalera de madera, una amplia habitación con ventana al patio interior.

…Quedó usted muy bien con su nueva apariencia, ahora es un ángel iluminado…

La dueña de la casa lo acompañó a hacer el recorrido.

…¿Cuándo traería sus cosas?

—Estas son mis cosas —le dijo Hendrik mostrando su tula. Lo que quedó del 9 de abril.

…¿Y lo que consiguió en los Llanos?

—Todo, que fue poco, lo dejé allá. Es aquí donde haré mi nueva vida, por usted, el verdadero ángel.

Olía a cal húmeda; Hendrik caminaba por sobre el polvillo invisible sabiendo que no pretendía realizar sus ideales ahí, sino idealizar esa realidad que le entregaba la vida.

…Los antiguos inquilinos, los que se llevaron su instrumento, me dirán cuánto consignarán a mi cuenta y lo descontaré de los primeros meses de renta. El piano lo trasladamos mañana, ya contraté dos hombres que nos ayudarán a pasarlo por el portón…

El alemán sacó del maletín un fajo de billetes y se lo extendió.

…No, compre los muebles que va a necesitar para las clases, o ¿dónde va a recibir a los alumnos?, no se preocupe por el dinero, anoche soñé que moría feliz oyéndolo tocar, así debe ser, usted es mi último ángel…

Ella bajó despacio. Él estaba sereno y creyó, una vez más, que por fin sería feliz. Esa vieja *roca muda* de su poeta aguantaba todo, hasta el despojo.

Puso un aviso discreto detrás del vidrio de la ventana: clases de música. La mujer de los ojos esmeralda desapareció luego de entregarle el papel sellado, con su firma y huella en notaría, donde especificaba la venta del piano. Hendrik gastó la primera semana en dejar el Blüthner como nuevo. Golpeó la puerta verde de la vecindad para dar la buena noticia. De la radiola salía el *merecumbé*[7], *¡Ay, cosita linda!*, de Pacho Galán. La mujer lo invitó a entrar y lo tomó por la mano, llevándolo al centro del salón para que bailaran. Le fue imposible, no podía con esos ritmos, como tampoco con el joropo. Se avergonzó.

---

7 (N. del E.). Ritmo colombiano que combina la cumbia y el merengue.

—Su ángel no sabe bailar.

…Me acaban de regalar un pasodoble, a ver si lo inten-ta…

Fue y cambió el grueso disco por el que reposaba en la mesita, envuelto en papel plateado, de regalo.

Fiel surtidor de hidalguía /Manizales rumorosa,

/bajo tu cielo de rosa /canta el viento su alegría.

/Tan dulce es la tiranía /de tu belleza preclara,

/que antes de que yo te amara /mi corazón te quería.

/Ay Manizales del alma... /¡Ay Manizales de ensueño!

/con los zafiros del alba /borda su ofrenda mi ensueño…

Daban vueltas sobre el entablado.

—El piano está listo.

...¿Te gusta el tango?

—No.

…Entonces ¿por qué te vistes como Gardel?

Ahora lo tuteaba.

Sentada en la mecedora vienesa cerró los ojos para oír el concierto de Hendrik. Los acordes llegaron hasta los solares vecinos y cuando terminó, golpearon a la puerta. Era el primer alumno que tendría. Su ángel había cautivado el contorno con lo celestial de Brahms.

—Usted es como una madre para mí —le dijo emocionado.

...*No, soy un alma que se prepara para volverse ángel...*

—Estaré ahí, tocando la cítara de Salomón.

En su nueva cama no volvió a ser visitado por las pesadillas. El paisaje rojo se apagaba en las nubes cerúleas de Bogotá. Pero cuando los alumnos fueron llegando, entendió que la mujer de la flor amarilla había sido un deseo expósito. Una carta suya podría bastar para que Celina viniera a vivir con él. Si tuviera la dirección de Magdalena Massi a lo mejor le contaría lo que vivía en ese momento. El restaurante de sus suegros no existía y a los viejos amigos, tampoco los encontró. En esa temporada suspendida entre la música y las clases, en los conciertos cada dos días a la vecina, se refugió en lo que llamaban cine sonoro.

Dos veces por semana, los martes y los jueves, de cinco a seis de la tarde, su benefactora venía por la paga: su concierto. Para Hendrik —como para Clara Schumann— interpretar era su religión. Se lo hizo saber. Ella guardó silencio. Hendrik no asistía a las iglesias y sus oraciones las dictaban las páginas de su poeta. Compró nuevas partituras, encargó a libreros especializados otras y pudo complacer, sin repetir composición, a su ángel protector. Ella no le contó toda su historia, ni la de la familia, ni la del piano. Se limitaba a saludar, entregarle una caja con chocolates de avellana y descansar en la vienesa mientras él traía el té, la leche y el azúcar, en su juego de porcelana alemana de dos puestos decorado con temas campestres, románticos. Luego del primer mes, al final de Liszt, le contó que su hija vendría de los Estados Unidos a visitarla.

…Pasará las Pascuas conmigo. Ella sabe todo lo que hemos acordado…

Hendrik la imaginó en una visión rápida que iluminó la calle. Quiso saber si llegaría con una flor amarilla en la mano. Después del saludo de beso le preguntó intrigado:

—¿Ahora sí me va a decir su nombre?

… Angélica…

Los tiempos del ruido

Estaba a punto de volverse retrato
como los que colgaban en su sala

La hija de Angélica llegó el primero de diciembre. Se llamaba también Angélica y también, como ella, tenía los ojos verde-esmeralda. Angélica madre era viuda lo mismo que su hija, a los treinta y cinco años. Las dos eran beneficiarias de la guerra y el amor por los extranjeros. Lo mismo del abandono. Hendrik lo supo en las pocas conversaciones a la hora del té, luego de las veladas musicales. Su familia era de Tunja, ese lugar frío al que nombraban los capitalinos como a una estación de ferrocarril con obispo. Sus padres y tíos habían vestido levita, chaleco, sombrero de bombín, bastón y, los domingos en los paseos por la Plaza de Bolívar —la que otros nombraban de la Constitución o Mayor— guantes y polainas. Ella y sus hermanos —todos desaparecidos desde cuando les dio por aventurar en champanes y hacer ferrocarriles— hablaban francés y latín. Había vivido la elegancia de los señoritos en sus carrozas y el mal olor de los campesinos con ruanas invadiendo la Plaza de San Victorino que, en los años de su niñez, se llamaba de Nariño. Antes de la llegada de su única heredera, le narraba episodios pasados como preámbulo de Chopin, que le gustaba sobre manera. Hendrik jamás permitió que ningún extraño pasara los dedos por las partituras de los Preludios que le enviaron por correo desde Nueva York, encargados por su ángel protector.

Angélica le dijo que doscientos años antes de su nacimiento, el 9 de marzo de 1687...

...a las diez de la noche estaban mis antepasados durmiendo tranquilos en la casa vecina cuando sintieron que venía un tropel por debajo de la tierra y todos decían que era un temblor y otros murmuraban, terremoto, pero el ruido seguía cabalgando por toda Bogotá, un ruido que duró media hora anunciando la llegada de tropas o que el mar se había desbordado en las costas del norte; en medio del pánico las iglesias se llenaron, La Catedral, la de Las Nieves, la de Santa Bárbara, la de San Agustín y la de las Aguas, reventaban con hombres y mujeres en camisola porque el día del juicio final llegaba y no querían ver la cara de Dios sin la absolución y los curas que no daban abasto con las confesiones, regalaron un perdón colectivo porque el ruido no cesaba y hacía mover los pies y derramar lágrimas. Dos de mis tatarabuelas murieron en ese trance y varias señoras quedaron conmocionadas durante toda la vida por el acontecimiento. Soy de alguna manera huérfana de ese misterioso día que hasta ahora, a pesar del avance de la ciencia, nadie ha podido explicar aunque algunos se han atrevido a decir que Bogotá está construido sobre un cráter gigantesco que en tiempos inmemoriales tenía fuego en sus entrañas y que ese día de 1687, trató de revivir y que las oraciones de todos lo apaciguaron. Esta tierra que estás pisando, mi querido ángel, es la misma paila del demonio, desde que empezaron a llamar los tiempos del ruido a las muertes que no paran en el país. Es el castigo que ruge desde los mismísimos tiempos del ruido...

Hendrik quedaba en silencio escuchando las anécdotas y sin pedir explicaciones se sentaba a tocar mientras ella parecía zozobrar en sus historias. En medio de Debussy también él pensaba en los relatos de sus abuelos. En el anillo de fuego y en las quimeras de los reencuentros. Reafirmó, su ángel protector, la historia del cráter en reposo con el otro terremoto, el de 1917, cuando ella tenía la edad de su hija, donde murieron muchos bogotanos, ya no recordaba cuántos, pero que allí quedó, debajo de una pared, su padre, el que había sido beneficiario de dos concesiones petroleras, de la don Roberto de Mares que el general Reyes le había otorgado por ser su compadre y la de Barco; su abuelo era abogado petrolero y su padre también; socios de ministros y amigos de presidentes encontraron, en los negocios del petróleo y la política, sus fortunas. Pero ahora sólo quedaban esas dos casas y las cuentas en Nueva York que su hija viuda administraba con pulcritud. Las historias de los pozos, de los temblores y de los años del ruido, las dijo muchas veces porque los retratos y daguerrotipos de la sala, de sus bisabuelos, abuelos, padres y hermanos, se las contaban a Angélica madre a la hora de ir a la cama, al momento de las buenas noches. La fotografía que más hablaba, como si no le hubieran dejado hacer uso de la palabra en sus tiempos de gloria, era el señor de los bigotes engomados y mirada clara, porque no se sabía de qué color eran sus ojos en el fondo del papel sepia. Las otras fotos también le decían sus dolores y amores; no sabía por qué las mujeres hablaban de traiciones amorosas y los señores de política, negocios, fortunas y dilapidaciones. Angélica los dejaba en la sala conversando, cansada y dispuesta a entregar el alma *al de arriba* lista para rezar el santo rosario de todas las medias noches cuando las voces se colaban hasta su cuarto y otra vez debía contradecirles para que dejaran dormir en las horas de aguacero.

Las últimas noches de ese diciembre, en espera de su hija, le confesó a Hendrik —en las pausas del té— que no sabía si alcanzaría a verla porque estaba a punto de volverse retrato como los que colgaban en su sala. Lo llevó de la mano y le mostró los personajes que la acompañaban y que, a la vez, según dijo, la mataban.

…He sentido los pasos del Judío Errante…

Dijo en secreto.

…Por eso las tempestades y por eso la violencia en este país de siniestros personajes como los que están colgados en esa pared, una horca que nunca aprieta…

Los ojos de los retratos la miraban sin parpadear porque nombraba sus pecados veniales a un desconocido; no diría los mortales porque caerían de sus clavos y no volverían a sus marcos jamás.

...El Judío Excelente, o Judío Zapatero, que deambula por el mundo desde cuando insultó a Jesús en el momento de la crucifixión, busca mis retratos y viene a pedir que lo acompañen en su errabundaje. Por eso los judíos no tienen patria...

Hendrik sintió una ofensa profunda.

...Es el mismo que fundió el becerro de oro en los tiempos de Moisés. ¿Has oído ese episodio de la Biblia? El mismo soldado que empujó al Señor hacia la muerte después del juicio de Poncio Pilatos, al mismo que Cristo, volviendo el rostro, le dijo: el Hijo del Hombre se va, pero tú esperarás a que vuelva. El mismo que no podrá morir sino hasta la segunda llegada de Nuestro Señor Jesucristo, el mismo que cada cien años cae en profunda enfermedad pero que vuelve y sana y rejuvenece como si tuviera los treinta años cuando estuvo en el momento del Calvario. Se dice que en 1547, hace hoy cuatrocientos diez años, lo vieron en Hamburgo, tu tierra. ¿No te lo dijeron nunca?

Kurtze Beschreibung und Erzählung von einem Juden mit Namen Ahasverus[8] —oyó el pianista una lejana voz.

...El Judío Errante es el mismo al que San Pedro le cortó la oreja. Ese hombre viene a hablar con los retratos pero yo siempre digo la oración que Cristo nos enseñó, líbranos de todo mal y peligro, y el infeliz, riendo, se baja los pantalones

---

8 (N. del E.). Breve descripción y relato de un judío de nombre Ahasverus.

159

y me muestra sus intimidades, con obscenidad. Ese es el Judío Errante que si quieres puedes conocer en casa a la media noche...

Der Ewige Jude —masculló Hendrik.

...También puedes encontrarte con el doctor Raimundo Russi que fue fusilado en la Plaza Mayor y que viene a reclamar justicia alegando que su asesinato fue injusto, que sólo quería hacer una revolución social junto con los artesanos. Únicamente la música del piano, de nuestro piano, ha silenciado los monólogos y diálogos de los retratos. Si me ayudaras a bajarlos y destruirlos en el patio, meterlos en la chimenea y hacer de ellos ceniza de antepasados ignominiosos, te lo agradecería, mi ángel guardián...

Hendrik, recostado en su segundo piso, lloraba porque no tenía retratos de sus padres que le contaran historias así fueran del Judío que llegó a Hamburgo. ¿Por qué tenía que conocer este episodio por boca de una mujer, su ángel, lejos de su puerto? Cuando supo lo de los emparedamientos en las casas grandes de La Candelaria, esperaba escuchar detrás de los gruesos muros de esterilla y boñiga, los quejidos de los fantasmas. Pero sólo en la alta noche oía, o creía oír, una tierna voz de mujer que le pedía la esperara. Y el golpe de la ventana.

Angélica hija, con su piel transparente detrás de los polvos de arroz, entró una noche, él no sabía por dónde; llegó a su cuarto llorando quedamente y le dijo que su madre se despedía y rogaba que tocara el piano para su buen morir. Debajo de la camisola Hendrik pudo ver sus líneas sin ropa interior, pegadas al algodón mientras sentada en su cama y restregándose las lágrimas, le suplicaba. El pianista se frotó los ojos para confirmar que ella estaba sentada ahí, mientras por las separaciones de las cortinas entraba la madrugada. Los dos no cabían en los ochenta centímetros del lecho cubista a pesar de que se corrió hasta la pared para que la agonizante le contara lo de la otra agonizante. Le habló de los ferrocarriles, de los negocios del petróleo, de las muertes y los retratos. Le dijo tantas cosas que Hendrik no pudo evitar abrazarla para darle consuelo. Unidos evitó acercarle su sexo por vergüenza de sus urgencias. La luz en la cara lo despertó: sus cobijas, impregnadas del olor de la desahuciada, lo adormecieron.

Velorio de daguerrotipos

La estaba esperando dispuesto a todo

Angélica madre falleció el diecisiete de diciembre de 1957. Durante nueve noches, Angélica hija visitó en camisola a Hendrik para contarle que su madre se preparaba para morir y seguía convencida de que él era su ángel iluminado, que la ayudaría a enfrentar los ojos de Dios. Angélica hija olía a ropa guardada y su piel transparente asustaba tanto al pianista de Hamburgo que no se atrevió a preguntarle por dónde entraba a su casa. La noche de las velitas, víspera de la fiesta a la Inmaculada Concepción, la visitante pasó la puerta entreabierta con una veladora amarilla en la mano, la luz bañó su cara traslúcida. Hendrik pudo ver que se había encrespado las pestañas y pintado las cejas, delineado los ojos y que lucía bella dentro de ese ropaje que no se quitó ni siquiera cuando las urgencias no le dieron tregua. Repasó las historias que venían de las bocas cerradas de los retratos y de los pozos con petróleo que sus familiares abogados habían negociado con los norteamericanos y con los ministros de Ospina Pérez, Laureano Gómez, Olaya Herrera y los de la llamada República Liberal. Hendrik trataba de interrumpirla pero Angélica hija no atendía las preguntas sobre su vida en Nueva York, su esposo desaparecido, los hijos que nunca tuvo. Se limitaba a contar, deshilvanadamente, que les robaban las regalías; que los documentos donde constaba que buena parte del subsuelo les pertenecía, fueron desaparecidos;

que su abuelo, Roberto Urdaneta, socio del abogado vitalicio de las compañías norteamericanas, incumplió negocios cuando siendo presidente encargado del país impuso el Código de Petróleos. Su familia hedía a crudo por todas partes pero la fortuna se esfumó. Por eso Angélica madre seguía discutiendo con los retratos para que le dijeran la verdad y no tuviera que encontrarse, con ellos, en los infiernos por sus oscuros *business*. Angélica madre había practicado la caridad y hasta había perdido a su esposo y a su única hija por el maldito oro negro que ensució el apellido.

La velaron en la sala y Angélica hija le pidió a Hendrik que llevara el piano para que, en las noches que la tendría en medio de los cuatro cirios clavados en los candelabros de bronce, los asistentes guardaran compostura y no aprovecharan la ceremonia de despedida para criticarla por todo lo que hizo o dejó de hacer. Los mismos hombres que trastearon el Blüthner para reparación en la casa-escuela del músico, lo cargaron como a un niño recién nacido, con las instrucciones de Hendrik, y lo acomodaron contra la antigua huella que marcara en la pared. Tocó los Preludios de Chopin y los acordes de Brahms que le enseñó a disfrutar y el cura, que entonaba los responsos, le sugirió que porqué no hacía un pequeño y discreto concierto en la iglesia, el día del entierro. La autorización de la huérfana estaba dada. La última noche del velorio, Hendrik estuvo cabeceando hasta las doce mientras las velas se consumían y Angélica hija no apartaba su mirada esmeralda del apacible rostro de su madre. Y le hablaba mientras se oían pasos de recién llegados.

Cuando la sala estuvo llena otra vez, Angélica hija le pidió que tocara algo suave para los dolientes especiales, los retratados que salían de sus molduras. Los de los trajes más

antiguos decían haber estado en una cámara oscura donde fueron daguerrotipados mientras otro ángel, como Hendrik, tocaba el piano o de una caja salía música apresada en rollos cilíndricos. Otro —de patillas unidas al bigote, el corte conocido como *chuleta*— refirió que lo atraparon en la lámina de cobre escuchando cantos de pájaros enjaulados. Una mujer confesó que había estado guardada por muchas noches en una caja de tafilete. La progenitora de Angélica madre también era retrato.

165

Hendrik cerró los ojos y tocó, tocó toda la noche mientras los susurros de los visitantes morían en el llanto callado de Angélica. Cuando todo quedó en silencio y las notas ya no se escapaban, suspendió. Quizá sí era el ángel iluminado o, mejor, el ángel extraviado. Cerró la tapa y quiso caminar en el aire para que las notas no se fueran; estrujó las tablas con sus zapatos de charol y deseó saber una oración para ofrecerla a su benefactora. Vestía traje negro, gardeliano; detalló por última vez a Angélica madre maquillada para el viaje final. Se le pareció tanto a Angélica hija que lo invadió un estremecimiento. Miró hacía el sofá y ella seguía llorando. No se despidió, abrió la puerta de la sala y buscó su portón. Cansado y triste creyó que —otra vez— quedaría desamparado. Al poco rato subió Angélica hija en camisón a decirle que después del entierro se iría para Nueva York. La esperaba, dispuesto a todo; al cerrar los ojos e imaginar que era la mujer que vino del futuro con una flor amarilla en la mano intentó acercar sus labios gruesos a esa boca que aún hablaba de despedidas; ella interpuso la mano: *no, no quiero hacerte daño, estás destinado a ser un ángel.* Sus urgencias, a punto de estallar, le recordaban que era un hombre necesitado de ese cuerpo y de esa flor invisible. Lo volvió a intentar de nuevo y la barrera se interpuso. Bajó la mano intentando levantar la bata, pero no lo logró. Deshecho, aturdido, le dio la espalda. Angélica hija lo abrazó por la cintura, puso la cabeza en su nuca y lo arrulló.

Pronto acabará, dijo en la madrugada y depositó entre las cobijas el camafeo.

El camioncito llevó y trajo el Blüthner y, en la Iglesia de San Francisco, Hendrik entregó las tarjetas de la escuela. Desde esa tarde triste, cuando abrieron el último espacio en el mausoleo de la familia de Angélica madre, no faltaron alumnos. Le había dejado la casa y el piano como agradecimiento. Cuando fue a saludar a Angélica hija, encontró la casa vacía, las huellas de los retratos seguían con capas de polvo grisáceo y escuchó las notas de la última pieza cuando su ángel protector estaba en el cajón, con los ojos esmeralda ocultos bajo sus párpados maquillados. Esa noche Hendrik lloró desconsolado y deseó el abrazo en su espalda, ese calor y ese beso jamás entregado, jamás recibido. Sobre su mesita de noche, las escrituras de la casa y un adiós. Entre la gaveta, un alfiler de corbata con un relicario y la imagen de Angélica; no supo si de la madre o de la hija.

La mujer de la flor amarilla

Se durmió con dos ramos amarillos sobre el piano

El sueño se volvió amarillo. La academia estaba en su apogeo y varios pianos esperaban turno. Todos los de La Candelaria, incluido el Apolo que el poeta José Asunción Silva regaló a su hermana Elvira. Los que aún sobrevivían del Almacén Nuevo, del poeta, se amontonaban en el cuarto-oficina del primer piso. Nunca se adormeció tanto el barrio con la música de los pianos afinados por Hendrik como en ese primer semestre de 1958. A pesar de que los comentarios no cesaban sobre el suicidio del romántico poeta de Los Nocturnos, ese piano tenía para los habitantes un gran significado. Hacía sesenta y dos años Silva le pidió a su médico que le pintara con yodo el corazón sobre su corazón y, ya en su casa, se lo atravesó con un balazo. Un muerto ilustre que aún sus contemporáneos lloraban y recitaban en los bares.

En las vespertinas, Hendrik se refugiaba en la penumbra de su cine sonoro. Vio tres veces *Los diez mandamientos* y *Ben-hur* que las estrenaron en los días de Semana Santa o Semana Mayor. Sus alumnas, jovencitas aburridas por tener que recibir esas clases, se lamentaban con coquetería. Ellas oían a escondidas *rock and roll* en las emisoras juveniles. Ninguna tenía esa flor que empezaba a marchitarse en sus sueños amarillos. Sólo en el cine el pianista encontró la imagen de ese cristal

169

despedazado. *Al este del Edén* lo retrotraía no a vivir lo que allí se contaba, sino a verse en el espejo de James Dean. Sabía con toda seguridad que jamás conseguiría el arrojo y la rebeldía del joven actor. El pelo volvió a cubrirle las orejas y la barba, con pinceladas, a llenar su cara dándole ese aspecto de hombre mayor con labios de ángel y dedos premiados por la divinidad, como le dijo su protectora.

Había acompañado a su ángel bienhechor a dar su primer voto por el plebiscito para que liberales y conservadores se turnaran el poder durante diez y seis años y así evitar la guerra y acabar con los ateos comunistas. Perdón y olvido por los trescientos mil muertos de la violencia. No quiso decirle que había conocido de cerca la lucha de las Guerrillas del Llano y que el asesinato de Guadalupe Salcedo Unda en las calles de Bogotá, era un anuncio de que la guerra seguía y que su amigo, Germán Campos, volvería a empuñar las armas a pesar de los armisticios y los indultos. Los *pájaros,* que empezaron a llenar el país con sus listas de víctimas y su dinero bajo las ruanas, llegaban a Bogotá vestidos a lo Gardel y, bajo los abrigos, las armas para cumplir su trabajo sucio.

A Angélica madre le importaba más la muerte trágica de su amor ideal —el mexicano Pedro Infante, al que Hendrik disfrutó en dos películas con su benefactora— que los inverosímiles viajes espaciales —el *Sputnik* de la Unión Soviética y el *Vanguard* de los Estados Unidos que explotó en el lanzamiento— o las nuevas modas de posguerra. *El accidente aéreo de mi ídolo de Guamúchil fue una retaliación de amor*, decía, *al igual que el del brigadier General Sierra Ochoa, una venganza política.* Hizo la fila detrás de las mujeres que festejaban el derecho al sufragio que les otorgó el General Presidente pero que en su gobierno jamás les permitió ejercer y que ahora, la Junta Militar, les daba la oportunidad con bombos y platillos. Al regresar del cine el alemán se dedicaba a terminar la afinación de los pianos, las entregas urgentes, porque debía estar preparado y libre para el amor. Se sintió joven en la espera pero percibió el temor de la madurez. No le satisfacía la música atrapada en las líneas del acetato. Oía nítido el ruido; el *scratch* de la aguja contra la pasta negra le zumbaba dentro de la cabeza; subía a su habitación y todo quedaba mudo: entraba en ese espacio vacío del amor y el silencio.

Volvió a soñar con su torturador, con el pequeño hombre del bigote rectangular que lo llamó a las filas del ejército obligándolo a abandonar Hamburgo; volvió a soñar con los paisajes enrojecidos de los Llanos, con la sangre de los sacrificados. Vio los mutilados por los filosos machetes, los decapitados con sus dientes enmarcando el grito, a las mujeres atravesadas por las estacas de los cercos, envueltas en alambres de púas. Y volvió a despertar sudando, empapado, con fiebre. Se dijo que de seguir así, al borde del abismo, no tendría salvación. Los incendios de las cordilleras, con sus llamas amarillas y rojas también confundieron sus dolores. Las bombas incendiarias que consumían la casa de su familia de Hamburgo, las bombas de los aviones de Laureano Gómez estallando a lo lejos. Volvía a su poeta, a las hojas resecas para que le dijeran algo, consolaran su desamparo.

Des Ganges Ufer hörten des Freudengotts
Triumph, als allerobernd vom Indus her
Der junge Bacchus kam, mit heilgem
Weine vom Schlafe die Völker weckend.

171

O weckt, ihr Dichter! weckt sie vom Schlummer auch,
Die jetzt noch schlafen, gebt die Gesetze, gebt
Uns Leben, siegt, Heroen! ihr nur
Habt der Eroberung Recht, wie Bacchus.[9]

Alargó la mano hasta la mesita y bebió, a pico de botella, el vino tinto que había dejado por la mitad antes del duermevela. Las mejillas humedecidas confundieron las lágrimas con el sudor. *Dios de la alegría*, repitió en español. Poco a poco fue perdiendo el sentido, la lucidez del sueño y del golpe de la ventana que volvía con el viento. Despertó porque parecía que tumbaban la puerta y, los gritos con su nombre, lo sacaron del sopor. Se puso la bata de terciopelo *jacquard* azul oscura. Bajó trastabillando sin saber si había salido de la pesadilla. La luz de la calle le dio en los ojos, traspasó su mirada azul. La alumna lo encontró tan indefenso que empujó la puerta. Desde el suelo, donde respiraba con dificultad, pudo enfocar la angustia de la muchacha. El profesor no pronunció su nombre, sólo le imploró que cerrara para que los peatones no se burlaran. La colegiala sintió el cuerpo caliente de su maestro en su jardinera, su aliento trasnochado; detalló con susto y deseo los labios carnosos del pianista pintados con vino rojo. Sentada sobre sus talones no lo apartó de su cuerpo. Lo acunó, le desenredó los bucles y le acarició, con el envés de sus manos, la barba. Hendrik abrió los ojos encontrándose con ese rostro mil veces angelical, mil veces mundano. *Por fin llegaste*, susurró arrinconado en esos senos erguidos detrás del sostén puntiagudo. La alumna no dijo

---

9 (N. del E.). *Las riberas del Ganges oyeron el triunfo /del dios de la alegría, el joven Baco, /cuando llegó del Indo conquistándolo todo, /despertando a los pueblos con el vino sagrado. /¡Poetas, despierten del letargo /a todos los que duermen todavía. Danos leyes /y danos la vida, oh héroes. ¡A vencer! /Pues como Baco tienes derecho a la victoria.*

nada. También lo abrazó, o respondió a su abrazo y, sin prejuicio, le dio un beso para volverlo a la vida. Cuando la bata se abrió pudo ver la cruz de su pecho, hilera uniforme de vellos pincelados y rojizos. La cerró como abrigándolo.

De nuevo, el hombre del bigote negro lo obligaba a tocar a Antón Bruckner. Disgustado por el desgano del torturado, lo apartó del piano, arrancó la tapa y le golpeó la frente. En medio del sonambulismo, la cabeza de Beethoven como la Hiedra, en la mano derecha de Antón; los seis mil cráneos de las batallas de los Hunos, encontrados en la que sería su cripta en la iglesia de San Florián, debajo del gran órgano, abrieron las mandíbulas para devorarlo. *Menestrel de Dios, no me abandones,*—suplicó Hendrik— y la muchacha volvió a ahogarle las palabras con sus labios. Cuando se calmó, la alumna fue a la cocina y le preparó un té. Al sentir en su garganta las gotas de jazmín, Hendrik la descubrió con sus ojos marinos. Creyó que era parte de la pesadilla pero su alumna lo sacó del aturdimiento con otro sorbo de jazmines.

¿Traes una flor amarilla?

Ella no entendió y, conduciéndolo a su cama, le pidió que visitara al doctor.

No es una enfermedad del cuerpo, —dijo Hendrik—. *Mit Blüthen scheint, dem Zeichen froher Tage*[10]..., —balbuceó.

---

10 (N. del E.). *Con flores, señal de alegres días...*

Se durmió con dos ramos amarillos sobre el piano y la música del Concierto No. 1, de su amado Brahms.

Los niños de Lebensborn

Los ojos celestes de Laura se desvanecen entre mis lágrimas

…mi hija Laura, se diluye en la neblina espesa. Se la llevan unos hombres indefinidos, con uniformes de casacas y gabanes grises que, entre el claroscuro, dan la espalda. Detrás de la cortina densa están los niños de Lebensborn, en el castillo donde crecen *los hijos de Hitler*, los pequeños engendrados por soldados nazis, rubios, de ojos azules y de más de un metro con setenta de estatura. Laura camina hacia el bosque, voltea la cabeza y me mira, como suplicando el rescate, en este solsticio de invierno. Como miles de niños de Polonia, Checoslovaquia y Francia, es secuestrada para que forme parte de la guardia pretoriana del Führer. No soy un músico de Hamburgo sino un oficial al que le entregan varias alemanas para que preñe y devuelva al Reich cuatro hijos de los cuatrocientos mil hombres y mujeres que gobernarán el mundo. Mi diminuta Laura se pierde entre los robles; sé que jamás volveré a verla; no quiero que sea parte del proyecto de la super raza aria. Quiero socorrerla pero despierto en otro sueño donde la música de Wagner la mece.

Mi indefensa Laura está sobre una pequeña mesa redonda, como la del Rey Arturo, sobre un cojín con la cruz gamada con bordes negros y, en otro cojín el puñal, también negro, plateado. Heinrich Himmer, su padrino —que se cree la reencarnación de Enrique el Cazador, fundador de la casa real de Sajonia y del Estado Alemán— pone la mano encima de su cabecita con escaso pelo rubio. *Eingetragener Verein*[11], escucho de los labios del mariscal de campo Werner von Blomberg. Acaricia la nariz recta y la frente ancha de mi amada hija. Himmler firma los papeles que le trajeron: L343-38, el número que le asignan para el futuro. Los experimentos dan sus resultados y los padres no volveremos a ver a los pequeños de Lebensborn. Entregan a mi niña el anillo con la calavera como símbolo y lealtad al Führer: obediencia, fraternidad y camaradería. La cabeza de la muerte que recordará a Laura que se halla lista para sacrificar su existencia en cualquier momento, por el bien de la raza germánica. La insignia la sacan del santuario secreto, del castillo de Himmler, en Wewelsburg, herencia de uno de los oficiales de la vieja guardia, muerto en combate. Los ojos celestes de ella se desvanecen entre mis lágrimas.

11 (N. del E.). Fuente de vida.

LA ALUMNA DORADA

Supo que era su alumna dorada,
que cambiaría la historia en su nueva vida

Le dolían la soledad, el amor, la tristeza. Lo salvaban el silencio y la música. Enfermo, debatía, otra vez, el regreso a su puerto. Suspendió clases y buscó entre los papeles la señal de que la vida valía la pena. Algunos alumnos querían aprender a tocar *jazz* y Hendrik se resistía. Salía a caminar por La Candelaria, imaginando que era Madrid, adonde siempre deseó ir. Huía del Centro porque derrumbaban casas y construían edificios con una prisa desesperada en busca de la modernidad. Entraba al café Sherman donde muchos de la comunidad judía se reunían a jugar cartas y ajedrez. Lo saludaban porque lo conocían como un ventarrón que deambulaba por el pasillo, o como un mendigo, o como un loco. El cine Capitol lo albergaba en la semipenumbra y lo desconectaba de todo, viviendo historias prestadas. Gozó en *Trapecio*, con Burt Lancaster, Tony Curtis y Gina Lollobrigida. La película llegaba a su fin y debía volver a su cama, a su segundo piso, al sempiterno golpe de la ventana vecina, en las interminables noches de insomnio. Se bebía otro trago, el último de la botella, y bajaba al salón a tocar para poder ahuyentar las imágenes. No quería saber nada de su congoja. Citó de memoria y en español a su poeta: *El hombre es un mendigo cuando piensa y un Dios cuando sueña.*

El señor Augusto Bernal le entregó la tarjeta personal como importador de joyas antes de pasar a la oficina. No aceptó el té que el profesor Pfalzgraf le ofreció, sacudió su terno oscuro como si el aire de la escuela tuviera polvo invisible y cubrió la fina corbata italiana de seda. *Es mi esposa la que quiere las clases*. Hablaba y observaba los alrededores del salón. Le dijo de los caprichos de las mujeres que si no querían dedicarse a la pintura o a la costura, les daba por la música. Buscaba un profesor domiciliario que le dictara unas lecciones hasta cuando se le quitara el embeleco, eso dijo. Hendrik había pasado por una noche aciaga, con su torturador ocupando el cuadrado de su película y no estaba de humor para escuchar a alguien dispuesto a pagar una buena suma, no sólo para que le enseñara a tocar el piano a su mujer, sino para que le sacara de la cabeza que tenía talento.

—¿Sabe usted lo que es el talento, verdad, profesor?

Lo había insultado pero Hendrik se mantuvo amable y parco.

—¿Es experto en piano y enseñanza?

Volvía con sus abusos, pero él no estaba para discusiones sino para atender a su visitante.

—Por dinero no se preocupe, tengo suficiente para suplir los caprichos de mi esposa.

Otra ráfaga a la que Hendrik respondió con una sonrisa.

—No lo veo interesado en mi propuesta. Entré por el aviso de la ventana.

No tenía alternativa, estaba contra el muro. Aceptó. Fueron al salón para ver los pianos usados. Frente al Blüthner, guardaron silencio.

—¿Está en venta?

—Es de una alumna, uno de esos ángeles que tocan como los dioses —dijo Hendrik con poco entusiasmo.

—Si ella lo vendiera, estaría dispuesto.

—Lo mismo le he dicho, pero es una joya de familia, de esos pianos que provienen de *los tiempos del ruido*.

Bernal no entendió ni se interesó.

—Entonces, ¿en cuál va a recibir las lecciones?

—Esta semana llega un Steinway. Supongo que lo preferirá vertical, de pared.

—¿Lo recomienda usted?

—Es de lo mejor de la casa alemana o de la casa de Norte América, hecho a mano.

—Lo compro. ¿Está bien que pase en diez días? No le diré nada a mi esposa, es una sorpresa, hace tanto que no le doy sorpresas que ésta será la que nunca esperó.

Se dieron la mano. A Hendrik le ofrecieron un Steinway de 1904. Como todos los pianos que llegaron a Colombia desde su lejano Hamburgo, fue negociado por el aventurero Geo von Lengerke —de quien se decía había asesinado al esposo de su amante, como Paganini— para llevarlo a su casa, junto con un poderoso cañón prusiano, tocarlo y llenar con sus notas las regiones de la explotación de la quina y de las nacientes hileras ferroviarias. Su antiguo compatriota lo despreció porque, a pesar de ser un Pleyel, no era de ébano. Hendrik tenía el tiempo necesario para recogerlo, afinarlo, pulirlo y cotizarlo como una de las joyas de la corona. No se sabía con seguridad si Fruher Fr. Henkel, propietario de la fábrica de pianos R. Kortenbach, en Hamburgo, y que negociaba con los colombianos, hizo la transacción con Lergerke o con el general Isidro Parra, un minero antioqueño que vivía en las arrugas de la Cordillera Central y que quería que su hija Olinda tocara en medio de los cedros. Leonidas Arango, destacado periodista, dio a conocer la carta de Olinda donde relataba la aventura:

...el barco se demoró tres meses para llegar de Hamburgo a Barranquilla. Como el piano era muy pesado —unas treinta arrobas—, mi padre, que hablaba y escribía alemán y recibió las instrucciones de transporte de míster Fruher Fr. Henkel, consiguió lazos, varas de madera y guadua y, con los trabajadores suficientes que había contratado, lo amarraron y protegieron con encerados y lonas y lo pasaron del barco a un champán de madera que previamente había sido construido con este fin. Allí contrató el servicio de ocho bogas que, con ayuda de canaletes y varas de madera muy finas y largas, lo fueron subiendo lentamente por el río hasta lograr llevarlo a la ciudad de Honda, en 45 días. Allí liquidó y pagó el servicio de los bogas quienes regresaron a su punto de partida. Como el general Parra era hombre muy previsivo, ordenó con tiem-

po que le llevaran a Honda veinte hombres fuertes de trabajo, seis mulas y seis bueyes, porque el camino era muy estrecho y escabroso y por eso los trabajadores iban provistos de barras, regatones, picas, palas, y llevaban además suficiente provisión de tabaco, fósforos, aguardiente de contrabando y víveres para varias jornadas. Dos hombres iban adelante con las barras, luego otros dos con los regatones, dos más con picas y otros con palas y azadones. El piano lo colocaron primero en medio de una parihuela, una mula atrás y otra adelante, y dos hombres a cada lado, provistos de palos muy finos, con el fin de ayudar a las mulas a trechos convencionales a repartir el peso del piano. Las mulas no resistían mucho rato y tenían que ser reemplazadas por bueyes, porque el camino era muy pendiente y revoltoso, con la presencia de tigres, venados y borugos, muy útiles éstos últimos para la provisión de carne abundante y agradable. Un trabajador, de los que sostenían las varas para auxiliar a las yuntas, lanzó un grito estridente de horror y angustia al observar que entre uno de los encerados que envolvían el piano, se hallaba enroscada una enorme culebra cascabel. Mi padre dijo que no la mataran a garrote porque dañaban el piano. Ordenó parar los bueyes, preparó cuatro hombres con palos finos y él mismo asustó a la serpiente. Una vez muerta, uno de los peones le quitó los cascabeles y los guardó en su carriel de nutria…

Esa era una de las muchas historias que Hendrik oía de los dueños o herederos de los instrumentos que le llevaban a reparar.

Con Augusto Bernal, adinerado comerciante, Hendrik podría negociar el Steinway. El señor Bernal llegó, cumplida-

181

mente, a los diez días. Vio el piano reservado para su esposa, pasó su mano por encima de la madera y dijo: *sí, me gusta, lo compro*. Hendrik tenía lista la factura. El comprador giró el cheque y le propuso una fecha para que se encontraran en su casa del barrio La Merced, junto al Parque Nacional.

Para la primera cita Pfalzgraf se vistió con el traje oscuro, gardeliano y se encontró, en el espejo del baño, mirando sus ojos irreales. Eso mismo había hecho en Los Llanos cuando permitió que Celina pasara su puerta a altas horas de la noche. Se acicaló los bucles y revisó su dentadura perfecta. Durante la preparación del Steinway había tenido noches apacibles. Las ojeras se habían borrado y la barba había dejado de crecer tan rápido. Se pulió con las tijeras los pelos de la cara, sin quitar los ojos de los otros. Se puso los zapatos de charol negros y se encaminó a tomar el trolebús.

En la sala había un enorme ramo de rosas amarillas. Quiso olerlas y pasar los dedos por la textura de sus pétalos pero su alumna Matilde apareció al lado de su esposo. La miró como si hubiera emergido del mismo ramo amarillo y quedó ensimismado porque ya no pudo entender nada de lo que decían.

De nuevo, en su cuarto del segundo piso, supo que ella era su alumna dorada, la que le cambiaría la historia en su nueva vida. Le pereció oír la voz de Matilde: *Jamás comprendí las palabras de los hombres, crecí en los brazos de los dioses.*

LA ORQUESTA POLACA

Vanagloriaba mi pene circuncidado

…la música interpretada por una orquesta de hebreos y polacos me llega desde el fondo de mi cabeza. Estoy sin ropa en la hilera de los hombres desnudos que el oficial selecciona para que se enfilen a la izquierda: irán al crematorio. Los demás regresan a la barraca. Los ritmos polacos tratan de opacar los gritos que vienen de las *duchas* pero el olor de humo, carne y pelo chamuscado, invade el aire y el llanto de las mujeres. Huyo y trato de llegar a los montículos de gafas, zapatos de niños y cabelleras. Pasando las colinas creía encontrar el bosque y la libertad. Inútil, me cazan y en el momento de ser puesto contra el muro, frente al escuadrón de soldados, llega la contraorden: el Führer me necesita en Berlín. Allí, encerrados, Eva vanagloria mi pene circuncidado mientras oímos a Bruckner.

EL ÁNGEL PROTECTOR

Abandonado por el amor

Todo estaba listo para iniciar las clases. Desde esa primera vez, cuando le dio la mano a Matilde, no pudo sacarla de sus sueños amarillos. Se cuestionaba porque era una mujer ajena pero después se animaba inventando que el amor no le pertenece a nadie. Las lecciones empezaron con los dedos, la posición de las manos sobre la mandíbula de las ochenta y ocho teclas, Pfalzgraf sintió el calor y el nerviosismo de los dos. No podía equivocarse porque las heridas de su soledad estaban aún abiertas. Los ojos del hijo de Matilde, el pequeño Federico, los espiaban; al quedarse solos —él asistía al colegio— cerraban la puerta caoba de la sala de música para evitar las miradas de las muchachas del servicio que llevaban a la media mañana una taza de té con galletitas, estrellas y corazones. Así empezó todo y así mismo empezó a desvanecerse. No tenía por qué saber que de nuevo la muerte los separaría. No planearon nada, el amor llegó solo, entre las culpas y la música, la gran proxeneta de las traiciones y las agonías que conlleva la pasión inconveniente. Meditó en la película de James Dean, el personaje enamorado de la novia de su hermano y, como su maestro Brahms, estuvo en el lugar equivocado y amó a la mujer equivocada. Matilde iluminó sus ojos azules y él desechó las miradas y las palabras de los retratos de Angélica madre, su ángel guardián. Angélica hija los descolgó de sus puntillas y en una nota le explicaba la disposición que debían tener en la pared de la sala. Hacía un dibujo similar a un árbol genealógico. *Ellos oirán ahora sus conciertos*, decía al final la esquela. ¿Estaría por siempre atrapado en esos ojos sepias y esos marcos de yeso? Historias de abogados petroleros que se quejaban por los incumplimientos de los extranjeros y de los negociantes del gobierno. El que más lo atemorizaba era el viejo de los mostachos y la barba que le bajaba desde las patillas. Parecía inglés, con su reloj leontina de oro ondulando sobre el chaleco de terciopelo. Hablaban sólo de acciones y plazos vencidos y luego se quedaban mudos por la música. Las discusiones se detenían con la armonía del piano que Pfalzgraf interpretaba hasta altas horas de la noche; cansado de tocar, subía a su alcoba a confrontar sus pesadillas. Al llegar Matilde a su vida, los retratos dejaron de hablar. No fue de inmediato pero la primera vez que ella se arriesgó al salón de la escuela, con su hijo de la mano, la imagen del retrato de mayor abolengo, ordenó discreto silencio. Hendrik creía que era porque la habían visto como a una diosa y porque la perfección de su cara y las líneas de su cuerpo, los dejaron mudos. No sabía si la confundían con su ángel protector o con su nuevo ángel del amor. Una noche que detuvo la Sonata para Piano y Chelo No. 2 de Chopin, les preguntó.

Una de las mujeres, redibujada con colores púrpuras los labios y que lucía coqueta un collar de perlas, le contestó que no creyera en las mujeres; que todas, sin excepción, eran unas adúlteras. El músico no podía creer que la mujer iluminada del retrato estuviera hablando de esa manera a propósito de Matilde. *Yo engañé a mi esposo, el de la barba, porque no soporté su indiferencia,* —confesó—. *La que vino ayer también engañará a su esposo. No se es ramera sólo porque se cobra el favor del cuerpo, sino también cuando no es suficiente un hombre.* Hendrik no estaba para discusiones; además, con su alumna sólo podría existir una amistad. *No te engañes,* —e interrumpió la mujer retocada—. *La amistad es imposible cuando hay deseo.* ¿Ya deseaba a Matilde? Sí, no sólo la deseaba sino que la amaba, la necesitaba, invadía sus mañanas. No la imaginaba en su cama porque le dolía el cuerpo.

La segunda visita de Matilde ocurrió entrada la vespertina. Augusto Bernal había viajado y Federico estaba en una convivencia escolar. Se lo dijo después de saludar con el *pasaba por aquí*. Llevaba un sastre de corte cruzado con la chaqueta rematada por un botón de nácar; cerrado a cualquier mirada indiscreta. Sobre la cabeza una diadema de raso desde donde caía una telaraña tejida que atrapaba su mirada. Dejó la cartera de cuero sobre el Blüthner y aceptó sentarse en uno de los sillones del salón.

—¿Te ofrezco algo?

Hendrik temió que lo descubriría por el tono de voz. No era el habitual: ahora parecía leer un texto en una de las radionovelas que oía para practicar su español. La voz golpeó las paredes y los vidrios de los retratados.

187

—¿Quiénes son?

Quiso relatarle la historia de su ángel protector pero perderían el tiempo que les quedaba.

—Ya te lo contaré.

Ella se extrañó o simuló extrañeza. La mujer retocada guiñó el ojo izquierdo.

—Quiero que toques en este piano, es una herencia, lo mejor de Bogotá.

Matilde se acercó al Blüthner con temor conociendo su ignorancia.

—¿Tres pedales? El mío tiene sólo dos.

Ya estaban como en la casa de La Merced: ella en la butaca, él detrás, para la clase.

—Toca la escala que te enseñé.

Olió otra vez su pelo sin importarle que lo miraran desde los retratos. No sólo el aroma a hierbas frescas invadió su nariz sino su piel debajo de la barba rojiza. Quiso decírselo pero sintió miedo, miedo al rechazo, miedo al miedo, miedo a perderla. Los acordes sonaron sin armonía pero a él no le interesó. Con timidez rozó su barba en la cabellera de ella. Al percibirlo Matilde sintió una tibieza que alteró su respiración. Entre la zozobra del atrevimiento Hendrik le tomó las manos para fingir que le corregía la postura.

—Mejor toca tú algo hermoso.

Él le señaló de nuevo el sillón pero Matilde se quedó estática al lado derecho del Blüthner. Hendrik trajo las partituras e interpretó el Preludio 4, Opus 28 de Chopin.

Prelude Opus 28 No. 4

—El compositor nunca recibió clases de piano —le dijo bajando la intensidad—. Cuando Chopin no tenía piano, pensaba en notas musicales y sufría.

189

El profesor cerraba los ojos.

—Escucha la extraordinaria delicadeza de su pulsación, la indescriptible perfección, su gama de matices, el más profundo sentimiento —le enseñaba—. Chopin dijo: *imaginemos un árbol con sus ramas agitadas por el viento: el tronco es el compás inflexible, las hojas que se mueven son las inflexiones melódicas*, ¿lo comprendes?

Matilde bajó los ojos para imaginarlo, deslizada por las tonalidades exquisitas de su maestro. *Poesía y color*, —dijo él. Tocó unos minutos más. La concavidad del salón los hizo íntimos.

—¿Quién eres, profesor?

Hendrik tomó aire y miró a los retratados.

—Soy de Hamburgo, huérfano y desamparado, desplazado por la guerra. Perseguido aún por Hitler. Abandonado por el amor y por una única hija. Dolido por la soledad. Eso es tu profesor: poca cosa. ¿Y tú, quién eres?

—Una esposa, una madre, una aprendiz, una amante de todo… —el silencio subió hasta los retratos. Hendrik volvió a las notas de Chopin. De nuevo la quietud.

—Tu hija debe ser hermosa.

—Su madre es italiana y bella.

—¿Regresarán pronto?

—No regresarán, me las quitó la guerra.

Matilde no entendió cuál guerra pero siguió la conversación.

—¿Vives aquí con alguien?

—Con los retratos.

Ella, con el ceño fruncido, levantó la mirada hacia las columnas atravesadas y el techo a dos aguas.

—¿Tu familia?

—Podríamos decir que sí. Es una historia corta para otro momento —trataba de eludirla—. Me gusta que estés aquí, hace semanas que no acepto alumnos en las tardes, pensando que a lo mejor pudieras venir a practicar.

—¿No viene nadie más en las tardes?

—Mis tardes serán para cuando mi alumna de La Merced quiera tocar en el Blüthner.

Voces de los retratos

Miedo al amor

Necesitaron muchas tardes jugando a las voces de los retratos para quedarse callados y para Matilde aceptar la respiración tibia de Hendrik en su cuello.

—Hay algo que me arrastra hasta aquí.

—Yo siempre estoy afinando todos los pianos para ti. ¿Un té de jazmines?

Se vanaglorió sin aspavientos por su juego de porcelana *art deco* y las escenas campestres dibujadas a mano.

—Un día te llevaré a este paisaje.

Matilde huía. Pero volvía. En La Merced no hablaban de las visitas, se rozaban. Hendrik tocaba para ella y le enseñaba como a nadie. Volvían a los roces; se apretaban los dedos debajo del mueble del teclado. Otra vez la misma melodía, otra vez el apretón, otra vez los estremecimientos.

Bautizaron a la mujer retocada como Greta Garbo y al hombre de las patillas, Señor Abogado.

Greta Garbo:

¿Qué buscas de mí, señor abogado?

El señor abogado:

Que me ayudes a recuperar lo que es mío, que en el fon
do es tu patrimonio, y el de los hijos y nietos.

Greta Garbo:

¿Qué me ofreces a cambio de esa ayuda?

El señor abogado:

Eres mi esposa y no debes exigir nada.

Greta Garbo:

No hay favor sin costo. ¿Aún sientes amor por mí?

El señor abogado:

Hablamos de negocios, no de amor.

Greta Garbo:

Aún sientes deseos por mí.

El señor abogado:

Deja esos temas de hombres. Concéntrate.

Greta Garbo:

Tienes presente que no tenemos sexo hace varios años.

El señor abogado:

No eres una cualquiera que necesite sexo cada mes. Es
de negocios y hurtos esta conversación.

Greta Garbo:

Sabes que tengo un enamorado.

El señor abogado:

No inventes disparates, tú no sirves ni para conseguir un amante. Ahora, hablemos de cómo recuperar los contratos con estos infelices ladrones.

Greta Garbo:

Qué harías si tuviera un enamorado, o mejor, un amante.

El señor abogado: :

Te diría que estás delirando.

Greta Garbo:

Sí, lo tengo.

El señor abogado:

Quieres darme celos para que tome represalias y hasta pierda la cabeza y haga una locura.

Greta Garbo:

¿Como qué?

El señor abogado:

Como matarte.

Hendrik y Matilde se quedaban en silencio y no jugaban más con los retratos porque no querían matar a nadie.

—¿Crees que Augusto, mi esposo, me matará si sabe que tengo un enamorado?

—Nos mataría a los dos.

—Acaso… ¿qué somos los dos?

—Dos enamorados de la música.

—Nos mataría, ¿verdad?

—No pensemos en la muerte, juguemos al amor. La Garbo y el Señor Abogado estarían felices.

El dramatizado los divertía.

EL SEÑOR ABOGADO:

La música es el idioma de los dioses, ¿lo sabías, mi amor?

GRETA GARBO:

Sí, vida mía. Nosotros también somos dioses.

EL SEÑOR ABOGADO:

Eres una griega, una hermosa doncella griega.

GRETA GARBO:

Tú eres un galante poeta.

EL SEÑOR ABOGADO:

No tenemos dinero pero estamos los dos, estaremos para siempre.

GRETA GARBO:

Sí, mi amor, para siempre.

EL SEÑOR ABOGADO:

Acércate y me das un beso.

GRETA GARBO:

Le tengo miedo al amor.

EL SEÑOR ABOGADO:

Me tienes miedo.

GRETA GARBO:

No. Es al amor, sé que duele en el alma.

EL SEÑOR ABOGADO:

Ven, dame un beso.

Hendrik besó a Matilde en medio de sus cejas. Afuera empezaba a llover.

El amor los buscó. Los dos le huían pero los alcanzó, arropados con la música que Hendrik interpretaba y las notas que ella empezó a sacar al Steinway. El aprendizaje fue lento como la decisión de no esquivar más las necesidades del cuerpo y del espíritu. Aprendieron a disimular ante los ojos del hijo receloso y del marido rígido que le exigía tocar frente a sus amigos, en las fiestas gardelianas o en reuniones de negocios. El orgullo de tener una artista como mujer cambiaba su talante de hombre fuerte y jefe de hogar. Matilde y Hendrik aprendieron a escurrirse de ellos, a cultivar el gusto de estar solos al principio y luego la necesidad de estar unidos, un mes después de la primera clase.

Cuando ella le dijo que no subía al segundo piso luego de haberle escuchado un concierto con el Trío No. 1 de Brahms, en todos los pianos, él le imploró citando versos de su poeta a Diótima, traducidos en su español de sonidos confusos.

¿No es más bella la vida de mi corazón
desde que amo?

197

¿Por qué me distinguías más
cuando yo era más arrogante y arisco,
más locuaz y más vacío?

Todas las tardes Hendrik se rociaba el pino silvestre así no se afeitara. Ella le había dicho *hueles a limpio, a bosque* y él le respondió, *debe ser tu pelo y tu cuerpo que son como jardín florecido.* Luego venían las suplicas y las negativas. Permitía los besos en su pelo, en sus mejillas pero, cuando le buscaba su boca, Matilde escapaba. Le recordaba que era una mujer casada y tenía un hijo. Le decía que no bastaba el amor para ser felices. Le acariciaba la barba y le besaba los ojos para que no la reprochara más.

—Dame lo que quieras, sólo estoy aquí, esperándote. Tengo la paciencia necesaria para lograr la gracia del amor. *Tu alma bella,* —dijo sobre la nuca de Matilde que hundía las teclas de marfil del Blüthner. *¡Qué hermoso es este piano, Hendrik!*

Dios eterno, imagen de mi bien amada, —pensaba sin atreverse a decírselo. Y volvía a implorar. No se cansaba de pedir ni ella de esquivar.

—Recibir tu amor es como recibir a Dios —le dijo—. Porque Dios debe ser igual a ti.

—Toca algo hermoso para los dos.

Con Matilde podría encontrar la libertad de todo, de su verdugo, de los recuerdos dolorosos, de su puerto y de su origen. Con ella lograba todo porque nada recuperaba. Con ella construía su nueva existencia. El nefasto pasado se perdía por el infinito presente. Detuvo la interpretación.

—Tú, como yo, habitamos el silencio —dijo el profesor—. Y él nos mostrará el camino. Sólo hay que saber esperar.

—No dejo de pensar en Augusto. Lástima que mi esposo desconozca la sensibilidad de los dioses y del arte. Tú eres la sensibilidad y el arte.

—Debemos buscar un mundo hermoso —dijo Hendrik.

—Hoy es la última vez que te visito, no está bien.

—¿Te gustaría París?

—¿Estará allá Sofía, mi hermana?

—Las bailarinas y los músicos se llevan bien, son almas gemelas.

—Me gustaría volverla a ver, la extraño tanto. Mi papá la extrañaba tanto. Soy huérfana de todo. Como tú, profesor.

—¿No hay una palabra de amor para mí?

—Mi querido profesor.

—¿Serás mi novia?

—Soy una mujer casada, con un hijo y una casa, un hogar. ¿Amas a alguien?

—Amo sólo a una mujer.

—¿Quién es esa mujer que tanto amas?

—Es la doncella, la diosa griega. Eres tú.

El amor la venció. No pudo soportar más las manos bajo el piano, la humedad bajo las ropas. Aceptó el primer beso en la boca cuando Hendrik terminó de tocar a Debussy. No fue un arranque de pasión, no. Lo había soñado e imaginado mientras Augusto se movía borracho entre su cuerpo frágil. *¿Cómo será su tibieza?*

Al día siguiente, sin cita ni prevenciones, volvió a la escuela.

—Quiero conocer el segundo piso, el lugar donde sueñas conmigo.

La condujo de la mano y cada dos escalones la besaba con delicadeza; las bocas entre abiertas, las lenguas rozándose. Por la ventana entraba la luz plena y el débil sol sobre la cama.

—Aquí viviremos nuestro idilio —dijo Hendrik entusiasmado.

—No, recuerda que soy una mujer casada, tengo un hijo y un hogar que respetar.

Se puso su diadema con telaraña y bajó rápido buscando la puerta.

No le sostenía la mirada en las clases, en La Merced, ni se quedaba a tomar el té, inventando cualquier disculpa. El olor a pino silvestre la sobrecogía en la soledad de su alcoba y un llanto corto, escondido, clandestino, le agitaba el pecho. *Debo amarlo mucho*, se dijo. *Cuánta falta me hacen Sofía y papá.*

Llevaba un vestido de flores tenues, amarillas, que Hendrik empezó a quitarle en el sillón, en las pausas de las sonatinas. Llenaba el jarrón, encima del Blüthner.

—Tengo miedo.

—Los dos tenemos miedo, pero más tenemos amor. No temas, he construido la noche para los dos. En el segundo piso nadie nos verá.

201

Nosferatu

La música habla por mí

…soy el No Muerto, el Conde de Orlok. Esta noche saldré después de las doce a visitar a mi amada Matilde. Iré, escondido en mi capa negra de *Nosferatu, eine Symphonie des Grauens*,[12] por la Carrera Quinta, rumbo a La Merced. También soy murciélago o vampiro. He abandonado mi cripta del segundo piso donde paso mis eternas horas, dormido. Llevo las indumentarias y las siluetas que Friedrich Wilhelm Murnau me puso en su película muda. Mi cuerpo puede traspasar muros, puertas y ventanas. Llego hasta la sala donde se encuentra el Steinway y deslizo mis dedos con uñas alargadas por su hilera blanca y negra. La energía entra por mis huellas borradas y me produce éxtasis. Toco acordes de la Ópera del Vampiro de Heinrich Marschner porque sé que a mi Matilde le gustan tanto que vendrá desde su cama, donde está ahora con su marido, soñando conmigo, con su profesor vampiro. Bajará sin tocar los escalones, envuelta en ese hálito que poco a poco ha robado a la neblina de las montañas cercanas. Me verá, de espaldas. La pared reflejará mi imagen seductora. No tendré que hablarle, la música lo hará por mí. Por los huecos de las alcantarillas vendrán las ratas, mis hermanas de la noche, a hacernos compañía. Nos abrazaremos y ejecutaremos a cuatro manos. Nos levantaremos de la peque-

---

12 (N. del E.). Nosferatu, una sinfonía del horror.

203

ña butaca e iremos a la poltrona a desnudarnos. El piano tocará sin nuestros dedos.

Besaré sus labios, su cuello, chuparé su yugular. El orgasmo de los dos subirá hasta el firmamento oscuro de las dos de la madrugada. A lo lejos oiremos el canto del gallo y nos desvaneceremos en una nube de polvo…

Ropero paralelo

Felices en la semioscuridad

Entraban al cine cuando todas las luces estaban apagadas; entraban al piso de arriba de la escuela cuando al cerrar las cortinas pesadas convertían el día en falsa noche. Cerraban los ojos en la sala de música de la casa de La Merced, para sentirse en la oscuridad. Cerraban los ojos para besarse.

Fue en el cine donde se dieron el segundo beso en la boca. Huyeron a todo, a los ojos de Federico, a los de Augusto siempre atento y dispuesto a encontrar una indiscreción, a los de las empleadas deseosas de una picardía del artista, a los de los transeúntes, a los de los espectadores, a los de los personajes de las películas. Huyeron de sus temores, de sus argucias para fugarse, de los horrores del castigo con la muerte, por el adulterio. Huyeron de la conversación y del tema del dolor en el amor. Huyeron de los ojos de los desconocidos y de los que pudieran conocerlos. Huyeron de los créditos de las películas por huirle a la luz de la sala una vez acababa la proyección.

Con el ropero paralelo aprendieron a disfrazarse. Matilde recibió la primera falda en el piso de abajo, una falda amplia, de colores vivos que le hicieron saltar el corazón con miedo y tristeza. *No puedo ponerme eso*, dijo. No es para que la luzcas en las calles y La Merced, es para nosotros, en el mundo de arriba, le contestó Hendrik, despacio como si le robara las palabras a la música. *No puedo con esto*, volvió a sentarse y se aferró a su bolso de cuero. *Esto no está bien*, abrió la puerta y se fugó camuflada en su diadema.

Regresó después de los suspiros y ruegos de su profesor sobre la coronilla de su cabeza olorosa a hierbas frescas. Fue a buscar un sombrero a los almacenes de la Octava con Once, en la Calle Florián. No aceptaría jamás que había sido un pretexto para pasar a saludarlo y hacer unas escalas en el Blüthner. La hizo entrar como todas las tardes sabiendo que llegaría con cualquier disculpa. En el estuche redondo con cremallera estaba la pava de tela que le mostró como justificando su presencia. Se la puso y fue al espejo del gabinete. Recordó a sus padres, Carlos Arturo y María Rebeca, cuando se conocieron en la sombrerería y vino a contarlo con afán a Hendrik.

—A mi papá y a mi mamá los unió un sombrero —le dijo luciendo la pava que le cubría buena parte de la frente y dejaba al descubierto sus ojos oscuros, expresivos y brillantes.

Hendrik se acercó, levantó una de las alas y le dio un beso superficial, como invisible, como si estampara sus labios sobre su aura violeta.

—No quiero que esas aletas te lleven por los aires, sin mí —le susurró con tono de galán, sin afectación.

—¿Acaso no dices que la música debe hacer saltar fuego en el corazón del hombre y lágrimas en los ojos de la mujer?

—Mi corazón arde por ti y tus lágrimas serán de libertad cuando estemos lejos.

—Es posible que sea la música la que nos une pero no soy siquiera aprendiz —quería llorar.

—La música es el corazón de la vida; por ella hablamos del amor; sin ella no hay bien posible y con ella todo es hermoso.

El sombrero de alones grandes estaba en el suelo.

Matilde también tenía sobre la mesa de centro de la sala uno de los cincuenta mil volantes que la Junta Militar de gobierno arrojó sobre Bogotá desde los helicópteros, pro abaratamiento del costo de vida. *Huevos grandes a treinta y cinco centavos*, le dijo a su profesor cuando puso los ojos en el papel. La calle estaba llena de los pasquines y poco importó a la gente las rebajas porque no dudaban de que el nuevo gobierno civil, en cabeza de *míster Alberto Lleras Camargo* —como lo llamaban en todas partes— les arreglaría la vida. El interés mayor de los vecinos de La Candelaria giraba en torno a si Ramón Hoyos se coronaría penta campeón de la Vuelta a Colombia en bicicleta o si Luz Marina Zuluaga era ahora la mujer más bella del universo; lo demás vendría desde arriba, como los volantes anunciando fríjoles rojos de primera a un peso con cincuenta y cinco centavos la libra. Pasaron a la sala de música.

—Mi amigo llanero me anunció visita en una carta, me gustaría que lo conocieras —le dijo Hendrik en la corona que expelía el olor de siempre.

—No puedo.

—Una tarde estará en la escuela y nos contará sus últimas aventuras.

—Es imposible, no debo volver.

—Los combatientes del Llano, los no traicionados, se acogerán a la nueva amnistía e indulto.

—Háblame de música.

—La música es una transposición sentimental de lo que es invisible en la naturaleza. Nosotros somos invisibles, no lo olvides. Germán Campos traerá unas arpas venezolanas, quiero regalarte una.

—No puedo recibir regalos, no puedo llevar regalos a mi casa, no me ofrezcas nada que no pueda disfrutar en la oscuridad.

—Si la guerra termina en los Llanos, podríamos vivir allá; no necesitamos sino lo que tenemos: la música y el amor.

—Adonde vayamos, allá irá él y nos matará.

—Nada detendrá la paz y, en el amor, no puede existir la guerra. El nuevo gobierno del Frente Nacional hará terapia del olvido histórico.

—Para nosotros el engaño se paga con la vida, no hay terapia para el amor —dijo desconsolada sin dejar de hundir las teclas.

Sin sus zapatos tacón puntilla caminaba en el primer piso, en la punta de los dedos, imitando pasos de *ballet*. Mientras bamboleaba su falda rotonda, desnudaba sus brazos arrojaba los guantes al sillón, despojándose de su chaqueta de mangas tres cuartos, exhibiendo sus brazos desnudos. Hendrik seguía tocando a Brahms.

Hacía lo mismo que él en la casa de La Merced, cuando ponía su aliento muy cerca de su coronilla y le hablaba en tono bajo, *¿quieres ir arriba?*, sin que él lo entendiera. Jugaba a tener el valor de invitarlo al segundo piso. Subía en puntas de pies a buscar los zapatos paralelos y bajaba a preparar un expreso en la cafetera italiana.

De arriba abajo, de una prenda a otra, pasaron los días entre el miedo y la satisfacción. Todo menos el tema de la muerte, de Augusto Bernal, el esposo, de Federico el hijo espía y de los amores para siempre. Los dos pasaban las noches separados con la esperanza de dormir juntos en su noche falsa. Lo lograban; se escuchaban los suspiros, las respiraciones acompasadas, las palabras ininteligibles y volvían las fiebres del músico cada vez que su torturador reaparecía en las pesadillas. Algunas las relataba a Matilde pero otras, por escabrosas se las ocultaba. Ella en cambio le contaba que en esa cama recuperó la infancia al lado de su hermana Sofía, los paseos con su padre, la cascada de colores del Salto del Tequendama aquella vez, cuando tenía ocho años y festejaban los primeros Juegos Deportivos Bolivarianos de 1938 y también los sueños de viajar a México para ser una artista. Se vio jugando con viruta en el taller de su padre mientras él trasformaba trozos de madera en figuras hermosas para los niños, que le valieron los primeros premios en las ferias artesanales del juguete. Todo lo hablaban en la semioscuridad porque a Matilde le dio por pensar que los ojos azules de Hendrik la cuestionaban como adúltera. Él aceptó que cuando pudieran contemplarse desnudos, harían el viaje. Aprendieron a conocerse, a palparse como ciegos e invisibles. El ropero paralelo lo estrenaban y alternaban en el piso de abajo; él debía esperar a que ella lo llamara desde la habitación para subir a un nuevo encuentro o que Matilde bajara a amar a su Nosferatu.

Se metía por debajo de sus faldas rotondas, le esponjaba las enaguas mientras Matilde se reía tapándose la boca para que nadie en la calle los oyera. Hendrik se ahogaba con placer debajo de tantas prendas, siguiendo las huellas de los pliegues de su enamorada que no paraba de reír. Quedaban desnudos luego de un combate por la vida y por la luz dentro de sus corazones. No había muchas palabras en el piso de arriba, sólo tibiezas dentro y fuera de la cobija de plumas. Hendrik quería verla, disfrutar su cuerpo, sus ojos, su ansiedad, el color de sus axilas, la blancura de las plantas de sus pies. Se quedó en silencio, se quedaron en silencio como reprochándose las sombras.

—Parecemos vampiros, sólo felices en la penumbra.

Titter von Greim y Hanna Reitsch

Belleza de caja de chocolate

…vuelo en la pequeña aeronave de Titter von Greim rumbo a Rechlin para responder un llamado del Führer. Percibo el zumbido del avión, planeando por el sobrepeso. Llegaremos a Rechlin en la madrugada; el Füher nos espera; orden perentoria: necesito al joven músico, al desertor. Intentamos volar un helicóptero hasta Berlín para aterrizar en el jardín de la Cancillería pero el último que queda no se encumbra. El sargento encargado tiene órdenes de llevarme con Greim en el pequeño avión, un Focke Wulf 190. Sólo hay sitio para un pasajero que debe situarse detrás del piloto. Ahí está Hanna Reitsch, la famosa piloto de pruebas, mujer aguda, vana y voluble. Nazi convencida adora a Hitler como la quintaesencia del honor germano. Enemiga de Eva Braun por su vanidad femenina, su retórica infantil, su consagración al hombre y sus denuncias constantes contra quienes cree que lo han traicionado. *Una belleza de caja de chocolate*, me dice el piloto Titter von Greim al oído, echándome el aliento tibio en mi oreja. Como Hanna es pequeña abrimos un agujero en la cola del avión y allí se agazapa para no perder la oportunidad del viaje donde el Führer. El avión de un pasajero ahora lleva tres. La frágil nave se eleva entre el claroscuro de las nubes grisáceas con los tres abyectos. Varios de los cuarenta Caza que nos escoltan son derribados por los rusos. Recibimos impactos en las alas pero logramos llegar a Gatow, uno de los últimos aeródromos en poder de los alemanes. El

211

aterrizaje forzado lo siento en mis glúteos como un mazazo que abre mi piel y empapa de sangre mi pantalón militar. Intentamos telefonear al búnker pero es imposible y decidimos tomar un avión de entrenamiento para entrar a la ciudad bombardeada. Estamos dispuestos a morir por nuestro libertador. Nos miramos sin dudas. Yo llevaría la música al hombre que amamos y que debe morir oyendo a Wagner. Vigilados por unos pocos Caza que entablan otro combate con los rusos, nuestro avión de papel llega a la Puerta de Brandenburgo. Un estruendo me hace gritar. Una granada antiaérea da en el blanco hiriendo gravemente a Greim. Hanna toma el mando y logra aterrizar en la avenida Este-Oeste. Un carro negro nos recoge y Greim recibe los primeros auxilios rumbo a la Cancillería; luego es llevado al quirófano. En la noche, Hitler lo visita en el hospital y le dice que todo soldado algunas veces puede desobedecer órdenes que le parezcan inútiles y desesperadas. La voz fuerte pero cariñosa de Hitler tiene firmeza a pesar de que sus manos no esconden el temblor del Parkinson. Había llamado a Titter von Greim porque Goering, el drogadicto, lo traicionó entablando relaciones con el enemigo, una cobardía —para él— imperdonable; le había enviado un telegrama designándolo su sucesor y ahora —dijo Hitler— *como no puedo seguir gobernando desde Berlín, está dispuesto a tomar mi lugar desde Berchtesgaden.* Ofuscado por la traición, reafirmó su llamado a Greim para nombrarlo jefe de la Luftwaffe con el grado de Feldmariscal, en sustitución de Goering. Y miró a Hanna Reitsch, la espigada alemana, que no se atrevía a levantar la cara. Luego, clavó sus ojos marchitos en mí: *trabajarán con Titter von Greim.* Y nos entregó las tres cápsulas de cianuro, por si la guerra se perdía.

¡Destrucción total!, —oímos su voz por los pasillos, un eco a gran volumen—. Si no podemos conquistarlo todo, llevaremos a la ruina a la mitad de Europa y no quedará nadie

que pueda triunfar sobre Alemania; no habrá otro 1918; no nos rendiremos, no capitularemos nunca, nunca. Podemos ser destruidos pero arrastraremos con nosotros al enemigo envuelto en nuestras llamas.

El eco amplificó esas palabras pronunciadas en la misma Cancillería once años atrás; también las que dirigió a su Estado Mayor, un año antes: *si el pueblo alemán es capaz de dejarse conquistar en el transcurso de la lucha es porque habrá sido demasiado débil para cumplir su papel en la historia; y en ese caso sólo es digno de la destrucción. Dominio o aniquilamiento.* Me ordenó que fuera a la Oficina del Mapa porque dictaría el testamento para el pueblo alemán. Antes del dictado, escuchamos a Wagner. Tenía el corazón revuelto con la guerra, la muerte y el arte. Detallo al artista que siempre soñó ser. Por eso los más íntimos lo veían triste cuando se encerraba a ver películas y comedias en su casa de campo de Obersalzberg. Pretendía, después del triunfo, retirarse de los asuntos de Estado y hacer un museo en Linz, a la que consideraba su ciudad natal no obstante haber nacido en Braunau, Austria. En esa enorme casa museo viviría al lado de Eva y su perra Blondi. Lo seguí y empecé a tocar al piano los tristes acordes de la Séptima Sinfonía de Bruckner, mientras él me daba la espalda para que no lo viera llorar.

Hendrik en el telón de fondo

Y la piel, ¿cómo la cambio?

En las salas de cine, penumbrosas, Hendrik y Matilde se disfrutaban las manos. Primero el roce de los dedos y luego entrelazados con fuerza cuando ya pasaban los avances y el noticiero *El Mundo al Instante*. Se citaban en el vestíbulo del teatro Faenza que tanto gustaba al músico por su arquitectura republicana *art nouveau*. Él llevaba en su maleta de cuero burdo barras de chocolate, trufas, bombones charms y rosquillas tostadas. No compraban a la muchacha que adentro ofrecía las golosinas, alumbrándolas con una linterna pequeña. Mientras Augusto Bernal agrandaba mercados en Medellín, Barranquilla y Cartagena y Federico asistía al colegio, les quedaban las tardes para compartir ese lugar mágico del Faenza, uno de sus palcos donde podían hablarse al oído, sentirse el aliento tibio, el estremecimiento en el estómago y el temblor en los músculos. En esas mismas butacas había estado Carlos Arturo Aguirre —el padre de Matilde— buscando en las películas algún anuncio de su prófuga María Rebeca. Allí había llorado su abandono y desamor. Con la cara dulce de Sofía Álvarez, la actriz que creía suplantaba a María Rebeca, se consolaba volviendo a la casa de Egipto a abrazar a sus hijas Sofía y Matilde, también abandonadas. Pero con Hendrik agarrado de su mano, Matilde no sentía rabia ni desesperanza, sólo miedo de que alguien los viera y tuvieran que morir a manos de su esposo. En los besos de la película ellos también se besaban; en los momentos dramáticos, ellos también lloraban. Hendrik se metía entre el sombrero con la idea de que nadie lo conocería, porque era invisible a las envidias. Matilde se escondía en su rebozo creyéndose también invisible. Cuando estaban invisibles no tenían límites en las caricias. Matilde le susurró que Carlos Arturo le había advertido sobre la famosa banda de depravados, los del Coven 35 milímetros del Sabat, que tenía en el sótano del teatro, una guarida a la que se llegaba por una puerta secreta desde los baños para caballeros; que luego de violar, asesinar y descuartizar, salían a la calle por un túnel. Que en ese escenario cantaron artistas internacionales como Carlos Gardel, Jorge Negrete y Pedro Infante y que allí había funcionado una fábrica de loza de unos italianos, no sabía si prófugos de la Gran Guerra porque la inauguración había sido promovida por el gobierno en 1924 con la idea presidencial de tener un arte propio, estrenando el largometraje colombiano *La tragedia del silencio*, de Arturo Acevedo. *No hables de la guerra*, —le dijo Hendrik al oído y ella sintió que las palabras le llegaron hasta muy adentro de su cabeza y de su cuerpo. La primera vez que se sintieron invisibles por debajo de la herradura arquitectónica de la fachada del Faenza, intuyeron que tendrían suerte. Esa primera vez descubrieron algunos poemas que aún podían leerse, letras escritas en las figuras mayólicas con vestigios de barniz y desvanecidas en los encajes de yeso. *Es como si estuviéramos en Italia*, volvió el músico a susurrar rozándole el lóbulo. Fue esa vez cuando se escondieron en uno de los palcos y aprendieron a hacerse transparentes. Pero los palcos eran apetecidos por los enamorados clandestinos de la ciudad que poco a poco conformaron un pequeño grupo de invisibles. Les gustaba hablarse al oído mientras avanzaba la película. No de la historia que les narraba la cinta sino de ellos y del pasado. Poco lo hacían en la escuela de música, no sabían por qué. Matilde creía que los retratados los espiaban y no quería que nadie supiera los dolores y alegrías que entregaba a su enamorado. Se abrazaba a él imaginando a Carlos Arturo, su padre solitario, hablándole a la fugitiva, necesitando un oído para inventarle palabras bonitas.

El tubo de su falda no permitía que el profesor buscara las caricias más íntimas. Luchaban con la estrechez y terminaban derrotados besándose por largos momentos. Las urgencias hacían necesarios los encuentros en el segundo piso. También allí la lucha los ponía frente a frente. A pesar de la penumbra el peso del matrimonio, del hijo y del futuro, ponía un vidrio transparente entre los dos. Había que romperlo siempre para pasar sobre los añicos, sangrar y completar su placer. Algunas veces huían en la mitad de la película, tomaban la Carrera Quinta, caminaban como desquiciados creyéndose invisibles, cruzaban la Avenida Jiménez y se introducían por las estrechas calles en procura de su falsa noche. Se arrebataban las ropas y, revueltos en la cobija de plumas, terminaban navegando en el viaje que empezaron a inventar. Pero después, al mirar el reloj, la culpa apresuraba a Matilde. *¡Nos descubrirán!*, —temía dándole la espalda—. *Se dará cuenta por las arrugas de la falda*, —decía. *Te compraré la ropa que llevarás en nuestro palacio*, —respondió Hendrik. Así empezó su ropero paralelo. Las joyas paralelas. Los zapatos y la ropa interior paralela. *Nadie notará que me amas y que te quitas el disfraz*, —le dijo el hamburgués—. *Y la piel, ¿cómo la cambio?*

Sus respiraciones agitadas sobre las orejas de los dos se detuvieron al escuchar un golpe seco en el primer piso. ¡Augusto!, —exclamó Matilde. Luego el silencio subió por las escaleras, penetró la puerta de madera y retomó las respiraciones, ahora sosegadas. ¿Oyes algo? Esperaron unos largos minutos con las manos cogidas. Desnudos, con la cobija hasta la boca. ¿Escuchas algo?, volvió a preguntar ahogando la voz, Matilde. Hendrik la cubrió con su mirada agua marina y le dio ánimos para que siguiera quieta. Fue tanta la concentración que oyeron a los voceadores y el ruido de los motores de los automóviles. ¿Ya se fue? Un segundo ruido llegó rápido. Estamos perdidos. La quietud retornó con la misma rapidez que el estruendo. Nunca debimos hacer esto. Nunca. Hendrik esperó mirándola como si tratara de hipnotizarla con sus ojos azules. Matilde se tapó con la cobija y se arrimó a la cruz velluda del pecho de su amante. Nos matará. Él no respiró. Pasó su mano grande por la espalda de su enamorada como acariciando un gato. Volvieron los rumores de la calle. Hendrik se levantó despacio. ¡No vayas, por favor, no vayas! Puso los pies desnudos sobre la tabla y desde sus dedos le subió un escalofrío. No tuvo temor, podría recibir el castigo ahí, al lado de su amada y morir con sus ojos en sus ojos. Buscó la bata de yacard y se la puso como una coraza, en cámara lenta. Llevó su índice a los labios rosados para que Matilde no dijera nada, ni se moviera. Abrió la puerta y miró hasta donde le permitía la curva de la baranda. Descendió lento. Al llegar al nacimiento de la escalera, se dio cuenta del desastre: dos de los retratados yacían en el suelo, mirando hacia el techo. El Señor Abogado y Greta Garbo, muy juntos, debajo de los vidrios esparcidos. ¡Greta y el marido se suicidaron!, —gritó Hendrik con alguna dificultad en la voz. Matilde bajó vestida con su sastre de paño piqué. ¿Tienes un Conmel?, me muero del dolor de cabeza. Greta Garbo iluminada tenía lágrimas grises. Son vibraciones del espíritu, —dijo Hendrik acuclillado. Esto no es un buen presagio, es un mal anuncio, me voy. La vio salir.

Los otros retratados lo miraron desde sus marcos. Los excombatientes de la Guerra de Los Mil Días, los niños, las reinas y los altos funcionarios. El bigotón continuaba desfigurado por los pedazos de vidrios sobre su cara. Así lo vio Hendrik y se apiadó. Detrás del cartón de la retocada, estaban la nota y el secreto. En papel amarilloso y con caligrafía palmer dibujada con portaplumas y tinta sepia, volvía a confesar su adulterio. Miró los ojos del abogado petrolero que lo observaban como si esperara la lectura. Y volvía a los ojos de Greta Garbo para que le diera señal de lo que debía hacer. Ya no tenía lágrimas grises en sus mejillas. Ahora sonreía con el carmesí del óleo que le pusieron, con un tono más subido que el de las flores del telón de fondo. Leyó al oído del pobre abogado de petróleos para que los demás retratados no se enteraran del secreto. Pero un nuevo personaje se descolgó, despedazándose contra las tablas. Supo que era el amante de Greta Garbo porque quedó boca abajo sobre ella. Todos cayeron, unos encima de los otros, en una algarabía que Hendrik ahogó en la sala para que no saliera a la calle. Esa noche arreglaron sus pleitos y perdonaron las infidelidades. Ya amontonados encima de la mesa de centro, un arrume de quince centímetros, Hendrik empezó a interpretar a Brahms para ellos. Estuvo tocando hasta después de la media noche creyendo que sería la última vez que lo acompañarían.

Puso el gramófono con el pasodoble que su ángel protector le hizo bailar y combinó los retratos por parejas, uno pegado del otro por el frente, logrando acoples perfectos. No quiso descifrar los mapas que algunos tenían detrás de sus superficies, ni los números ni mucho menos las direcciones. Muy de mañana bajó del cuarto, se puso el abrigo marrón tres cuartos y, haciendo escalas, retornó al lugar de los muertos. Como un libro que nadie leería los amarró con una cinta plástica y se los echó bajo el brazo, como una carpeta. El aire frío de la calle lo avasalló. Los vecinos lo vieron pasar e inclinaron el cuerpo en el saludo. Miró a lo lejos la torre de La Catedral y se dirigió hacia allá. Sólo estaba abierta la puerta lateral del norte y por ella entró despacio. El helaje de las paredes entapiadas y del ladrillo, traspasaron el abrigo y se metieron en sus poros grifados. Se detuvo bajo la cúpula central y se concentró para percibir alguna palpitación de su cargamento contra el cuerpo. Nada. Fue hasta una de las diez capillas interiores, la de Las Benditas Almas y puso su libro gigante, cerrado, en las piedras uniformes del piso. No sabía ninguna oración para difuntos pero les deseó un viaje lleno de música.

Esperó a que oscureciera tomándose unos largos tragos de vino rojo que compró en La Gran Vía. Esa noche regresó el golpe de la ventana contra el marco, a lo lejos. Reflexionó que ahora venía desde una casa más distante. Las enmarcaciones de los retratados no habían hecho sombra sobre su pared. No tenía con ellos historia. Dormitó un poco con el ritmo espaciado de la ventana hasta cuando se dio cuenta de que era la hora de su clase, en la casa de La Merced.

Se desplomaron todos, —le contó a Matilde por detrás de la nuca—. *Los llevé a La Catedral y les di una sepultura de azar*. Ella no respiraba siquiera. Seguía practicando el método de Chopin. *Ya no podrán asustarnos más, ni detenernos más*. Hendrik olía con fruición la cabeza recién lavada de su alumna, las hierbas y las flores, sus aromas íntimos, los que conocía hasta la saciedad, los que saboreaba hasta el deleite. *¿Una sepultura de azar?*, —quiso preguntar Matilde pero las palabras no le salían. Desde los vidrios del calado de la puerta los espiaba Federico. Mi hijo nos mira, —alcanzó a balbucir sosteniendo la nota con el pedal de bronce. *Ellos, los otros, ya no nos mirarán más*.

La clase terminó sin sobresaltos y el té lo tomaron los tres. Federico hacía preguntas sobre la música y Hendrik le explicaba con tono conciliador.

Empezaron a reiterar las promesas de estar juntos por el resto de la vida y, por supuesto, a recrear el aplazado viaje a su ciudad para mostrarle las calles donde transcurrió su infancia, el puerto y los buques, el solar de la casa y el refugio donde se ocultó en tiempos de la guerra y el dictador. Quería enseñarle

221

por qué a su ciudad le decían el horizonte del mundo. Y cuando las tardes tenían pinceladas rojas y amarillas, de verano, y se maravillaban por los colores del trópico, también le contaba que Hamburgo era la ciudad más verde de Alemania, llena de parques, que la llevaría a navegar por el Elba, por los lagos Holstein y Mecklemburgo, que recorrerían las playas del Mar del Norte y le enseñaría a remar en las aguas inolvidables del Báltico. El cine y el amor lo motivaban a hablarle de lo que creía sepultado en su corazón. Había que salir de Bogotá, con sus papeles y su música y, por sobre todo, con su alumna enamorada, con su hermosa Matilde por la que daría hasta lo que nunca tuvo.

No hagas más planes. No puedo abandonar a mi hijo.

TRISTAN E ISOLDA

La muerte entra por mi oído izquierdo

…dirijo *Tristán e Isolda*. Mi padre Hannes y mi abuelo Jakob, entre el público. Amamos los postulados y la música de Ricardo Wagner. Somos románticos. En casa se dijo que nuestra patria es el arte así Wagner haya sentenciado nuestra incapacidad para producirlo. No somos la mala conciencia de la civilización moderna. Ante la música, nuestro Ahasverus estará rendido. Entre los hombres del coro está el Führer con su escasa estatura y mirada penetrante. Me suplica que lo deje cantar, que recuerde que lo hizo a los once años, en Linz. Llora con gestos de artista. Detengo la batuta en el aire y lo observo como a un condenado, frente al patíbulo de los escenarios de los teatros Nacional de Berlín, de Bremen, de Hamburgo; en todos aparece en el foso o en la boca del telón; o en el búnker de la Cancillería mientras los aviones rusos sobrevuelan. Igual que a Wagner, me duele la música y no puedo respirar. Los acordes iluminados, místicos, me laceran el alma, matices de la armonía caótica producida por la afinación de los instrumentos; las quintas del violín me asaltan el pánico; el *la* prolongado de los oboes, con su llamada de fantasma que despierta a los otros instrumentos, me invade de imágenes del cuadro de El Bosco, *El Jardín de las Delicias*, entre placentero y terrorífico; el *do in crescendo* me sumerge en el éxtasis. Monstruosidad mística, demoníaca, sublime. Melodía infinita. Soy el desertor de las tropas alemanas, estoy contra la pared. Me leen la orden de fusilamiento. He desobedecido

223

las tradiciones, he pisoteado el símbolo principal de Alemania: su ejército. Merezco morir. Se oye el disparo y la muerte entra por mi oído izquierdo. Hubiera querido ser inglés para que las olas abrieran mi sentimiento, ser capitán de un pequeño navío, el mar sería mi derecha, mi izquierda, mi arriba y mi abajo. El mar, caballo que conoce bien su camino. Inglés, dispuesto a morir dentro de las aguas turbulentas o calmadas. Abajo, en los abismos, encontraría a mis antepasados ingleses con criaturas jamás vistas por ojos humanos. Hacerme a la mar antes de que Hitler, el dueño de mis pesadillas, pase el espejo y me bese en la boca. Volvería a las aguas, como los holandeses que robaron los espacios a las masas saladas. No sería capitán sino dique que usurpa la inmensidad del mar. Muralla humana que sostiene el peso del agua. Como mi depredador que puede destruir Europa, el dique debe caer para que el enemigo muera y luego ser erigido para la vida. Amigo y enemigo, el mar trae y aleja a los invasores. El mar y sus fronteras en tierra de duendes que viajan en mis otros sueños.

Seré fusilado: hamburgués, polaco, alemán que odia la guerra, que contradice su símbolo, las tropas. Simétricas filas de soldados agrandan nuestro sentimiento de germanos, como bosques que marchan hacia la victoria. Soy un árbol que no quiere moverse en busca de triunfos. Me talan y derriban en mis sueños. El bosque de mis antepasados, el espacio de Wagner bajo el hechizo de música sagrada. Selvas erguidas, verticales y, dentro de las ramas, plantas trepadoras que devoran y dan vida. Mi árbol ha caído mientras los demás continúan ascendiendo hacia lo titánico. Mi tronco se pudre porque no soy alemán aunque soy alemán. He huido de su ejército. Traidor de todo, del bosque y del ojo de la selva. Coraza y corteza, uniformes de una división del ejército. En mi refugio de Hamburgo, toco el clavicordio, sin sonido, siento miedo mientras los demás jóvenes están orgullosos sosteniendo el arma. Rectos y vigorosos árboles. Y Hitler, el dueño del bosque, el duende de la espesura. Corro del bosque hacia el mar, corro y mis pulmones estallan. Inglés, alemán. Cobarde. Fusilado. No estoy al lado de los *junkers*, aristócratas rurales que constituyen el cuerpo estable de los oficiales. Poco me importan el Tratado de Versalles y las guerras perdidas, la Primera y la Segunda. Tampoco la ejecución en mis sueños, la venganza por ser alemán talado y no alemán, bosque-ejército. La humillación tampoco me incumbe y ser desertor, una victoria para mis humanistas familiares. Escucho el grito desde la tribuna, no del Tratado sino del *Dictak*, la orden de desarme. La caída del bosque. El pequeño hombre de mis pesadillas resiembra desde el nacionalsocialismo el bosque y todos van en su busca, porque la derrota será victoria. La humillación de Versalles, el dictado de Versalles, gestación del nuevo ejército, levantamiento del bosque. La cruz gamada viene por la membrana de mi pesadilla, girando al revés del tiempo, hacia mi cráneo de supuesto artista. Merezco ser ajusticiado por traidor: al bosque, al ejército, a Alemania. Despierto sudando. Más allá del bosque, los Alpes, las montañas, la muralla que protege a los suizos, cuerpo de un país que deseo, tierra prometida con fronteras. Lejos de las guerras. ¿Francés? No. Ellos festejan la muerte, la Toma de la Bastilla, La Marsellesa, revolución, ajusticiamientos. Napoleón, guerrero y conquistador, usurpador y verdugo. Hitler, usurpador y verdugo, asesino y ególatra. ¿Español? Estoy en el centro del ruedo de una plaza de toros. Soy el animal de lidia dispuesto a morir. El matador, dispuesto a triunfar. El público, dispuesto a la diversión de la muerte. Arena romana con hidalgo caballero. Danza de lo macabro. El diestro, mata de verdad y levanta los trofeos hacia los tendidos que lo aclaman. Seré embanderillado, estocado, sacrificado. Juzgado y subyugado. Arena y soledad. Fiebre y pesadilla. La huella profunda en la arena está salpicada con mi sangre.

225

Oyendo Radio Habana

Otra escena de dolor

…bajo la capa de Nosferatu espío la casa de la Merced. Matilde deja pasar las noches leyendo o sintonizando emisoras de otros países en el radio Zenith heredado de su padre. Despierta a la hora exacta en que yo la pienso en nuestro cuarto, el nido de amor de las tardes nocturnas.

…las tres y treinta de la madrugada, estará mirando el punto de los dos, el que inventamos para sabernos soñados.

…oye en la BBC de Londres a *The Beatles*, los muchachos rebeldes de Liverpool y su cuerpo se estremece sin control por ese ritmo que combina en la piel con el solo de piano del Concierto No. 1 de Brahms. No entiende las letras de las canciones como tampoco las notas en el pentagrama, pero el sonido, los acordes y la percusión, la preparan para un estado de arrobo, en su cama, sola, pensando en nuestros encuentros. Odia los tangos y las rancheras, las milongas y los corridos. Odia cantar para Augusto Bernal en las noches gardelianas. La música ocupa mi ausencia. Mueve el dial en busca de la frecuencia de Radio Habana para oír los discursos de los revolucionarios, sobre todo la oratoria de Fidel Castro, a quien su padre decía haber visto en los cafés de Bogotá antes y después del 9 de abril de 1948. Quiere introducirse en mis pesadillas para compartir mi dolor y derrotar al enemigo, también suyo. No entiende lo que le digo porque hablo alemán en mis desdoblamientos, grito en alemán y, seguramente, lloro en alemán. Al regreso de mi viaje, ardiendo de fiebre y temblando como un condenado a muerte bajo el sol, le pido a Matilde que por favor no me haga repetir lo que vivo en las pesadillas. Se concentra como le enseñó Carlos Arturo y sale, como mariposa, la misma que le entró por el dedo gordo del pie derecho y le emergió por la boca. Su cuerpo astral llega al segundo piso de mi casa, me arropa y se arrima a mi cuerpo para seguir durmiendo. Mi vampira enamorada cruza la ciudad por sobre las techumbres españolas hasta mi débil cuerpo, moribundo, para repetir otra más de las escenas de amor y dolor que me visitan y laceran.

JAMÓN Y CORDERO

Por los viejos tiempos

Germán Campos llegó a las once de la noche. La Candelaria empezaba a dormir y sus callejuelas —alumbradas por las luces amarillosas— le daban aspecto de la perdida época colonial. Lloviznaba. A Hendrik se le alborotó el corazón al escuchar la premura en su puerta. Bajó anudando su bata y antes de abrir preguntó *¿quién?*, preocupado porque no esperaba a nadie. Por un momento pensó que Augusto Bernal venía a pedirle cuentas por el amor de su esposa. Se encontró con la cara, con barba de tres días, de su viejo amigo Campos. Cuando le dio la mano lo arrastró hacia el corredor para enlazarlo en un abrazo corto y cálido. Traía vestigios del viaje y la premura de la conversación. En un empaque de cuero de becerro trasportaba un arpa venezolana que le entregó.

—Por los viejos tiempos, camarita.

No la tañó. Le mostró la escuela en dos rápidas miradas y le ofreció la silla para que descansara y le dijera el motivo de su visita. Campos extrajo del morral una botella de aguardiente y los pocillos chinos que usaban en la pensión de Villavicencio.

229

—La situación en el Llano se está caldeando otra vez, luego del asesinato de Guadalupe. El Frente Civil que tumbó a Rojas Pinilla no está cumpliendo las promesas y Lleras Camargo no es más que un buen norteamericano.

Hendrik notó su tono cansado y sin entusiasmo, diferente al que ponía a cada palabra cuando formaba parte de las guerrillas del Llano.

—Los *pájaros* se nos metieron y los bandoleros hacen de la suyas, la paz está muy lejos, camarita. Vengo a decirle que estoy decidido a enrolarme con las nuevas guerrillas comunistas.

—¿Y las parcelas con las que soñamos? —preguntó Hendrik recordando las promesas y las largas conversaciones con su amigo, borracho, en el *chinchorro*.

—El Frente Nacional quiere echarle tierra a los asesinatos de Estado, quiere borrón y cuenta nueva, quiere tapar con olvido, pero la gente está desilusionada y no dejará las armas a cambio de nada. Con las amnistías no han hecho más que legitimar a los verdugos y no satisfacer a las víctimas. No quieren reconocer que ellos hicieron la violencia y ahora pretenden acabarla con dos decretos.

El músico fue a la cocina, trajo dos *baguetes* y cortó unas tajadas de jamón de cordero. Las puso sobre la mesa y Campos las devoró.

—Hay amnistías e indultos pero el ejército sigue asesinando. Los llamados programas cívico militares no son más que una manera de cazar a los que tienen ideas distintas a las liberales y conservadoras. Con la repartición de los puestos los enemigos son los que no comulgan con sus políticas. Han empezado a bombardear a las organizaciones campesinas y a los movimientos agrarios. Éste es el comienzo de una dictadura de los dos partidos que durará más de dieciséis años.

Comía, hablaba y pasaba los bocados con aguardiente. Como en todas las conversaciones que tuvieron, Hendrik escuchaba atento.

—Vengo a convencerte para que vuelvas al Llano, camarita.

—Tengo mi escuela y estoy enamorado.

Campos lo miró con picardía.

—Ahí sí me dejaste con la palabra en la boca. Ante el amor no hay nada que hacer, ni siquiera la revolución. ¿La afortunada dama está arriba, subiendo las escaleras?

—No, mi amada está acostada con su esposo en este momento.

—¿Casada? ¡Mierda camarita, un marido engañado es peor que mil dictadores!

Recibió el comentario como una broma cruel. Se apuró un aguardiente, no lo saboreaba desde los tiempos de la llanura.

—He oído decir que están conformando una comisión especial de rehabilitación —dijo el músico para sacarlo del tema del amor inconveniente.

—Un masón grado treinta y tres y exrector de la Universidad Nacional la encabeza, pero no deja de ser sino una comisión. Este país está lleno de comisiones mientras el campo está lleno de cadáveres. Una cosa es la guerra en Bogotá y otra en el campo. Entre *whisky* y machete hay una gran diferencia. Mientras Laureano Gómez brinda con Lleras Camargo, los muertos no tienen paz y los familiares se desplazan por las montañas dejando sus finquitas, en busca de las ciudades ¿O crees, camarita, que la guerra puede acabarse con comisiones y con tape tape?

Oyeron los cascos de un caballo, la voz recia del recogedor de basuras instigándolo.

—Ya tengo tres hijos, camarita. De tres amores diferentes. Uno no puede tener una sola mujer si está metido en la guerra. Pero es el amor el que puede salvar esta mierda.

—Nos iremos lejos de esta mierda, como tú dices.

—¿A dónde?

—Le propuse a mi amada que a los Llanos pero veo que es mejor a Europa.

—En los Llanos y en todas partes los Tribunales de Gracia están repartiendo billetes a los sapos para que señalen no sólo a los bandidos cuatreros sino a los sindicalistas y dirigentes agrarios. Pero hay sitios donde podemos cuidarte con tu amada, como la llamas, camarita.

—Los gobiernos civiles son de todas maneras más benévolos —opinó Hendrik.

—Sí, mira lo que nos pasó con Laureano y con Ospina. En el Llano creímos en Rojas. Las colonizaciones de los militares no sirvieron sino para que se llenaran de plata con las compras de maquinaria, de aviones. Hay que ver cómo se repartieron los cuatro millones de hectáreas que destinaron para los desplazados y víctimas de la guerra. Si pretendían que la gente no se viniera para las ciudades, les salió el tiro por la culata. Pero camarita, hay tierras desde el cuarenta y ocho, después de la muerte de Gaitán. Ahora podemos pensar en organizar la gente en el Ariari, en el Carare, en Santander, Doncello y Belén, en el Caquetá, y en el Sumapaz, donde creo que voy a terminar, al lado de Juan de la Cruz Varela. Pueden darle el nombre que quieran, pero el fondo de esas entregas de tierra no es más que el parapeto para que los latifundistas y los militares activos y retirados se apropien de todo. Pero no todo es muerte, camarita, puedo conseguir un pedacito de llanura para que hagas tu nidito de tórtolos.

La botella estaba terminando y Hendrik acarició el arpa. Era pequeña y pulida. Recordó cuando Campos llegó a su almacén y entablaron negocios y amistad.

—Mañana me voy al sur del Tolima, a una reunión. No quiero involucrarte. Debo estar en las listas de los que no han podido doblegar.

Hendrik lo invitó a dormir en el sofá amplio. Cuando lo dejó solo volvió el golpe de la ventana, cerca. Pensó en su ángel protector que le anunciaba no sabía qué. Estaba embotado por los aguardientes y las historias. Como si caminara por la cuerda floja de otros tiempos, se dio cuenta de que los años no pasaban para su amigo. Se arropó y lo invadió el olor de su alumna, le recorrió el cuerpo y quiso meterse más en ese hálito y dejar de oír el golpe de la ventana, en el piso de abajo. Creyó posible que Matilde pudiera escuchar a Germán, en la tarde, para que le reafirmara cuánto la amaba y cómo podrían refugiarse en uno de los rojos paisajes. Creyó también posible que Campos la convenciera de viajar a Venezuela por Arauca y no volver a ver los ojos acusadores de Bernal. Creyó que olvidaría a Federico y, sin ninguno de sus vestidos de señora, se irían protegidos por su amigo. Tocarían el arpa y Matilde esperaría a que terminaran la segunda botella y cantaría un aire popular después de erizarse con un Preludio bajo el silencio de todas las revoluciones del mundo.

Se despertó asustado con la persistencia de la ventana. Bajó sin hacer ruido pero Germán Campos había dejado la manta doblada en el sofá y una nota donde le agradecía la hospitalidad y le daba un número telefónico, de un contacto, para que lo localizara si decidía prolongar su romance más allá del miedo y la persecución.

EL TESTAMENTO DEL FÜHRER

Experto en Runas

...me dicta con voz fuerte lo que se debe hacer después del suicidio. Hundo la teclas de una vieja máquina; el eco retumba por los pasillos. Su mano izquierda sin control; su pierna, del mismo lado, se mueve alocada. Mira las letras en el papel cada vez que lanza una diatriba. Vocifera: *es falso que yo ni nadie en Alemania deseara la guerra en 1939. Fue deseada y provocada exclusivamente por los políticos internacionales que procedían del grupo judío o trabajaban en defensa de los intereses judíos. Luego de todos mis ofrecimientos de desarme, la posteridad no puede en modo alguno echar sobre mí la responsabilidad de la guerra.*

...percibo la bayoneta entrar por mi garganta. *Después de una guerra de seis años que será considerada algún día por la historia como la más heroica y gloriosa manifestación de la voluntad de vivir de un pueblo, no puedo abandonar la ciudad que es capital de esta nación. Como nuestras fuerzas son demasiado pequeñas para rechazar durante más tiempo los ataques del enemigo, y como nuestra resistencia va siendo gradualmente destrozada por un ejército de ciegos autómatas, yo deseo compartir el destino de millones de alemanes y continúo aquí en la ciudad. Pero no caeré en manos de un enemi-*

235

go que necesita un nuevo espectáculo, exhibido por los judíos, para divertir a sus masas histéricas.

...lanzallamas en su tarasca infernal. *He resuelto por tanto continuar en Berlín y escoger voluntariamente la muerte en el instante en que crea que la residencia del Führer y Canciller no puede seguir siendo defendida. Antes de mi muerte expulso del Partido al antiguo Reichmariscal Hermann Goering, y lo despojo de todos los derechos que le fueron otorgados. En su lugar designo al Gran Almirante Doenitz, como presidente del Reich y Comandante Supremo de las Fuerzas Armadas.*

...cada palabra, sopesada en el tiempo y la derrota no tenía tono lastimero; al contrario: comprendí que su orgullo era más grande que su desdicha. Tecleaba con la rapidez que me permitía el miedo y los poros de mis brazos se volvían de gallina con los pelos parados, sufriendo la agonía de permanecer a su lado. *Antes de mi muerte expulso del Partido y de todos sus cargos al antiguo Reichführer ss y Ministro del Interior del Reich, Heinrich Himmler.*

...no podía interrumpir al Führer en su testamento, pero sabía que Himmler, mientras Goering pedía la movilización total, empleaba miles de hombres y millones de marcos en defensa de su monotonía religiosa; estudiaba rosacrucismo y fracmasonería, el simbolismo de la supresión del arpa en Ulster y el culto significativo de los pináculos góticos y de los sombreros de copa de Eton; los laboratorios científicos de la ss trabajaban sin resultado en un inútil intento por aislar la sangre aria pura; un explorador fue enviado al Tíbet para descubrir rastros de una raza germánica que habría de conservar los antiguos misterios nórdicos en aquellas montañas poco visitadas; en toda Europa mandaba a hacer excavaciones en busca de la cultura teutónica; cuando el ejército alemán se disponía a evacuar Nápoles, Himmler pedía que no olvidaran arrancar la enorme lápida del último emperador de la familia Hohenstaufen; cuando el imperio nazi caía, Himmler proyectaba la colonización de Ucrania por una nueva secta religiosa recomendada por su masajista; se decía experto en Runas, los caracteres empleados en su escritura por los antiguos escandinavos. Entendía por qué el orgullo podía más que los reconocimientos. *Así mismo, nombro al Galeiter Karl Hanke Reichfüher ss y jefe de la policía alemana, y al Gauleiter Paul Giesler, Ministro del Interior del Reich. Goering y Himmler por sus negociaciones secretas con el enemigo, sin mi conocimiento ni aprobación y por sus ilegales atentados por usurpar el poder del Estado, aparte de sus traiciones a mi persona, han arrojado una vergüenza indeleble sobre el país y el pueblo de Alemania. Nombro a Goebbels como Canciller del Reich y a Bormann como Canciller del Partido.*

...yo sabía que Bormann era un hombre antirromántico; ni estadista ni soldado, ni profeta ni apóstol, ni adalid ni fanático, amante de una sola cosa: el poder. No deseaba morir y siempre habló de la posibilidad de la marcha de Berlín y la sobrevivencia; tenía dos opciones como la *eminencia parda* del nacional socialismo, o triunfaba por sí mismo para el cargo de nuevo Führer o el Designado tendría que ser una persona que necesitara sus servicios; sus dotes eran las de un secretario. *Mis posesiones en cuanto valgan algo, pertenecen al Partido, y si éste no existiera, al Estado. Si el Estado también queda destrozado, en ese caso no son precisas instrucciones de ninguna clase. Los cuadros comprados por mí en el transcurso de los años nunca fueron con fines privados, sino con el propósito de instalar un museo de pinturas en mi ciudad natal Linz, sobre el Danubio. Mi mujer y yo hemos decidido morir para escapar a la vergüenza de la derrota o la capitulación.*

…supe que en esos ojos marchitos, que en esas palabras que quedaban en los signos arbitrarios del lenguaje, estaban el valor y el desamparo. Parecía darse cuenta de mis pensamientos y se acercó hasta mi hombro. Sentí el aura claroscura del derrotado en los pliegues de mi camisa militar. *Es nuestro deseo que nuestros cuerpos sean quemados inmediatamente en el sitio en que he realizado la mayor parte de mi trabajo diario en el transcurso de estos doce años de constante servicio a mi pueblo.*

…oí los nombres de los testigos. Los cuatro hombres altivos entraron a la sala. Goebbels, Bormann, Krebs y Burgdorf. Una nueva orden me esperaba. Goebbels me llevó a su escritorio privado porque dejaría también su testimonio, un *Apéndice al testamento político del Führer*. Dictó y dejé pasar palabras *…en unión de mi mujer y en nombre de mis hijos, que son demasiado jóvenes para poder opinar pero que coincidirían sin reservas con esta determinación si fueran mayores, expreso mi voluntad inalterable de no dejar la capital del Reich, aunque caiga, sino por el contrario, siempre al lado del Führer, poner fin a una vida que no tendría valor en el futuro para mí, si no pudiera emplearla en el servicio al Führer y a su lado.*

…introduzco la cápsula de cianuro y la bajo con un borgoña. Por mis oídos penetra el Concierto No. 1, de Brahms.

Berthold y Eveline

Para mí todo comienza y termina contigo

Hendrik le dijo a su enamorada que su amigo llanero había pasado a saludar y que le dejó el arpa que reposaba en la mesa. Matilde lo miró con tristeza como si fuera la causante de no estar en esos paisajes que siempre aludía en sus planes de fuga. No quería perderla y en los reposos del amor le contó la historia de Berthold y Eveline, que su tío Azriel le relató en una de las tardes de Hamburgo, en el sótano, mientras afuera los soldados buscaban desertores. Tampoco quería cometer errores a pesar de que Matilde insistía en que estaban sumergidos en la mayor equivocación. A Hendrik no le interesaba saber si iban hacia el despeñadero sino que ella supiera que el amor, más allá de la muerte y la cordura, llena la vida para siempre.

—Si abriéramos un poco la cortina para poder ver tus ojos…

Lo permitió cuando Hendrik empezó la historia. Hizo su propia versión con el recuerdo lejano. Berthold era un joven apuesto, hijo del guardabosques de Tuttlingen, en la Selva Negra. Una noche salió de la taberna con unos tragos de más. Iba contento, tarareando canciones bajo los abetos cuando escuchó una voz a unos metros de la orilla. Se acercó y vio a una hermosa mujer.

Se acercó al oído de Matilde para acotar: la misma imagen que tuve de ti sin estar embriagado, en la casa de La Merced.

(Mi tío Azriel hacía voz teatral).

De repente se detuvo. Algo sobrenatural parecía clavar a Berthold en el suelo. A pocos metros del camino se extendía una laguna llena de flores, cuyas orillas suavemente inclinadas se perdían entre las cañas. A dos pasos del borde, una joven encantadora, inmersa en el agua hasta la cintura, peinaba su larga cabellera. Pero la admiración de Berthold fue mayor todavía cuando la joven, en vez de huir, le respondió con dulzura, sin mostrar el menor temor.

(Tú estabas hermosa en medio de la sala y sentí que me esperabas desde hacía muchos días).

El joven volvió a ver a la muchacha al día siguiente y pronto nació entre los dos una profunda pasión.

(La sentí, la sentimos).

Entonces la muchacha de las aguas hizo saber a su enamorado que se llamaba Eveline, que era de la raza de las ondinas y que para casarse con ella debería hacer una extraña promesa: la de no ir nunca con ella al agua.

(Eveline, Matilde, de la raza de la música, del cristalino líquido, de la poesía, descendiente de las hadas. Mi compromiso: no dejarte nunca).

Berthold hizo la promesa y se consumó el matrimonio. Era una alegría verlos y de la mañana a la noche, igual que de la noche a la mañana, las dos criaturas se amaban con tanto abandono y tanta naturalidad que los vecinos sentían deseos de imitarlos.

(Nuestra unión está bendecida por la música, nuestro amor por nuestra fidelidad).

La llegada del invierno no cambió esta feliz armonía. Una mañana Berthold dijo a su mujer:

—Saldrás conmigo; te he preparado una sorpresa.

(Ahora viene lo triste, como en todas las historias de amor, como mi tristeza con tu ausencia).

Cuando llegaron a la laguna en la que Eveline se había aparecido por primera vez, el joven sacó de un paquete dos pares de patines y exclamó:

—¡Qué alegría esposa mía, te voy a enseñar a patinar!

Pero Eveline se puso pálida como la nieve.

—¡Tu promesa! ¡Olvidas tu promesa!

Berthold se echó a reír y levantando a su mujer por el aire, la depositó sobre el hielo. Pero ¡ay! el hielo se rompió y, mientras Berthold se agarraba desesperado a los bloques de hielo, Eveline se sumergió y desapareció para siempre.

(No habrá una promesa incumplida entre nosotros).

Han pasado dos años. El tiempo ha secado las lágrimas del guardabosques. Sus amigos le han hecho comprender que es demasiado joven para quedarse viudo. Se ha vuelto a casar con una graciosa muchacha que no desea otra cosa que hacer feliz a un joven y apuesto muchacho.

(Una segunda oportunidad).

Mientras los violines resuenan todavía a lo lejos, los dos recién casados han entrado a la recámara nupcial. De repente, una sombra se yergue en medio de ellos y los separa. Es Eveline. Al día siguiente, y al otro, y al otro, la misma escena. Eveline aparece siempre para reclamar su amor. (Estarás por siempre en mi vida, en mis sueños, en mi música… por siempre). La recién casada ha regresado donde su madre y Berthold está encerrado en una casa de reposo, donde habla sin cesar de su bella ondina que vive en el fondo de la laguna.

(Para mí no habrá un nuevo amor, para mí todo comienza y termina contigo).

Matilde permanecía en silencio mirando los ojos azules de Hendrik, abrillantados por las lágrimas, transparente su mirada por la luz que se filtraba por la cortina celosa.

—No, mi amor, sólo la muerte —dijo Matilde pegando su boca a la de su enamorado, besándolo con fuerza, abrazándolo con fuerza—. Sólo la muerte, mi amor.

Se levantó y fue desnuda a la ventana, la abrió sin afán. La luz invadió la piel blanca, iluminó el pelo negro, brillante, oloroso a hierbas, se apoderó de las paredes encaladas, de los ojos ansiosos de Hendrik que la vio renacer como a Eveline en el lago. Detalló sus glúteos armoniosos, medianamente abultados, subió por su espalda, por la línea de su columna hasta la nuca cubierta por la mata de pelo. Nunca supieron cuánto tiempo estuvieron así, ella de espaldas, él descubriendo los cilindros de los brazos que tanto había acariciado, los senos empinados, el pezón oscuro, engrifado, la línea que llevaba al cuello, a la mandíbula, a sus labios carnosos y sonrosados, a la nariz perfecta, a los ojos cerrados dejando que la luz de la tarde les entrara roja, blanca, iluminando también el pensamiento aplazado de fugarse, de encontrar al azar a su hermana Sofía, de volver a ver a Carlos Arturo en las invocaciones a los muertos y de engendrar un hijo del amor. Se volvió hacia Hendrik y avanzó como una aparición hasta la cama, alargó los brazos hacia el torso del músico, dibujó la cruz de su pecho, se inclinó sobre ella y empezó a llorar. Los dos lloraron, volvieron a besarse, sin palabras. Luego la respiración suave de Matilde, apacible y, después, otra vez el llanto; y los besos cortos en medio de la cruz. Hendrik la atrajo debajo de la cobija de plumas y ella siguió acariciando ese pecho que le prodigaba calor y deseo. Encima del cuerpo del alemán se movió con lentitud hasta hallar el lugar exacto para juntarse sin afanes. Él la sintió tibia y temblorosa y ella, erguido y fuerte. Se balancearon en el abrazo y él puso sus manos abiertas, sus dedos abiertos de pianista sobre las caderas y le marcó el ritmo mientras Matilde lo enrollaba con sus brazos en el cuello y lo besaba sin vehemencia. Dejaba que le indicara los movimientos, era el *adagio* que le enseñó en las clases, en el tiempo que los devoraba porque se acercaba el día de la separación, sin saberlo, sabiéndolo. Trataron de ahogar varias veces su grito de amor y se dieron cuenta de que en el segundo piso, con la luz de la tarde, las cortinas separadas, volvían a ser invisibles. Se evaporaron en la agonía de desenraizarse y desunir los cuerpos para una nueva despedida. Y volvieron a llorar, ya en la puerta, con la culpa de que sería la última vez, conscientes de la mentira.

TARDES EN CONTRALUZ

Los livianos sueños de la desesperanza

Hendrik trabaja en las noches para dormir en las mañanas y las tardes al lado de Matilde, en la alcoba nocturna que construyó para sus encuentros. Ella usa el pijama de seda rosa que a él tanto le gusta; la insinuación del cuerpo al caminar, desnudo, todo para él, escondido en la tela que cae suave desde sus hombros. Música y amor mientras Matilde baja a la cocina a preparar el expreso. Vuelve a la cama con los pocillos humeantes, los deja en la mesita, se saca el camisero y nace ante los ojos del pianista como una aparición muchas veces soñada. Primero los pies, delicados, con uñas perfectas y dedos hundidos en el pie de cama, los tobillos que besa siempre al comenzar los ritos de amor. Cada parte, sumada a las pocas tardes de entrega. Los muslos, con su vello rubio apenas perceptible en los visos de luz, desde la lámpara de mesa, redondos y fuertes, los descubre mientras el borde los roza con delicadeza. Tiene la sospecha de que Matilde levanta el blusón despacio en espera de su mirada ansiosa en cada parte de su descubrimiento. El encuentro de sus piernas en su pubis carmelita, pelo tejido, alienta su pasión. Conoce la textura sobre su barba, el roce de los mechones con superficialidad primero, fuerza después y, enseguida —ella también lo sabe— aparta con su lengua la bifurcación en busca del sabor de su tibieza, cazando las profundidades resbalosas. Protuberancias innombrables que encuentra en el arco perfecto, en el temblorcillo que viene desde su boca, con resuello con-

245

trolado hasta ahí, donde los dos se imbrican por segundos, en vilo. El *ahí* de los dos. En el ¡ay!, podrían oír eternamente el Concierto No. 1, de Brahms. Sus tardes con ella. Los livianos sueños de la desesperanza porque no puede quedarse más allá de las cinco. El hoyo del ombligo, como círculo de su ápice-lengua; Hendrik se desliza por la textura rugosa de sus límites, pasa por el punto divisorio, *un poquito ahí*, luego busca su piel rosada, encendida, lo más profundo, sus papilas excitadas, para explorar lo conocido y amado; asciende hasta ese otro punto que Matilde deja emerger, *ahí, otro poquito*; sube por su vientre firme hasta el hueco del juego, huecos amados, chupados, como su boca. Eterno movimiento. Matilde, seda rosa roza su piel. Roza la seda y la piel de sus caderas. Sus frágiles manos de ejecutante hunden los músculos fuertes de sus nalgas, como desentrañando los primeros movimientos de Brahms. La aparición trepa en contra luz y las tetas, curvas semi perfectas, frutas frescas, moldeadas por sus dedos mozartianos con labios de neonato hambriento. Erección de pezón y clítoris. Para completar a su amada, surge su cara blanca, su boca dibujada, carnosa, pezón, labios, ápice-lengua que desentraña las huellas secretas. Ella lo observa con sus ojos oscuros, entredormidos detrás de sus pestañas encrespadas. Lo mete a la cama y le dice, como siempre, *no me mires más, ven*. El café espera caliente.

Culpable del dolor y el abandono

Vestía como las colegialas que iban por los parques

Pasaban semanas sin que pudieran encontrarse pero a la menor oportunidad, nada los detenía, se necesitaban y las prevenciones de Matilde carecían de importancia. Además, ya no las nombraba. Llegaba con ansiedad, pasaba el salón y subía la escalera con premura. Hendrik sentía miedo y desazón, temía por ella, por los dos, perderse en el silencio. *Toca un poco, por favor*. No sabía qué hacía en el segundo piso, en la cama, pero interpretaba lo que ella quería oír, tocaba los minutos que pidiera, tocaría eternamente sabiéndola arriba, en su cama, preparando el encuentro, el final de la tarde. Imaginaba que arriba se acariciaba, desnuda y plena, con la luz desde la ventana cayendo sobre el cuerpo, sobre sus piernas entreabiertas, dispuesta. No detenía la melodía; debajo de su pantalón de lino, la sangre erguida lo acosaba para que subiera a acompañar esa otra melodía surgida en los Preludios de su enamorada. Sospechaba que la ceremonia de la música, la luz y las caricias entre el bulto entretejido, la repetía en la casa de La Merced, sola y pensando en el lecho blanco, en las nubes cargadas que alcanzaba a ver por la ventana, por los seis vidrios uniformes. Ponía uno de los discos de ópera y subía en puntillas para no sacarla del sueño de su sueño. Algunas veces la encontró con la ropa paralela, lista para ir al cine. Se acicalaba en el espejo, coqueteando como adolescente. Hendrik llegaba por la espalda, la rodeaba desde los hombros, con sus brazos, le besaba la nuca por encima del manojo de pelo negro y la llevaba de la mano por las escaleras para sentarse en el salón y mirarse sin palabras. Otras veces la encontraba probándose los sostenes puntiagudos, los calzones de algodón insinuantes con florecillas tenues y jugando a las poses de mujer experimentada sin enaguas ni crinolinas. Hendrik la jalaba hasta la sala, le quitaba sin afanes la ropa pequeña y cerraba los postigos para que en la penumbra lo llamara. *Mi maestro*, —le decía—. *Ven, mi maestro, mi amor, ven*. Él quería besarla sin tocarla, amarla sin temor a perderla, arrullarla sin miedo. Le cerraba los ojos con los dedos sabiendo que no los abriría sino cuando ella se lo pidiera. Lo acariciaba como reinventándolo. Se alejaba, el aire frío llenaba a Hendrik, abandonado, pero los labios de Matilde sobre sus párpados lo contenían. Se aislaba y renacía el beso en los pies. Al retirarse su boca se pegaba a su boca. Abandonaba y volvía al dorso derecho, dejando huellas de saliva. Subía al corazón y escuchaba el ritmo apresurado, dentro de la boca. Redibujaba la cruz del pecho. Se deslizaba encima del cuerpo del enamorado dispuesto sintiendo el cosquilleo de los vellos en los pezones duros. Otra vez endulzaba con su paladar la erección rígida, circundando las humedades antes de volver a invadir la boca de líneas perfectas al compás de Caruso, tierna violencia. Emprendía el regreso punteando con el ápice el pubis, el vientre, el pecho, hasta sus labios. Saboreaba su propio sudor salobre. Siempre la música golpeando las paredes, soltando la cal envejecida de la sala, sin ojos de daguerrotipos espiando; siempre los acordes meciendo el techo de tejas españolas, exprimiendo los olores del patio y espantando los ruidos de la calle. Matilde ponía el abanico de los dedos sobre los párpados blancos del enamorado y juntaba el cuerpo frágil con el de él, suspendido en el placer. Entreabría las piernas para que él entrara en su cuerpo caliente. A los dos los apresuraban las urgencias hasta cuando Matilde daba un suspiro corto, casi ininteligible, casi inaudible, un *¡ay!*

huérfano y desprovisto de exigencias, antes de volver a retirar sus caderas y perder el molde perfecto, sin el ¡cloc! de otras veces, para reencontrarse.

Un hijo adelantaría la tragedia. Fueron los últimos encuentros porque la muerte los acechaba. En el reposo se quedaban mirando el techo, inventando figuras con la cal despellejada y cuando él pretendía hablar, ella le tapaba la boca con los dedos o con un beso. Y se vestían con el *scrach* del disco, y se despedían y Hendrik no podía evitar decir el *te amo*, en el suspiro final.

En la casa de La Merced evocaban los encuentros. Querían ser invisibles como lo creían en la escuela pero los gritos de los niños en el Parque Nacional y los ojos de Federico les impedían besarse libremente. Matilde se escudaba en que el hombre es siempre culpable de los fracasos del amor. Culpable también de los excesos de la carne. Culpable del dolor y el abandono. Con él carecía de hábitos como en su matrimonio. Con él todo era excesos y desmanes, pasiones insanas y vicios incontrolables. En lo que sí tenía razón —y lo dijo cuando le permitió ocupar el silencio— era en que los dos derrotarían la muerte. Para ella bastaba el olor del recuerdo, el olor de él en su cara, en su ropa, en sus uñas, en su aliento. Toda la casa de La Merced olía a Hendrik, a Pino Silvestre. Olía su cama cuando Augusto estaba de viaje. A él no le bastaba su recuerdo, su sonrisa, su cuerpo, su piel en el tacto, su traslúcida figura. No le bastaban los aromas y el ¡ay! perfumado del cuerpo. Ella no le permitió nunca mirar sus carnes violáceas mientras las besaba.

Todos sus amores, incluida Magdalena Massi, habían ocultado entre sus ropas los secretos del cuerpo. Todas estuvieron detrás de los párpados entre la penumbra de los lugares de las entregas, dándole el alma, el paisaje y la música.

¿Preferían realmente la muerte a cambio del abandono? Cada vez que Hendrik meditaba en morir para el amor combinaba los pensamientos con los deseos de tenerla en el segundo piso, desnuda y toda para él, para nadie más. Solo, interpretando trozos de distintas composiciones, creía que para terminar con la pasión permanente cada vez que pensaba en ella, debía morir; invadir su cuerpo con el suyo, navegar en sentido contrario para poder morir con ella y dentro de ella. Semejaba sus entregas como ese mar lejano de su puerto, unas olas poseyendo a las otras, hasta el infinito. El mar mil veces poseído y poseedor mil veces.

Si no marchaba con él no se quedaría tampoco con su esposo. Lo único que detenía a Hendrik era la música. A ella, su hijo. El pianista de Hamburgo quería al pequeño como si lo hubiera engendrado desde antes de conocer a su madre, cuando Matilde tuvo los sueños de volverse artista, marchar a México con su hermana Sofía y huir de los ojos ansiosos del hombre que la condujo al altar y a la rutina. No se planteaba no haber sido su primer hombre porque lo fue cuando ella iluminó el ramo de flores amarillas de la mesa, en el centro de la sala de la casa de La Merced y supo que no la abandonaría por nada ni por nadie. Bernal la había cuidado para él y ya no podría separarlos. Carlos Arturo Aguirre, en su nueva reencarnación, musitaba al oído de Matilde, en su cama del segundo piso, que era el ángel que ella esperó siempre.

Hendrik se dio cuenta por el golpe del corazón, al ritmo de la ventana que no le permitía dormir, de que se acercaba el día de las decisiones; no abrió más matrículas y despidió los últimos alumnos de ese año. El ropero paralelo había crecido pero no los ahorros. No importaba; Matilde vestía como las colegialas que iban por los parques mostrando los muslos, apenas recubiertos por las faldas plisadas, con labios pálidos y cejas marcadas desfilando los pantalones pescadores y las blusas estampadas, cambiándoselos por unos yines descaderados de bota campana con cinturón ancho que no cubrían su ombligo redondo.

Pensó poner un nuevo aviso en la ventana ofreciendo en venta la casa y la escuela, el arpa, los pianos y las guitarras, los muebles y la cama. Sólo llevarían lo que cupiera en el maletín. El ropero paralelo lo regalarían en un recorrido por la Plaza España y se fugarían.

Matilde no cumplió la cita. Lo dejó esperando para detallar los pormenores. En la clase, le había dicho entre dientes, *es imposible Augusto nos buscará y nos matará.*

La Cruz de hierro

Me lanza la cruz como un arma mortal

…me envuelven el olor a cebolla de los rusos, los aromas dulzones de las pieles de los soldados franceses y el sudor seco de los japoneses, antes traidores y después aliados. Desde el foso sale mi eterno enemigo, con la Cruz de Hierro de primera clase en su mano derecha. El falso artista me arroja la cruz como mortal arma Ninja. El metal entra en mi cabeza, la condecoración que el asesino conquistó en 1914 al lado de Luis III de Baviera. La cruz, convertida en esvástica, abre mi cráneo y libera las notas musicales que justifican mi vida.

La última cita

Dibujó con agua la cruz de vellos, del pecho de Hendrik

Matilde estaba ausente. Hendrik tocó para ella media hora continua mientras lo miraba desde el fondo café de sus ojos vidriosos. *Quiero irme lejos contigo*. La voz quedó engarzada en las notas que deambulaban por las paredes heridas. Retiró las manos del teclado pero la voz y las notas seguían buscando por donde fugarse. *Quiero irme lejos contigo*. Hendrik creyó que esta vez hablaba con la verdad, se acercó para besarla pero ella lo impidió. Se levantó de la silla y lo condujo a la butaca. Tomó sus manos y las dejó en la hilera blanca, para que volviera a los Preludios. El espacio se pobló de notas que mecían la soledad. *Dejaré a mi hijo por ti*. Se encaminó hacia el nacimiento de las escaleras, sin huir. Hendrik la vio como si se resquebrajara, sonámbulo, como tantas veces, como tantas tardes. La mañana era fría. Fue a la radiola que acababa de comprar y puso uno de los discos que le dieron como promoción. La voz de Agustín Lara subió con él hasta el segundo piso. Encontró a Matilde de pie, llorosa, desnuda y tiritando. Tenemos música metida en un círculo de treinta centímetros, le dijo para animarla, cubriéndola con su bata de jacquard. *Será la semana que viene*. La cargó como a una virgen venerada, la depositó en la cama con temor a que se rompiera o que se arrepintiera de su promesa. Voy a prepararte un baño de hierbas frescas. *Me mostrarás la salida de*

255

los barcos y navegaremos por tus mares y lagos. Él no alcanzó a escucharla porque la voz de Lara llegó al baño:

Si tienes un hondo penar, piensa en mí.
Si tienes ganas de llorar, piensa en mí.

Llevó el agua caliente y la vertió en la tina de pedernal. El vapor cubrió el espejo y Hendrik se vio deforme como si un nubarrón lo trasformara, como en la lejana tarde de la fuga de Hamburgo. Pensó que volvería a su ciudad pronto, que la guerra había terminado y que su verdugo era ceniza. La canción seguía:

Tu párvula boca que siendo tan niña, me enseñó a pecar.

Matilde cubría su cara con una sábana blanca. La destapó lento, acercó su aroma a Pino Silvestre, le soltó el *te amo* en el hueco del oído y ella se estremeció. *Nadie podrá alcanzarnos.* Bajó la cobija para verla y besarla toda. La cargó. Parecía hecha de algodón. La metió sin afán dentro del agua caliente. Se sumergió sin protestar en el remolino que hicieron sus glúteos al entrar en la bañera. *Ven a mi lado.* Cuando estuvo desnudo, antes de introducirse, Matilde cerró los ojos y trazó con agua la cruz del pecho de Hendrik. La canción:

Piensa en mí cuando beses...

El agua se rebosó. Se abrazaron como peces indefensos. El golpe de la ventana acompasó la voz del cantante:

Cuando quieras quitarme la vida,

no la quiero para nada, para nada me sirve sin ti...

El olor a menta y romero subió con el vapor y empapó sus caras unidas. El larga duración de Lara terminó. A pesar del roce de la aguja con el final del acetato, el silencio pobló el baño. Matilde dejó descansar la cabeza contra el borde de la tina y Hendrik le besó la frente, las sienes, las orejas, sin lascivia. Separadamente pensaron que morir en el agua sería hermoso, como un nacimiento de gemelos. *Estarás siempre a mi lado.* Él asintió con un susurro. La ventana insistía como presagio del tiempo o de la despedida. De pronto cesó. Los ojos cerrados de Matilde la llevaban a lugares remotos, con Hendrik de la mano, viendo zarpar los barcos, observando el verdor, más acá del mar. *Te amaré siempre y por siempre.* La embelleció con los pétalos de violetas que había regado sobre el agua transparente. Los sacaba uno a uno y los ponía sobre la cabeza de su enamorada; adornaba su frente con una corona lila. La luz que entraba desde la ventana de la habitación, con las cortinas abiertas daban —en los antepechos blanquecinos— suaves colores purpúreos que Matilde disfrutó al sentir la tersura de las corolas en su cabeza. Estaban iluminados por el hálito de despedida que en ningún momento asociaron con la muerte. La sacó de la tina más liviana, untado el cuerpo de violetas y la llevó a la cama, respirándole tibiamente en el cuello. La depositó como a un ángel en la toalla que había tendido sobre el cubrecama. La envolvió y dio besos pequeños y rápidos por los hombros mientras ella exhalaba su *¡ay!* doloroso y placentero. El golpe de la ventana regresó con el viento que soplaba por debajo del portón. Las voces callejeras se callaron al igual que la lluvia sobre el tejado, lejana. *Déjame oír a Brahms.* Se puso la bata y descendió como jalado por todas las líneas del pentagrama. Las notas lo calmaron porque sabía que allá, en lo alto, la mujer que amaba disfrutaba los minutos finales de la mañana. Oprimió con fuerza y rabia las teclas, no sabía por qué. Se empinó sobre los pedales y estiró todos los sonidos como queriendo huir con ellos del dolor que se le metía en el cuerpo al saber a su Matilde triste, quizá por dejar a su hijo, quizá porque planeaba abandonarlo.

Quiso suspender las notas en el espacio vacío de su incertidumbre, prolongarlas para que subieran por las escaleras y llegaran a ella y le dijeran cuánto la amaba. Soltó los pedales al verla en el comienzo superior de la escalera, como una aparición sagrada, transfigurada con la luz violeta que los pétalos dejaron en su entorno. Bajó sin tocar los escalones, le dio un beso en la boca, abierto y profundo. *Llévame a casa*. Era la primera vez que lo pedía. Siempre salía como sombra o como enamorada invisible y, una vez ganaba el andén, la ciudad era suya, sin temores. Se vistió su traje oscuro y los zapatos de charol negros con la rapidez de la nueva canción de Lara que ella adivinó en las ranuras. Parecían un daguerrotipo. Hendrik sintió que adherían en su espalda una cuerda y lo subían a una de las huellas de la pared, al clavo, para que empezara a contar su historia a los ángeles protectores o a los seres solitarios. Se agarró de Matilde y ella lo tomó por el brazo y lo llevó hasta la puerta. Cuando cerraron, aún los perseguía la voz de Agustín Lara.

EL BOMBARDERO GOTHA

Mi padre soy yo

…una de las efímeras tardes-noches del segundo piso desperté sudando y entré en un espasmo similar al final de un ataque epiléptico. Matilde esperó a que mi pesadilla se desvaneciera. Mi padre era yo, le dije después de respirar profundo. Mi padre soy yo, repetí y ella me acarició la cabeza. Cuando cerré los ojos y le hice señas con los dedos de que todo estaba bien, Matilde bajó diligente a preparar el expreso. Soy mi padre y viajo en un zepelín, en la Gran Guerra, sobre el campo enemigo; lanzo bombas sin querer, me desprendo con ellas hasta el suelo de las ciudades y exploto con niños y ancianos. Subo a un caza, al bombardero *Gotha* que aumenta la destrucción. Hundo el botón rojo para disparar los torpedos del submarino. Matilde me saca de las máquinas de la guerra con un beso en mis labios resecos, me calienta el paladar con chorritos de café desde su boca.

TOCATA Y FUGA

*Cerró los ojos para que lo acompañara
en su aventura del olvido*

Matilde estaba muerta. Hendrik no asistió a su sepelio porque creía que era una manera de permanecer siempre al lado de su enamorada. Improvisó un *blues*, un *jazz* y cayó, ya en la noche, en los Preludios de ella. Dejaba de tocar para buscar la cigarrería y proveerse de vino rojo, pan y jamón, para sobrevivir su ausencia. Puso el aviso en la ventana exterior, se vende, y siguió tocando. Los interesados en la casa se cohibían de llamar porque no querían interrumpir la música que atravesaba la puerta gruesa de madera. Tocó tanto que los transeúntes se paraban a oír el concierto en los andenes vecinos y aplaudían en el silencio final, sin que Hendrik se enterara. Una tarde, de no sabía cuántos días encerrado, los golpes seguidos le hicieron levantar la cabeza de la tapa del Blüthner. Abrió aturdido por la claridad que hirió sus ojos y pudo ver en contraluz a Angélica hija embutida en un sombrero de paño, escondida su cara y su mirada esmeraldina detrás de una malla de luto. Llevaba un abrigo tres cuartos, de paño pesado. Le dio la mano sin quitarse los guantes de cabritilla, negros. *Quiero comprar la casa*. Antes de que Hendrik pudiera responder lo retiró con delicadeza de la puerta y entró al lugar que había sido de su madre. Traía un maletín colgado del brazo y debajo del abrigo —que se quitó antes de sentarse en el sillón— un sastre de dos piezas flanel y un collar de perlas de tres vueltas. Miró hacia las paredes desnudas. *¿Dónde está mi familia?* —Se cayeron de los clavos, se rompieron los vidrios y los marcos, se rasgaron los papeles—… *¿Dónde están los despojos?* —Yo soy los despojos. Le devuelvo su casa y su piano. Me voy lejos, todo terminó para mí. Se sentó en la butaca y puso la cara sobre los brazos, cruzados sobre la tapa del piano. Angélica hija, o ángel protector, se arrancó los guantes y pasó su mano por los cabellos ensortijados del afligido músico. Él sintió esa mano caliente que se metía por su cuero cabelludo hasta el fondo de su cabeza. Un calor abrasador que le devolvía la fuerza a su cuello. Un calor que le desentumeció las manos, un calor que lo obligó a levantarse con lentitud.

—Por favor, recibe la casa con todo lo que hay adentro, sólo quiero mis papeles y mi maleta, lo demás es tuyo, me lo diste, lo disfruté pero ahora terminó, todo terminó, debo viajar. *¿A Hamburgo?* —No lo sé, pero debo viajar, mi regreso terminó, no debí volver… no debí amar… no debí aceptar tus regalos. Los retratos los dejé en La Catedral, en la Capilla de las Benditas Almas. Son las benditas almas de mi pasado y el tuyo. Allí descansan, allí esperan. Nada me detiene, no podré recuperar lo mejor de la vida, las ilusiones. Sólo la música ha impedido mi desquiciamiento. He conocido y he perdido el amor, ese amor que me lleva a la sinrazón. La razón de mi locura es la locura por ese amor lejos de mi corazón.

Abrió la tapa del Blüthner y empezó a tocar. La mujer esperó. Disparos de hielo atacaron los techos de Bogotá, pero Hendrik siguió tocando, ahora con las mejillas sonrosadas y la camisilla pegada al cuerpo. La granizada golpeaba sin interrumpirlo y ruidos espaciados, secos y uniformes de la ventana lejana contra su marco, tampoco lo detuvieron. La buscaré en todos los paisajes, en las guerras y en las muertes. Tengo en mi corazón una serpiente amarilla. Ya oigo, detrás de tu espalda, detrás de la mía, el rumor del río, el viento, la otra lluvia, los otros relámpagos, los otros chorros tibios de la manigua. Ya oigo el rumor de las hormigas, los pasos de las arañas. Flores envenenadas. Dormiremos lejos de los ojos que acusan y no haremos el amor, él nos lo hará. Él nos lo hará. Él nos lo hará. Él nos lo hará… El *hará* se quedó repetido, un la sostenido. La casa la estremeció un trueno y la lluvia rompió uno de los seis vidrios del piso de arriba. La luz de otro relámpago pegó en las encaladas, el silencio retumbó con vibración fuerte dentro de su corazón. Devuelvo el lugar de mis amores, la música y la mujer ausente. Devuelvo el aire que ya está contaminado de amor-dolor. Fue hasta la gaveta del secreter y extrajo la llave del piano. Se la entregó. Los tuyos y los míos, las almas benditas, los ojos sepias y las discusiones deslizadas por los muros, ya están donde nosotros debíamos estar, —dijo Hendrik Pfalzgraf—. Angélica hija se quitó el sombrero con la mallita que ocultaba su mirada. Parecía más joven que cuando Pfalzgraf la conoció. Su belleza la iluminó un relámpago que penetró por todos los orificios de la casa.

Afuera, la granizada, como clavos entrando en los adoquinados, río revuelto, rápidos sobre acantilados de los andenes. La visitante caminó hasta el escritorio, abrió el fuelle y tendió los papeles. *Hay que volver a firmar*. Lo hizo con los ojos cerrados, dejó la pluma que también le regalaron cuando hicieron la entrega de la casa, entre los papeles notariales. El fogonazo de otro relámpago no alcanzó a bajar del segundo piso; entonces él corrió como si lo llamaran desde el ropero paralelo. Recogió los vestidos, las blusas, los pantalones, la ropa interior, los zapatos, las pañoletas, las diademas, las carteritas de los cosméticos, los corsés y los ligueros, las medias de seda, las blusitas de algodón y lycra, los abrigos y los gabanes, las chaquetas y los collares, las chaquiras y las pulseras de acrílico, los frascos con esencias aromáticas y las flores secas, los suecos de corcho y madera, los yines descaderados y las correas anchas de hebillas brillantes, las colillas de las entradas al cine, los esmaltes y las acetonas, los labiales y las pestañinas, los lápices y los depiladores, los cepillos de dientes y los de pelo, todo lo fue amontonando sobre la cama y lo envolvió en la cobija de plumas y las sábanas de algodón; en otro trueno, que también se quedó en la alcoba, hizo un nudo como de regalo y se cargó al hombro esos recuerdos que pesaban más que la casa, más que el piano, más que los Preludios de su Matilde. Bajó como un mendigo o un desplazado hasta la sala. Abrió la puerta y el viento con lluvia le golpeó la cara, empapó su barba rojiza. Arrojó el bulto y no esperó a que los habitantes nocturnos batallaran por la fortuna. Oyó los gritos de las fieras peleándose la presa. Las voces y las maldiciones murieron bajo otro estruendo que bramó por la callejuela aumentando los mazazos de la granizada sobre la cabeza de los que ya eran invisibles en la noche profunda, iluminada a tramos por los relámpagos. Angélica hija echó a andar el disco de Lara. La voz gangosa punzó el pecho del músico y lo hizo tirar el portón. Lo detuvo. Detuvo su rabia y rigidez. *Escucho tu voz como en el nido la música a sus pájaros dormidos*. Caminó despacio hacia el segundo nivel y sacó su ropa, sus vestidos de lino, sus botas llaneras, sus camisas sin cuellos, hizo un nuevo envoltorio y lo amarró. Sólo dejó el vestido negro, de paño, en la puntilla donde siempre estuvo, hasta los días anteriores; y la única fotografía con Matilde, vestidos los dos de invisibles. Bajó con lentitud hasta el portón. La jauría esperaba como si oliera detrás de los chorros helados de la lluvia la carroña de las piezas untadas de amor y olvido. Le arrebataron el paquete y la camisa que llevaba puesta, los pantalones, los calzoncillos, todo. Desnudo, el torrente lavó su cuerpo erizado; los clavos, con cabezas de aceros de la granizada, le fisuraron la piel y lo hicieron sangrar. Las rosas con espinas también abrieron sus costados, porque no le había dado a Matilde el cuerpo sino el alma. La visitante no se inmutó al verlo desvalido en la sala, con la lluvia hecha lágrimas. No me quedaré, buscaré la montaña y nunca volveré. No huyo, simplemente me retiro del mundo. Se sentó al piano y tocó a Chopin. No debí salir de mi sótano. Debí ir a la guerra. Debí ser un soldado de mi patria. Soy un traidor de todo. El recuerdo del gozo a tu lado ya no es gozo, el recuerdo de este dolor, todavía es dolor. Y duele. La música elevaba sus sentimientos, desnudo, entregado a los nuevos recuerdos. El eco del mundo invisible llegaba a sus oídos. Le restó importancia a la visita. Se hallaba agotado, quería cerrar los ojos y no volver a despertar.

El sol de las diez de la mañana le dio de lleno en la cara. Sacó la cabeza de su caverna dolorosa, miró a su alrededor y leyó la nota que Angélica hija dejó sobre la mesa de noche. Debía ir a la notaría a firmar los documentos. Recordó las decisiones de la pasada noche y se incorporó como sacando el sonámbulo por su boca ácida. Se metió en el agua fría de la bañera que aún conservaba el aroma lejano de romero y menta. Sintió el filo del agua cortarle la piel, tajos finos de cuchilla de afeitar. También sumergió su barba descuidada, sus bucles y desapareció. Percibió los olas que se metían por sus oídos, oyó los ramalazos del agua sobre el acantilado y más allá, la carrera sin fin de Matilde. No tuvo la valentía para quedarse, con el azul de sus ojos, en el cielo de la fuga. Surgió sin prisa, tomó el aire con desgano, como si le sobrara. Algunos pétalos violetas se le adhirieron con el agua que le escurría por la barba. Los agarró uno a uno y se los comió. El sabor seco, azucarado, lo hizo carraspear. Fue a buscar la toalla pero el armario estaba vacío. No le importó. Vio el vestido negro y las prendas que lo acompañaban, en otro clavo, como a un ahorcado. Se vistió sabiendo que su sonámbulo continuaba ahí, bajo la camisa, aprisionado por el chaleco del terno. No se miró al espejo antes de salir. Guardó su billetera en el bolsillo del saco y se expuso a las miradas de los vecinos que lo pobretearon.

Sus botines de charol conocían el camino de la oficina estatal. Allí lo llevaron. No supo cuánto tiempo gastó. Firmó con la mano de su sonámbulo, recogió los documentos y volvió a la calle. Allá estaba La Catedral Primada y hacia allá se encaminaron sus charolados con cordones. Mientras buscaba la Capilla de Las Almas Benditas varios mendigos salieron a su paso, pidiendo unas monedas. Uno llevaba puesto su chaquetón de lino gris con el que había regresado a Bogotá. Le sonrió con complicidad pero el desarrapado no lo entendió. No encontró el bulto de los antepasados de su ángel protector, de los abogados petroleros y sospechó que Angélica hija había venido por ellos. Miró los rostros de los personajes de las telas religiosas y todos ellos lo miraban con lástima. Hasta el mismo Cristo lo observaba desde el otro azul a su azul, con lágrimas por él y por su soledad. Salió sin el hálito que al decir de muchos se sentía en las iglesias. El eco de sus zapatos quedó atrás, en busca del armonio y del campanario. Bajó el atrio hasta la Carrera Séptima y vio en el centro de la Plaza el bronce del libertador Simón Bolívar, del italiano Pietro Tenerani, su cabeza cagada por las palomas desde hacía más de cien años. Tuvo nostalgia por las fuentes, las escalinatas y los autos oficiales parqueados en sus andenes que conoció recién llegado cuando el tío Azriel aún guardaba esperanzas de regresar a Hamburgo o traerse a la familia. Otro barco extraviado. Estrenaban remodelación, los espacios abiertos y el solitario y decepcionado Libertador, con el orgullo de dar la espalda al Capitolio Nacional. Miró la ciudad como si se despidiera y el viento levantó su chaqueta negra y golpeó con sus alas las piernas del romántico músico. Percibió bajo las suelas el golpe de las máquinas cambiando calles, derruyendo edificios y transformando el centro de Bogotá. Todo muere, se dijo. Tres *gamincitos* de cara sucia y descalzos le hicieron bromas y le pidieron limosna mientras daban de comer a las palomas que se les paraban en las cabezas de melenas resecas. *Gringo, una moneda para un pan.* Buscó en los bolsillos y los encontró igual de vacíos a sus manos, a su corazón. Se abrió el saco y dio vuelta a las bolsas de sus pantalones para que se dieran cuenta de que no les mentía. Lo tiraron de las alas de su saco y lo llevaron al centro de la Plaza. Un hombre les tomó una foto en la cámara con manga de luto. *Usted es el organista de La Catedral, me permite una foto para que se lleve el mejor recuerdo, no se preocupe por la paga, ya sabe dónde encontrarme.* Los muchachos callejeros lo rodearon. Ahí quedó con el grupo de indigentes que lo despedían. Ninguno sonriente. Metió el retrato en el bolsillo interior de la chaqueta y bajó a despedirse de su amigo sastre, en el Pasaje Hernández. Le ofreció un café con bizcochuelos *calentanos*, de queso fresco. No le preguntó nada pero sospechó que venía a decirle adiós, que había aceptado el consejo de regresar a su país. *Aquí la modernidad te va a tragar. La música clásica la odian los jóvenes, el* jazz *y el* rock *la están matando.* No contestó, miró sin ver el movimiento del pasaje comercial. Sobre la larga mesa de madera un ejemplar del recién creado periódico La Calle, de Alfonso López Michelsen que regresaba de Méjico a organizar la disidencia o alternación de los dos partidos oficiales del Frente Nacional. *Al hijo del ejecutivo ahora le dio por fundar un partido, lo llama Movimiento de Recuperación Nacional.* Los clientes escuchaban mientras esperaban sus turnos para las medidas. *Prefiero la dictadura a unos ricos disputándose los mendrugos.*

Hendrik vio pasar a Matilde, desnuda, con la corona violeta regada en sus cabellos oscuros. Quiso levantarse pero la voz del sastre lo contuvo, sin dirigirse a él. *No nos falta sino que aparezca otro Fidel Castro de la mano del Che Guevara para que espante a estos oligarcas de mierda.* Hizo una pausa ante el silencio de su clientela. *Estados Unidos bloqueó comercialmente a Cuba, nosotros tenemos a Lleras Camargo, a* míster *Lleras, que hace lo que los amos le manden.* Hendrik se levantó de su silla y dejó el pocillo sobre la mesa, al lado del periódico. Dio las gracias y dijo adiós. Un coro respondió a su despedida.

Buscó la Avenida Jiménez y esperó a que el policía azul, de botas de cuero hasta las rodillas, bombachos y quepis, girara el cuerpo, encima de su pedestal y resoplara su silbato para dar vía a los que subían hacia la Carrera Sexta. Los carros frenaron y la ola humana caminó a pasos largos. Cruzó la esquina del diario *El Tiempo*, el edificio atravesado del periódico *El Espectador* y quiso entrar a comer algo en el restaurante del Hotel Continental pero recordó que no llevaba ni un centavo. Siguió sin detenerse, hasta la escuela. Debía dejar los papeles y las llaves y fugarse. Entró y se hizo invisible. Acarició el brillo del Blüthner y no se atrevió a abrirlo; para él había terminado la música. Arriba, sentada en el colchón desnudo de su cama, estaban Angélica madre y Angélica hija. Tenían el bulto de los retratos en el suelo y le indicaron que debía llevárselos. Le dieron una tula liviana y bajaron sin despedirse. Él supo que no lo habían visto pero de todas maneras se alejó por la callejuela en busca de un teléfono. Llamó al número que le dejó su amigo Campos. El contacto le dio la dirección al mencionar el nombre del vendedor de arpas. Dentro de la mochila había fajos de billetes. Supo que era el dinero de sus falsas propiedades y tomó un taxi. En la esquina permanecían los *gamincitos* de la foto que les hizo el hombre de la manga de luto. Ordenó detener el carro y les regaló por la ventana un rollo de billetes. Le dijeron *feliz viaje* y el taxi prosiguió hacia el recién inaugurado barrio El Polo, hacia los que llamaban conjuntos multifamiliares.

Lo esperaban dos hombres y una mujer. Lo llevarían adonde se encontraba Germán Campos, a las tierras que colonizaban los desplazados de la guerra, los desarraigados de la violencia, los desposeídos de todo. Hendrik subió a un bus y cerró los ojos para que su Matilde, lo acompañara en la aventura del olvido.

Concierto para una boda triste

Había muerto pero me perseguiría siempre

...debía tocar en el matrimonio de mi enemigo. En la cancillería del Reich —donde hizo gala de su orgullo y humilló a tantos políticos sometidos— el Führer cumplía la promesa a Eva Braun. Caminamos por los enormes salones con paredes de pórfidos y pisos de mármol. Un violinista nos acompañaba en el recorrido mientras las bombas caían. Estábamos en lo profundo de la tierra. Los militares los saludaban sin mirarlos a los ojos; salían de los doce cuartos, seis a cada lado del zaguán. Los últimos fueron los cocineros vegetarianos que no comentaron sobre la cena. En el *führerbunker* me tomó una de mis manos, sentí el temblor como el palpitar de la yugular. Pasamos por los recintos donde a diario presidía las conferencias con el Estado Mayor. Eva también tomó mis dedos. La percibí tranquila y enamorada. Entramos a la *suite* de seis cuartos, las habitaciones privadas de mis dos verdugos. Nos detuvimos en el Salón. A la derecha del corredor cuatro alcobas eran ocupadas por los médicos que salieron a saludar: Morell y Stumfgger, dispuestos en la pequeña clínica de urgencias. Más allá, la puerta secreta con tramos de cemento que conducía al jardín por donde yo debía huir. Los invitados, Bormann, Mohnken y Gebbels, ya venían del otro sótano.

…mi pequeño enemigo haría un pacto de amor en el desespero; siempre los enamorados, al final, nos acordamos de hacer promesas; de reconocer errores y arrepentirnos. No besó a Eva para que no lo consideraran hombre débil. Tenía fama de amante clandestino con adolescentes para ocultar sus complejos y el estigma de ser monorquidio. Todos sabíamos que ante los desprecios Eva intentó suicidarse. Él le mandó en su primer intento, un inmenso ramo de flores al hospital pero no fue a visitarla; luego le regaló una villa a las afueras de Berlín y uno de los primeros Volkswagen ensamblados en Alemania, en el que una tarde me llevó a gran velocidad. El segundo conato lo cometió cuando se enteró que su enamorado flirteaba con Unity Mitford, una documentalista inglesa; ella vengaría la afrenta conmigo haciéndome masajear su cuerpo de atleta. Esa vez nuestro sanguinario supo que estaríamos unidos hasta el final.

…habíamos oído a Wagner. Yo estaba atrapado no sólo por su música sino por lo que significaba en la vida de mis antepasados. Wagner había escrito en El judaísmo en la música: *la repulsión involuntaria que provoca la persona y la manera de ser de los judíos.*

…me oculté para evitar la humillación de Wagner a los judíos. *No podemos considerar como susceptible de manifestarse artísticamente a un hombre cuyo aspecto exterior juzgamos que es impropio para una realización artística, no solamente en tal o cual personaje, sino en general, y a causa de su raza.* El estigma wagneriano me perseguiría; seguramente todos se daban cuenta de que *el infortunado, sin patria, fue a lo sumo un espectador frío.* Yo no pretendía ser poeta, sólo ser protegido por la música y los altos pensamientos de sus maestros en el arte del morir y vivir. Ni versos ni obras de arte. No cometería la osadía de un arte público. También Robert Wagner había dado en el centro del blanco para mí errado pero trascendente en la pluma del músico: *el judío solamente puede repetir, imitar, pero no hablar realmente como poeta, ni tampoco crear obras de arte.* Huiría de nuevo a tierras lejanas, o a lo mejor permanecería en el continente que pobló de pesadillas al aventurero Cristóbal Colón. Sabía que algunos intelectuales colombianos aprobaban los postulados de Wagner sobre el dinero y la usura pero el dardo entraba a mi pecho cuando supe que escribió también que *el judío habla la lengua de la nación en la que vive, y en la que vivieron varias generaciones anteriores a él, pero la habla siempre como un extranjero. El judío jamás poseyó un arte propio, en consecuencia, tampoco una vida suministrando materia al arte.*

...Eva me llevó hasta el pianoforte. El violinista no paraba. Tampoco nuestros pasos. Íbamos a cumplir la ceremonia de muerte. Si él había exhibido el cadáver de un traidor feldmariscal colgado en un gancho de carnicería, no daría ese placer a sus enemigos. Antes de que el médico diera el veneno a *Blondi* —su perra alsaciana favorita, regalo de Martín Bormann— y el sargento disparara a sus dos pastores, hizo una señal al violinista para que interpretara una parte del Concierto Número 3 de Amadeus Mozart. Se terminarían lo que él llamaba *doce años de servicio a mi pueblo.* Cuando los soldados de la cancillería escucharon el eco de los disparos que invadió los pasillos, entraron en las habitaciones. Yo estaba escondido detrás de la puerta. Lo vieron tendido sobre el sofá empapado de sangre. Tenía cincuenta y seis años. Se había disparado en la boca con su Walther de 7.65 milímetros, tendido en el sofá, frente al cuadro de Federico el Grande de Anton Graff, que lo observaba con sus grandes ojos de gato y homosexual, a quien Voltaire llamaba *amable ramera*; en la mano izquierda, sobre el cora-

273

zón, oprimía el retrato de Klara, su madre. En el otro extremo del mueble, Eva portaba un revólver que no utilizó porque prefirió el cianuro potásico. Las tres y media de la tarde. En medio del caos gané la puerta del jardín. Esperé. Sacaron los cuerpos envueltos en mantas y los rociaron con la gasolina de los blindados fuera de combate. El calor de las llamas de la ceremonia vikinga llegó hasta mi refugio. Los restos los mezclaron con los de otros soldados. Lo había escuchado vociferar que, como Alarico —enterrado bajo el lecho del Busento—, sus despojos jamás serían hallados. Por la radio de mi lejana Hamburgo se divulgó la noticia. En mi cabeza retumbaba la *Séptima Sinfonía* de Antón Bruckner, con la que despedían al héroe. Mi enemigo había muerto pero me perseguiría siempre.

DIEZ AÑOS CON LA MADRE NATURA

Los males de amor los acaba otro amor

Villavicencio estaba distinta. Preguntó por Celina y Ángela pero le dijeron que se habían ido a buscar futuro en Bogotá. Caminó por el parque donde tantas veces sus alumnos lo veían pasar y algunos se reían de él. Ahora, parecía un sacerdote; o un Mormón, como los que empezaron a verse por El Meta, vestidos con pantalón oscuro, camisa blanca de manga corta y una escarapela, arriba del bolsillo, con el nombre. Llevaban en sus maletines los libros donde divulgaban la presencia de Jesucristo de los Apóstoles de los Santos de los Últimos Días y, según algunos, no eran más que infiltrados norteamericanos que John Fitzgerald Kennedy mandaba disfrazados en la llamada Alianza para el Progreso. Otros decían que los gringos se cagaban de miedo por la expansión del comunismo en América Latina y que no lo tolerarían. Colombia sería el baluarte para detener a los moscovitas que ahora ponían bases nucleares en Cuba. Hendrik se hospedó en el mismo hotel, en la misma habitación donde otras veces logró momentos felices. Esperaría a que Campos apareciera para contarle sus planes. Descargó su bulto de retratos, quiso verlos pero algo se lo impidió. Buscó el lugar secreto que construyó en sus tiempos de profesor del liceo y metió allí los billetes de la venta de la casa. Salió al mercado a comprar unas sandalias de cuero, un pantalón de dril, una camisa sin cuello, ropa interior, cepillo de dientes y una máquina de afeitar. Dos ex alumnos lo llevaron a tomar un refresco y le preguntaron por su vida, pero él les contestó con monosílabos. Se cambió de ropa y volvió a salir, rumbo al colegio. Le dijeron que el rector por quien preguntaba se había jubilado. No le abrieron la puerta.

Germán Campos llegó por la noche. Traía el mismo misterio que el alemán le conocía desde los tiempos de las guerrillas liberales del Llano. Sus palabras ahora eran más firmes y escuetas. Le pidió que a esa misma hora se fueran para Venezuela por donde sacaban el ganado y que se alistara para la nueva guerra. Lo del Tolima no le había servido sino para hacer unos contactos porque los rezagos de los alzados en armas se habían convertido en cuatreros, bandoleros asesinos que no tenían ideología. Le explicó el desarrollo de la nueva guerra contra el Frente Nacional pero Pfalzgraf apenas sí oía los acordes del último Preludio que tocó para Matilde. Luego de una pausa, le dijo no; quiero irme a la selva; tengo que matar un mal de amor para que no acabe conmigo.

—Los males de amor los acaba otro amor, un clavo saca otro clavo —sentenció su amigo tomándolo por el brazo—. No hay necesidad de menjurjes, búscate una hembra y con ella te sacas de la cabeza la que te hace sufrir, o vuelve a Bogotá y juégate la vida por ella.

Al decirle que estaba muerta, Germán Campos guardó un discreto silencio de pésame.

—Disculpa que te lo diga, camarita, pero ante la muerte si no hay nada que hacer. Hay que esperar a que se nos inunde otra vez el alma. Si quieres ir a ver los amaneceres, cuenta conmigo, yo haré los contactos.

Dos días después, Hendrik entregó el dinero a Campos para los gastos de la guerra y emprendió el viaje en busca de los orígenes de sus males y el alivio al recuerdo que lo secaba. Fue de casa en casa, de vereda en vereda, hacia el sur, con las boletas que hacían la cadena de amigos y conocidos, traficantes de favores y montaraces que al cabo de los primeros meses ya habían perdido el hilo de las confidencias. El bulto de las fotografías recuperadas de su ángel protector, que empezó a llamar parientes, era parte de su escaso equipaje. No quería conocer historias de caucheros ni de asesinos de indígenas: quería mirar la naturaleza y desentrañar de ella el lejano murmullo del silencio de donde, según él, no debió salir nunca.

En la zona sur del Putumayo encontró a veteranos caucheros cicatrizados por la esclavitud de las compañías que los trataban de irracionales y salvajes; que con el cambio de luna y amarrados al cepo, les supuraban las heridas de los viejos latigazos propinados por los hermanos Julio César y Lizardo Arana, laceraciones que curaban con el jugo lechoso extraído del siringa o árbol de caucho después de haber sido vendidos por el temible Funes a la Peruvian Amazon Company. Aún llevaban los pantalones a la rodilla y ofrecieron a Hendrik sus lomos para trasportarlo por la selva. A medida que se adentraba en la manigua en busca de los secretos para el amor y el alma, le hablaron en huitoto, en andoque, en boraen o ninuya. No le importaba comprender, se hacía entender con sonidos que inventaba para explicar que el amor y la ausencia se lo tragaban por dentro. Muchos aborígenes lo confundieron con un misionero

277

de los que llevaron la evangelización, pero al saber que superaban el recuerdo de una mujer, lo condujeron a lo profundo de la manigua para que tomara las pócimas que ellos preparaban y dejaban a la luz de la luna para arrancarle la pena del corazón. La voz de que había un blanco enamorado recorriendo el sur de Colombia y que viajaba hacia el Brasil, que no era humano sino que había caído del cielo a una de las lagunas de la llanura, pasó de boca a oreja por los paisajes remotos. Le dijeron que por allí había viajado otro abatido, el poeta Arturo Cova, en busca de un amor devorado por la selva. Aprendió a alimentarse de raíces y frutos y, aunque pretendió desprenderse de la música, en todas partes hallaba nuevos sonidos; armonías que los indígenas sacaban a sus tubos de resonancia con boquilla de palma macana, de más de un metro de largas. Las flautas. La masculina, Pore y, la femenina Ponenó. Pore-é-é-é…, koré…, sonido de la tuba macho que viaja por entre las ramas incitando las vulvas de las púberes. Le prohibieron a Hendrik pronunciar la palabra koré, y le enseñaron a reemplazarla por *codorniz* para nombrar a Matilde, agregándole el grito de bí-bí-bí para que la mala suerte se alejara de ella. Por toda la selva se oía el bí-bí-bí que imitaba la risa de la hija del Sol, antes del coito.

No dejaron a Hendrik echar aire por la boquilla y se quedó aislado mientras la escena del amor ocurría en muchos sitios del Amazonas. Ya tenía la barba y el pelo largos y, los tonos salidos por las flautas, se volvían adagios que le enseñó a su enamorada perdida y que servían como preámbulo a las insinuaciones. En otros lugares encontraba, en la fiesta de Botuto, a los flagelantes que hacían sangrar sus espaldas para quitarse el demonio del alma. Tampoco le permitieron hacerlo para sacarse el dolor del amor, porque el amor era luz y el demonio tinieblas.

Cuando les mostraba las imágenes de sus parientes, los nativos salían despavoridos porque los ojos de esos hombres y mujeres les podían robar sus espíritus, podían ser hijos del mismo Botuto. Se dijo, en los idiomas de la selva, que el blanco caído del cielo a la laguna traía atrapados, en cortezas, las caras de su clan perdido en la magia de los brujos malignos, en las guerras no resueltas o en las garras del tigre. Lo veían tan indefenso que lo dejaban que siguiera con ellos antes de tomar otra embarcación o *curiara* y otro afluente del río.

Oyó decir que los Tikunas habían poblado la tierra por una pareja que salió de la rodilla de Yuche. Le mostraron dónde aparecía el Yaku-Runa en forma de delfín, a orillas del Amazonas, buscando lavadoras solitarias para robarles el alma. O cómo Yaku-Runa se trasformaba en sinuosa mujer morena y pálida que emergía del agua y con una sonrisa lujuriosa envolvía a los hombres con sus encantos y los llevaba a las profundidades del río. Los Tikunas, que alimentaban al hombre blanco que hablaba sin que le entendieran, aún conservaban los ancestrales ritos que relataban, cerca del fogón, al desamparado venido de muy lejos que ahora intentaba aprender su lengua enseñada en un mal español, revuelto con portugués. Quizá podría someterse a la prueba para merecer una mujer, o haber merecido amar una, perder una y recuperarse con los secretos de la selva. Debía luchar con las terribles mandíbulas de Tuxü, la gran hormiga negra que le martirizaría las carnes midiendo su valor. O le sacarían, a pedazos, el desamparo que poblaba su alma.

El viejo conocedor de las plantas tomó el Yagé y aspiró su savia del bejuco recién cortado para que le revelara la causa del dolor del visitante y tuvo la ensoñación de que tantos males los encarnaba Jóriai, el espíritu del tigre. Él tenía por qué saberlo porque era Unámarai, el padre, el guardián del Yagé. Había que buscar de nuevo al tigre para darle muerte. ¿Hendrik tenía un tigre con nombre y espíritu en su pecho? Unámarai le enseñó a mascar coca, a *mambear*, y le dijo que aunque muriera, su espíritu buscaría por siempre a su enamorada. Le explicó que los huitotos no mueren, que el espíritu del padre pasa al hijo y cuando viven los dos, el hijo no tiene espíritu porque es protegido por el del padre, como es protegida la mujer por el espíritu del padre primero y el de su marido después, porque la mujer no tiene espíritu. Hendrik quiso saber si su espíritu se perdía por no haber tenido hijos. No, le dijeron; si un hombre muere sin hijos, su espíritu pasa al sabio de la tribu para enriquecerlo. ¿Y si la mujer que hemos amado muere?

No podría regresar a Hamburgo, su sótano desapareció en el bombardeo, tampoco a la casa de La Candelaria para incendiarla como lo hacían los indígenas huitotos al morir, enterrados en la *maloka* que habitaron. Una vez quemada la *maloka* era abandonada porque a ella había entrado la enfermedad, la tragedia y la muerte. Hendrik no era jefe de nada, se creía un fracasado de todo. Tampoco podría ser vestido de ceremonia ni mecido dentro del chinchorro, nadie lo lloraría. No lo enterrarían en una fosa de cuatro metros con una gran totuma de ambil, zumo de tabaco para matar la enfermedad que lo agobiaba, para atrapar por siempre y no dejar escapar el espíritu maligno que lo mató, ni sembrarían un árbol sobre su tumba, ni incineraría ninguna tribu porque carecía de todo. ¿Podía quemar los retratos de sus parientes?

No supo en qué momento se volvió viejo y cómo pasaron esos diez años bajo la sombra de las grandes ceibas; tampoco cómo superó las pestes que lo rezagaron en muchas caminatas, ni mucho menos por qué se mantenía vivo entre alimañas y enfermedades.

Al final de su travesía regresó a lo más profundo del Vaupés. El sonido de las flautas lo arrulló en todas las comunidades que lo acogieron, pero esta vez, sin saber que sería su última, lo arrobaron. Andaba con los indígenas comandados por el Payé; entendía un poco su lengua Ñengatú y le explicaron que podría ser el mal de la mujer el que lo secaba como chamizo. La *maloka*, construida cerca al río, estaba lista; las frutas sobre el balay y la chicha en las ollas. Haría parte del ritual de la vida y la muerte. Cuando las flautas se silenciaron y los hombres en fila se dirigieron a la *maloka*, las mujeres púberes se escondieron entre la maleza.

Hendrik aprendió que las diosas paridas en ese mundo eran tan comunes como en las otras mitologías; Garanchacha, cacique, engendrado por un rayo de sol en el fondo de una esmeralda, en la gran región Muisca. Tepoxteco o hijo del viento, su madre también fecundada en el agua, en México, hasta cuando hizo su aparición en el Anahuac, tierra de dioses americanos.

En medio de las ceremonias Hendrik pudo ir hasta el cerro del Cuerno de la Luna. Vio las tristes mujeres que murieron en la guerra, convertidas en estatuas, como las del Nunuiba que ahora le ayudaba a sacar el dolor de sus entrañas. Ya no pensaba tanto en Matilde ausente sino en Matilde a la espera. Y la perdonaba por haberlo abandonado cuando más la amaba. La música sagrada salía por las tubas construidas en palma, la planta de un traidor llamado Ualrí que devoró a los jóvenes en el lejano pasado. La palma sobrante fue lanzada al río. Y la música era la misma que los antepasados oyeron salir de los huesos del traidor cuando lo llevaban a la pira.

Fueron los últimos tres días de fiesta que tuvo Hendrik en lo profundo de la selva. Escondieron los instrumentos y las máscaras porque llegaban de las tribus vecinas las mujeres dispuestas a los amoríos, a la lujuria y la celebración. Otra vez invisible se trasparentaba ante los ojos vivaces de las jóvenes desnudas y lascivas. La música alejaba los malos espíritus llamando a los buenos, que lo ayudarían a ser menos infeliz. Supo que las primeras mujeres habían exterminado a los hombres de la tribu por creerlos incapaces de amar, vivir y gobernar. Yurupary encontró los huesos de los varones de su aldea y las largas cabelleras de las asesinas. Desde ese triste día, fabricó los instrumentos y la música para llorar sus muertos. Esa música que ahora sacaba del corazón de Hendrik las ideas de traición y abandono. La música que siempre, durante su vida, lo acompañó para salvarlo. Lloró, adornado con las largas caballeras de las mujeres y pidió por los que murieron en la guerra y por los que sufrían de amor. Y de su corazón nacieron flores y plantas depurativas que no dejó escapar del pecho. Nunca más sería sordo al amor.

Lo condujeron hasta la boca del camino que no tenía huellas y moviéndolo por ríos y laderas en busca de su pasado hasta cuando se despertó triste en la cama de un hospital de Leticia. ¿Moría o renacía? A un lado, el bulto con las fotografías de sus parientes.

Al recuperarse, viajó a Villavicencio en busca de Campos, de Celina o Ángela. No encontró a nadie. En el escondrijo que había hecho para guardar sus ahorros halló unos billetes que dejó su amigo vendedor de arpas. Los retratos que había botado al río Amazonas en un acto de valentía, nunca supo cómo volvieron a él.

Tomó el primer bus para Bogotá.

Julieta-Matilde, dos caras del olvido

Curado del dolor mas no del amor

Luego de aventurar huyéndole al recuerdo del amor, más dañino que el mismo amor, sintió que Matilde lo llamaba desde su cerro de Monserrate ahora que regresaba del túnel de la muerte. La buscaría de nuevo, seguirían su romance por encima del abandono. Pasó por su mente una idea terrible: que perdía la razón. Aún conservaba la madurez del hombre curtido por las inclemencias del Amazonas, curado del dolor mas no del amor. Había sobrevivido dos veces al mismo río. Beber *Yagé* le quitó la opresión de la ausencia definitiva pero avivó en su fragilidad el deseo de regresar por ella. Volvió a la casa donde tuvo la escuela de música y el almacén de pianos con el propósito de vivir en el segundo piso y esperar a Matilde. Comprendió, sentado en el andén, envuelto en su traje de paño negro que le guardaron en el hotel de Villavicencio, que su amante vendría desde la casa de La Merced para reencontrarse allí, en la falsa noche que inventó para ella. Daría las explicaciones que preparó durante los últimos diez años y empezarían de nuevo. Federico tendría veintiuno, estaría casado, con hijos, tocaría a Brahms, sería feliz. Nadie se interpondría porque Augusto Bernal habría muerto en una reyerta de negocios; definitivamente se irían a Europa, tocarían en Viena o Hamburgo. *Después de estos largos días de silencio, de sufrimiento, de esperanza y desesperanza, espero que un antiguo amor reciba estas líneas. Si ese amor ha desaparecido, no abras esta carta y devuélve-*

mela. Palabras de Schumann a su enamorada que quiso enviar a Matilde pero no era capaz de iniciar nada que la comprometiera.

No tuvo dudas al caminar por entre los pinos candelabros sin podar y enfrentarse a la puerta de la casa de La Merced. Escuchó con nitidez el Concierto No. 1, de Brahms, con los ojos húmedos. Golpeó tres veces con el eslabón de bronce. Las siete de la noche. Julieta Martínez —la segunda esposa de Augusto Bernal— abrió con la botella de aguardiente en la mano, balanceándose.

—¿Eres tú, mi amor?

—He regresado para quedarme, quiero que me perdones.

—Entra mi amor.

—¿Tocabas a Brahms?

—No, cantaba a Javier Solís.

—Tienes que llevar el piano a la tienda, lo escucho desafinado.

—Es una larga historia, mi amor.

—¿Y Frederic?

—El hijo de puta me robó todo.

—Siempre fue un buen muchacho, un poco retraído pero buen muchacho.

—¿Quieres un trago?

—Prefiero algo de Chopin... hace tanto que...

—Está bien, está bien, te traigo un vodka.

Hendrik creyó tocar hasta entrada la madrugada y ella cantó rancheras. Después, lo condujo hasta el segundo piso.

—Entonces, eres el extranjero.

—Debes mejorar tu alemán para el viaje.

—El profesor.

—Tenemos tiempo, Matilde.

—¿Matilde? ¿La misma que me robó a mi marido, la puta que dejó a su hijo abandonado en esta casa?

—Lo llevaremos, mi amor, lo llevaremos.

Julieta lo desnudó y metió en la cama como lo hacía con sus amigos casuales. Lo besó diciendo *el alemán, el alemán*, quedándose dormida, al lado suyo.

Despertó sola, navegando en la confusión. Bajó rápido, temiendo el asalto y lo encontró en la cocina preparando un café.

—¿Y la señora Matilde?

—Ella no vive aquí. No hay ninguna Matilde: soy Julieta Martínez, la viuda de Augusto Bernal.

—El piano ¿dónde está?

—¿El piano?

Lo acercó de la mano hasta las sillas de madera que servían de sala, se sirvió un aguardiente, quiso besarlo.

—Eres el alemán.

—Hendrik Pfalzgraf.

—Muy interesante, señor alemán. ¿Busca a Matilde, la exesposa de Augusto Bernal, la mamá de Federico?

—¿Qué pasó con el piano? ¿Lo llevaron a afinar?

—Ellos están de viaje. ¿Usted estaba de viaje?

Hablaban mientras él tomaba el café humeante y ella aguardiente, de la botella.

—Somos las personas que faltan por morir. Dos personajes secundarios de la telenovela.

—Esperaré a que venga la señora.

—¡Claro, señor alemán, yo también la estoy esperando! Pero dígame, señor alemán: ¿usted volvió para quedarse? ¿Tiene casa?

Hendrik permaneció en silencio, se levantó de la silla, fue hasta el pasillo, los ojos azules puestos en la puerta principal.

—Mi casa no existe pero no importa, lo cierto es que aún tenemos tiempo.

—Sí, tiempo. Tenemos tiempo. Todo el tiempo del mundo. Ésta será su casa, señor alemán.

—Es la casa de mi alumna, la casa de Matilde.

—Soy Matilde ¿no me reconoce?

—¿Dónde está el piano?

—Dejé de tocar el piano cuando usted desapareció. Lo vendí a un anticuario. Todo debería venderse en los anticuarios. Los anticuarios guardan el pasado, lo revenden, lo acaban. Matan los pasados, destruyen el dolor.

—No tenemos otro Steinway. Mi almacén lo cerraron, en J. Glotmann vi uno de última generación. ¿Podemos ir a buscarlo al anticuario?

Mientras Julieta dormía las borracheras después de luchar con los abrazos y los besos no correspondidos, Hendrik recorría la casa. Sentía que en el patio se oían voces y caminaba en puntillas para espiar. Detrás de la noche escuchaba que Matilde le hablaba a Federico sobre un viaje que harían muy lejos. Le decía que pronto conocería el amor y que no debía traicionar sus sentimientos. *Jamás se conquista por la fuerza un corazón.* Le hablaba de Carlos Arturo Aguirre, su abuelo muerto y le rogaba que a su muerte buscara a la tía Sofía que estaría ahí para ayudarlo. Luego la presentía en la sala, dando instrucciones a las muchachas del servicio y escogiendo el té que daría a su profesor. Se dirigía hacia allí, conectado al aroma de su perfume; hasta las sillas vacías, en medio del silencio. *¡Ah, qué grande es el mundo a la luz de las lámparas! ¡Y qué pequeño es a los ojos del recuerdo!*, pensó en el viejo verso. Llegó a la que llamaban sala de música, y la encontró de espaldas, con él respirándole en su coronilla mientras le decía palabras lisonjeras que la sonrojaban. Daba inicio a la clase: sentir antes que comprender. Debes tener siempre fría la cabeza, caliente el corazón y larga la mano. Hacía el movimiento para que sus palabras tibias se pegaran a su cuello. Cuando el corazón es bueno, todo puede corregirse. Ella se estremecía. No te preocupes, lo último que uno sabe es por dónde empezar. Las lecciones y los consejos que oyó en su sótano de Hamburgo, ahora salían con ese español que a Matilde gustaba tanto, no sólo por las erres prolongadas sino por el tono, como prestado de la música. La voz grave de Augusto Bernal lo sacaba de sus disquisiciones. Arriba peleaban Julieta y su marido mientras Matilde lo guiaba de la mano a la puerta principal para escapar. No decían nada. Habían aprendido que el silencio es el gran maestro de la conversación.

En busca del piano

Sin la música la vida sería un error

Hendrik y Julieta salieron. La gente los miraba. Preguntaron en varios anticuarios. Regresaban a casa y contaban historias que no se oían entre ellos. La selva, la máscara de Yurupary. Julieta vuelta Matilde. Julieta madre. Julieta pianista. Dos semanas después, cuando Julieta despertó de su beodez, encontró la casa vacía.

—¡Alemán, alemán! —gritó por todas partes.

Hendrik alquiló una habitación en el barrio Santafé con el dinero que en las noches ponía Julieta en su morral y se dedicó a buscar el piano. Primero visitó el Conservatorio Nacional, dio ejemplo de maestría a los profesores, no aceptó las clases que le ofrecieron y se despidió con el convencimiento de que encontrando el Steinway, encontraría a Matilde. Las academias, los colegios y las universidades: fracaso. Unas veces el Concierto Número Uno lo adormecía con Matilde, otras lo hacía gritar en su cuarto, despertaba al vecindario y amenazaban que lo sacarían de las greñas si volvía a irrespetar el sueño de los inquilinos. Las iglesias. Buscó en todas hasta llegar a la de San

Francisco. Escuchó desde la plaza primero a Brahms y después a Bach, las notas entraban por sus oídos como gusanos voladores. Quería, como Schumann y su enamorada, conmover a los ángeles. Quería decirle que él también había ido disfrazado de fantasma. Jugó con Matilde al significado del nombre invertido de la admirada ciudad europea: Roma.

El párroco lo recibió en su despacho. Un cura italiano de setenta años que sufrió el rigor de la guerra. Bastaron las miradas para reconocerse en el dolor. Hablaron cada uno en su idioma, lloraron a sus muertos y subieron al coro donde un Steinway caoba esperaba desde hacía mucho tiempo. Le confesó el sacerdote que lo recibieron de un hombre muy extraño que no aceptó dinero ni nada a cambio. Hendrik interpretó el Concierto Número Uno y habló a Matilde sobre las posturas de las manos, compases, movimientos. Cuando se cansaba de preguntar en los anticuarios por el piano, reaparecía en la iglesia de San Francisco a conversar de Brahms con el sacerdote; y a robarle un Preludio al Steinway, que el párroco escuchaba con los ojos cerrados. Pfalzgraf creía, como Nietzche, que sin la música la vida sería un error.

Volvía a la casa de La Merced para dar las clases a Matilde, a consolar a Julieta en sus ataques de llanto y alucinaciones. Los dos compartían mundos irreales que jamás se entrecruzaban. En uno de los amaneceres, cuando ya quedaban pocos muebles en la casa, Julieta le sugirió que por qué no buscaba a Federico Bernal para que le devolviera el piano. El nombre trajo a Hendrik los ojos ansiosos del muchacho que los vigilaba mientras él y Matilde se buscaban las manos y temblaban, antes de las visitas a la primera planta del almacén. Lo que ignoraba Julieta era el sitio donde él se encontraba. El remate de la casa de La Merced se lo manejaba un abogado al que no le sacaban palabras diferentes a las propuestas para que vendiera la parte que le había dejado su marido. Hendrik se dedicó a averiguar por el hijo de Matilde, la causa de que los dos no hicieran el viaje a Hamburgo. Las pocas amistades del alemán no aportaron datos que lo condujeran a Federico Bernal. Seguramente estaba en el exterior, a lo mejor en Hamburgo, buscándolo para cobrarle la muerte de Matilde. Se desanimó cuando alguien le aconsejó no revolver asuntos legales porque podría terminar en la cárcel. No le dio miedo la prisión pero sí abandonar a Matilde y sus clases de piano. Su viejo conocido del Pasaje Hernández le hizo dos vestidos de paño, uno café y otro gris y no creyó lo que Hendrik le contó en pocas palabras sobre su vida en el Amazonas. Adujo que todos venían con esos cuentos para tirárselas de aventureros y sabios. A Hendrik le gustaba sentarse en el sofá de cuero cuarteado de la sastrería. Le servían pocillos grandes de café y se enteraba de los sucesos del país, sin interesarle. El fraude en las elecciones, el robo de la presidencia al general Rojas Pinilla, las Repúblicas Independientes y las guerrillas que se multiplicaban por toda Colombia después de los bombardeos, eran los temas que se discutían.

—Mire, profesor —decía el sastre a Hendrik— recuerde cuando le dije que se fuera para Alemania, que esta ciudad se estaba llenando de desplazados y usted no quiso hacerme caso; pues ahora está peor: ya somos más de dos millones de habitantes. La guerra se alarga; más ahora que le revuelven plata de los esmeralderos y los narcotraficantes aliados con los políticos. Y a nosotros, que somos honrados y no nos importa apropiarnos de nada, nos meten en ella; es la suciedad la que nos tiene hasta el cuello.

Hendrik no intervenía. El sastre seguía trazando líneas blancas con sus reglas curvas.

—Es una guerra de todos contra todos, como dicen algunos y, apoyar a los conservadores, así sean del Frente Nacional, es un suicidio colectivo.

Otros visitantes entraban en la conversación.

—Al Frente Nacional le quedó grande el problema. Ya no es la guerra de liberales y conservadores, ahora hay varias guerras en la guerra grande.

—En ésta y en todas las violencias no puede haber sino perdedores —dijo uno de los asistentes, sentado al lado de Hendrik.

—La reforma agraria de Lleras Restrepo no ha servido sino para agrandar los patronazgos y el clientelismo.

—Y Valencia sólo se dedica a cazar patos, mearse en público y gobernar desde las casas de lenocinio o *puteaderos* —comentó otro con dejo de burla.

—¡Viva España! —coreó un tercero recordando el saludo que Guillermo León Valencia, siendo presidente de la república, lanzó a Charles De Gaulle cuando visitó Colombia— ¡es el colmo de la borrachera!

—Estamos jodidos por donde nos miren —intervino el primero.

—Ésta no es una guerra de ideas sino de revanchas —concluyó el sastre como para terminar la discusión política. Pero fue imposible: sus amigos y clientes, tranquilos, se servían otro tinto de la greca.

—Parecemos civilizados pero para eso nos falta mucho, no es suficiente con tener rascacielos como los edificios Avianca y Coltejer.

El aguacero empezó a arreciar y tuvieron que subir el tono.

—Este país necesita mano dura —dijo uno.

—Pero tenemos muchos políticos de mano elástica o blanda.

—Y de manos largas con el presupuesto y los auxilios parlamentarios.

—Aquí es más fácil cambiar de religión que de Partido.

—No es cierto, fíjese: Alfonso Antonio Lázaro López Michelsen inventó el MRL o Movimiento Revolucionario Liberal para su beneficio y cuando lo nombraron gobernador del Cesar, dejó la rebeldía a cambio del puesto. No cambió de Partido sino de estrategia para subir al poder.

—¡Pasajeros de la revolución, favor subir a bordo!, —decía cuando estaba con los camaradas. Ahora, pasajero, a la presidencia, al poder.

—Él siempre estuvo en el poder.

—Y después preguntan por qué los curas se rebelan.

—O por qué existen las guerrillas.

—Las amnistías no han servido sino para matar por la espalda a los que no han comulgado con los gobiernos. Ahí están Guadalupe y Dumar Aljure.

Hendrik pensó en Germán Campos, quizás estaría muerto, por un disparo en la nuca. Quería saber más de los asesinatos de la policía, pero los contertulios saltaban de un tema a otro. También meditó sobre la posibilidad de que Campos estuviera en Venezuela enrolado en la bonanza del petróleo.

—Que el ejército autorice entregar armas a la población civil, es contribuir con la guerra.

—Eso está respaldado por un Decreto de Estado de Sitio. Los generales creen que la subversión tiene brazo armado y brazo civil y que ambos deben serle amputados.

—Las autodefensas o los campesinos armados por el gobierno no son más que delincuentes de Estado. Pero el gobierno pretende así, exterminar las guerrillas.

—O acabarlas con los consejos verbales de guerra.

—A las guerrillas liberales las volvieron comunistas porque fracasó la entrega de parcelas. A los campesinos liberales desplazados no les quedó más que meterse al monte y poner el pecho para obligar al gobierno a hacer una verdadera ley de tierras.

—O refugiarse en Bogotá.

—O meterse a cultivar marihuana en la sierra.

—El negocio del año.

Todas las tardes de viernes en la sastrería del Pasaje Hernández, se volvía al tema sin contradictores.

—Parecemos una célula urbana subversiva —advirtió

alguien antes de despedirse—. La próxima vez inviten a un gobiernista para que defienda a Pastrana Borrero y su política de no más reforma agraria. Me voy a ver los Juegos Panamericanos de Cali: Cuba y Estados Unidos se disputan las mejores medallas. Los gringos serán los campeones.

—Eso está por verse, como la llegada a la Luna —replicó el sastre.

Continuaron tomando café y especulando. Hendrik, agazapado, apenas oía cuando los Preludios le daban una tregua.

—La Doctrina de Seguridad Nacional y el famoso Enemigo Interno, no son más que fachadas para acabar con los comunistas, los movimientos de izquierda y las protestas sociales.

—No hace falta sino que eliminen a los seguidores del general Rojas Pinilla porque hablan de mejor vida para los pobres. Ahora ya no hay enemigos militares sino enemigos de clase.

—La Tercera Fuerza del General es una realidad; ¿o van a negar la más grande manifestación que ha habido en Colombia?

—Fueron cien mil personas en la plaza de Villa de Leiva, arrodillados, con veladoras en la mano, alumbrando a mi General.

—Se dijo que la Alianza Nacional Popular o anapo era un partido nacionalista, revolucionario y del pueblo, y eso no les gustó ni a los jefes liberales ni a los conservadores. Ni a Lleras, ni a Laureano, ni a Ospina.

—No hay cabida para otros partidos.

—Ya se acabaron los turnos en la presidencia.

—Pero no se ha acabado el bipartidismo.

—Rojas Pinilla dice con razón que en Colombia sólo hay dos clases sociales: explotados y explotadores.

—No sé cómo podrán aplicar el socialismo en las condiciones actuales del país.

—Me gusta eso de que el hombre debe constituir la primordial preocupación del Estado.

—Preocupación, no: obligación.

—Así no le guste *a la cobarde envidia*, la anapo es un nuevo partido.

—Ya veremos cómo se comportan, para votar por ellos.

—Ahora los derrotó la maquinaria y el fraude pero en el futuro les va a quedar difícil.

—Ya dos mil campesinos del Tolima invadieron tierras en el Llano.

—Y en los territorios indígenas de las riberas del río Magdalena.

—Esto se está poniendo color de hormiga.

—Y las protestas estudiantiles las están acallando con el cierre de las universidades.

—La del Valle, la Nacional, la Industrial de Santander, la de Cartagena, la del Atlántico. Hay más de setenta muchachos retenidos.

—En Cartagena no dejaron hablar a Álvaro Gómez.

—Hay toque de queda en Bucaramanga y Cali.

—Y en Ibagué la cosa está caldeada.

—Se habla de limpieza social. Los escuadrones de la muerte asesinan indigentes, *gamines* y pordioseros, prostitutas y homosexuales. Sicarios callejeros que muchos aceptan porque están cansados de ver miseria en las calles.

—Eso es fascismo puro.

—Los maestros y los universitarios están contra la privatización de la educación que propone Pastrana.

—El llamado Estatuto Docente.

—El ministro Luis Carlos Galán les ha mandado la fuerza pública para reprimir las protestas.

—¿Y ya leyeron la carta de Pastrana al general Luis Carlos Camacho Leyva?

El sastre sacó el periódico del cajón del escritorio. Leyó:

Bogotá, marzo 10 de 1971. Señor Mayor General, Luis Carlos Camacho Leyva. Director General de la Policía Nacional. E. S. D. Señor Mayor General. La tarea cumplida por las fuerzas de policía durante los recientes acontecimientos constituye una nueva página de honor en la historia de esta institución. No exagero al decir que la formación que se ha dado a nuestra policía en los últimos años debe enorgullecernos porque podemos presentar un cuerpo digno de cualquier país altamente civilizado. Permítame reiterar a usted, y por su conducto a todos los oficiales, sub oficiales y agentes de policía mi reconocimiento y el de la nación por los invaluables, abnegados y en ocasiones heroicos servicios que le han prestado especialmente en las últimas semanas. Reciba nuevamente, Señor Mayor General, la ex-

presión de mis mejores sentimientos. Misael Pas-
trana Borrero.

Hendrik hubiera querido decir a los contertulios de la
sastrería La Gran Tijera, que también él tenía su pasado de dolor. Hablarles de Napoleón y la ocupación de su lejana Hamburgo, del gran incendio de 1842 que destruyó un tercio de la
ciudad, de los bombardeos de los aliados en 1943 y de la gran
marea alta de 1962 que inundó el norte de Alemania y Hamburgo. No pudo. De nada servirían sus desgracias frente a los comentarios de unos desconocidos. Sabía que manejar el silencio
es más difícil que manejar la palabra.

Antes de que la lluvia cesara, el músico se despidió con
una voz pequeña. Caminaría bajo el paraguas negro hasta su
habitación y luego iría a La Merced a la clase de la tarde. Matilde lo esperaría con el mismo ramo amarillo en la mesita de
la sala, se sentiría, junto a ella, un peregrino frente a un altar.
Escucharía su voz como Clara Schumann oía a su cantante,
Matilde Hartman.

Con la muerte de Matilde el mundo entero había muerto
para él. No quería estar consciente de su olvido porque terminaría sumido en su propia soledad. Las dos muertes acabarían
con el dolor y sobre todo con el recuerdo. El dolor del alma,
superado, el de la ausencia latía como fiera. Se negaba a que la
casa de La Merced estuviera cerrada para él. Quería volverle
a decir al oído, con frases prestadas de Brahms: *a veces me*
gustaría ver a las personas por primera vez, así podría nueva-
mente enamorarme de ti.

Caminó hacia el norte, por la Carrera Séptima hasta la Calle Sesenta, a mirar y comprar los nuevos vestidos para Matilde. Aunque lo veían triste, taciturno, le vendían las minifaldas de colorines, las maxi ruanas de rayas, aretes y pulseras de acrílico. Le ofrecieron los nuevos calzones de licra, pequeños y de colores y él, sin miramientos, compró uno de cada gama. Estaba feliz, vería el cuerpo de su enamorada detrás del pijama de seda rosa, luciendo sus nuevas prendas. Algunas muchachas lo miraron con delicadeza e hicieron comentarios sobre sus ojos azules y su pelo melaza que le cubría las orejas. Hendrik trató de ver sus sostenes para llevar unos a Matilde pero se dio cuenta de los empinados senos de las compradoras desnudos detrás de las blusas bordadas con florecillas de colores en las pecheras. De los parlantes pequeños del almacén salía la música de The Rolling Stone y ellas se movían con suavidad.

I can't get no satisfaction
I can't get no satisfaction
Cause I try and I try and I try and I try
I can't get no, I can't get no.

Le gustaban más Lennon y Bob Dylan. Pagó con los billetes ahorrados de bautizos y misas en distintas iglesias de la ciudad, antes de descubrir los *puteaderos* finos del barrio Santafé adonde acudían los adinerados. Los antiguos ricos y los nuevos ricos. Doña Blanca, la más sofisticada de las matronas del negocio del amor y el sexo, compró un piano y le dio trabajo los viernes y los sábados.

DETRÁS DE LAS CORTINAS

Una morena de ojos vivaces

Doña Blanca lo disfrazó. Metió sus bucles en un sombrero negro, le montó unas gafas oscuras y lo sentó al piano para que tocara *blues* y *jazz*. Después de las danzas, a la media noche, en el apogeo de la fiesta, a Hendrik lo bañaba un chorro de luz, al lado de la sala. Todos quedaban como electrizados al escuchar un *Bossa Nova* de Dave Bruberck que invadía las cortinas y los clientes en las habitaciones dejaban de hacer lo que estaban haciendo para cerrar los ojos y ponerse románticos con las damas que los atendían. Los choferes, apostados afuera de las elegantes casas del barrio Santafé, se acercaban a la puerta para escuchar la interpretación de Hendrik, fumando Pielroja y envidiando a sus jefes por tener la oportunidad de gozarse las muchachas. Pfalzgraf había aceptado el trabajo porque necesitaba dinero para que su Matilde viviera dignamente. La casa de La Merced se caía y Julieta Martínez-Matilde Aguirre le exigía cada vez más a cambio de verla dos veces por semana. Se convencía de que la muerte de Augusto no había abierto las puertas para salvar a su viuda pero que con persistencia, lo lograría. Detrás de las *Ray-Ban* de piloto nadie podría descubrirlo ni encontrarlo, mucho menos los amigos de Bernal que asistían todos los viernes a las salas lujosas y lujuriosas de doña Blanca. Lo único que pidió a la dueña del establecimiento fue total discreción de su nombre porque no quería banalizar la música que tanto respetaba.

No dejó la habitación del inquilinato aunque algunas de las muchachas le ofrecían sus cuartos y quedarse con él porque sufrían con los tratos que les daban los nuevos ricos, comerciantes de esmeraldas o *esmeralderos* que no faltaban los viernes y hacían cerrar la casa a cuenta de su dinero y sus piedras preciosas. Llegaban en sus Mustang, sus Land Rover o Nissan Patrol cabinados, ostentosos y descamisados a hablar de negocios y de cómo se tomarían al país comprando políticos y empleados del gobierno.

A la hora del *jazz* —como bautizó doña Blanca la actuación de Hendrik— algunos se salían de casillas porque querían oír rancheras y no el concierto del gringo. *¿O es que ese enmascarado no sabe tocar un corrido de José Alfredo Jiménez?*, —reclamaban desde las salas, brindando con *whisky* 18 años. Habían invertido en las campañas de Pastrana Borrero y Rojas Pinilla para no tener pierde y asegurar presidente. La mayoría vivía en el Barrio Santa Isabel, donde tenían escoltas privados por las disputas de la zona y el poder en las minas de Muzo y Coscuez. Mercenarios y sicarios a sueldo.

Un geólogo joven contaba a las muchachas la historia de las esmeraldas y hacía énfasis en la traición de las mujeres. Las jovencitas se miraban y soltaban la risa. Luego guardaban silencio mientras relataba la historia con tono de radionovela.

—Después de crear el mundo, Are, un dios fabuloso en forma de sombra, cogió dos juncos del río Magdalena y creó la pareja humana. Fura se llamaría la mujer y Tena, el hombre.

Algunas muchachas desocupadas se acercaron.

—Les inculcó la libertad sin límites, les puso el Sol, la Luna y las estrellas y, para que gozaran de la Tierra, les concedió el privilegio de una perpetua juventud a cambio de que el amor fuera único entre ellos.

—¿Y de sexo? —preguntó inquieta una morena de ojos vivaces.

—Are les dio permiso para reproducirse pero, lo más importante: que serían felices siempre; que no conocerían el dolor, ni las enfermedades, ni las desdichas ni la muerte.

—No, eso es mucha belleza ¿y qué pasó?

—Una condición: ser fieles. Aceptaron y vivieron un tiempo felices allá donde nosotros sacamos las esmeraldas: en Muzo.

—¿Y cayeron en pecado como Adán y Eva?

—Un día apareció un hombre que estaba buscando una extraña piedra verde, decían que del tamaño de un puño.

—¿La encontró?

—Un momento, otro *whisky* para calentar la historia. Algunos decían que Zerbi, como se llamaba el explorador, no buscaba una piedra preciosa sino una flor muy especial, con perfumes que aliviaban dolores y enfermedades, que proporcionaba eterna juventud, belleza y felicidad.

—¡Se llevó a la mujer del otro!

—Así fue. Convenció a Fura que lo acompañara en la aventura de encontrarla.

—¿Y qué tienen que ver las esmeraldas con esta historia inventada?

—Las esmeraldas colombianas son lágrimas de Fura, que pide perdón por la traición a su marido. No es mentira, es una leyenda y las leyendas tienen sus verdades. Al principio las

305

lágrimas fueron mariposas multicolores; después, con el sol, se volvieron esmeraldas. Cuando vayan a Muzo, hay dos grandes cerros que representan a los enamorados: Fura y Tena, separados por un río. En realidad las esmeraldas son lágrimas de una diosa. Las que nosotros estamos sacando para hacernos ricos y poder estar con ustedes, dándoles amor y enseñándoles que no deben ser infieles.

Todas soltaban la risa y luego se quedaban calladas porque de los bolsillos del joven geólogo salían pepitas verdes que ponía dentro del cenicero para que cada una escogiera una *morralla* o chispita.

—Estas pepitas, mis amores, las sacaron arrancando peñasco y lavando tierra jóvenes pobres que no saben leer ni escribir, que sólo necesitan para huaquear o ser mineros, un par de botas, una lona, una linterna y un cincel.

—¿Hay mujeres en la mina?

—Las mujeres son las que más tienen porque los campesinos se gastan todo en putas.

—No somos esa clase de mujeres. Somos de categoría, para hombres decentes y con dólares.

Los aludidos metían mano por debajo de las mini faldas y las arrinconaban para besarlas en la boca mientras un negro acompañaba la guaracha con la batería.

—Zorra que no se deje besar en la boca, es señora —decían con burla.

Ellas estaban ahí para lo que fuera a cambio de los billetes que les arrojaban en medio de la pista de baile, sobre el piano de Hendrik. El músico no se molestaba en tomar algunos porque interrumpiría su ejecución. Le caían en su sombrero y sus compañeras de trabajo se los dejaban para que después del aplauso, los recogiera. Los necesitaba, Julieta-Matilde los recibiría de buena gana el próximo lunes.

—Profesor: ¿es cierto que las esmeraldas de Colombia son lágrimas de una diosa?

—Las lágrimas de todas las mujeres son piedras preciosas.

Y les recitó el verso de Rubén Darío:

El verso sutil que pasa o se posa
sobre la mujer o sobre la rosa,
beso puede ser, o ser mariposa.

El siete colores

Cuando lo tenían cercado se volvía mariposa

De nuevo detrás de las *Ray-Ban*. Había entrado al mundo del *jazz* porque doña Blanca estaba con el padre de sus hijas, oculta tras las cortinas, escuchándolo. Había rechazado el trabajo con doña Carlota Soto, la competencia, que le ofrecía buena paga a cambio de cinco piezas por función. Fue varias noches a El Rosedal, en la Cincuenta y Uno con Séptima, y algunas de las muchachas le dijeron que *se lo daban* gratis porque tenía mirada azul, de ángel. Aprendió a reírse de esa palabra, bastante la tuvo en su corazón. Ahora no quería saber de ángeles ni demonios, sólo esperar los lunes para ir a la casa de La Merced y ver a Matilde-Julieta. Además, como Schumann, temía a la sífilis y a la locura, a los dolores que le produjo al compositor el tratamiento con arsénico.

La dueña del establecimiento recibía, en el día, clases sobre música *brillante* de Hendrik quien le aceptaba tomarse un ron con *Coca-Cola*, limón y gotas amargas. A ella la que llamaba *música estilizada* le llegaba a la piel alejándola de su mundo de mariposa nocturna.

En las otras elegantes casas de citas corrió la voz de que la música de un pianista romántico incitaba a los clientes a consumir más licor del habitual. De El Serenata, de La Chata Consuegra, también lo llamaron y hasta las hermanas Consuelo y Camila Pardo, del *Pompidou*, le mandaron razón para que fuera hasta la Diecinueve con Trece, sin compromiso, sólo para que conociera el estilo de la casa. No traicionó jamás a doña Blanca que le dio una habitación y autorizó a las muchachas para que lo atendieran en el día, no sólo en el comedor a la hora del almuerzo sino en las tardes cuando preparaban el festín de las noches y las madrugadas. Supieron rápido que no le interesaba el sexo fácil que ellas le ofrecían porque tenía el corazón ocupado por un gran amor que no traicionaría ni por la más bella de todas. Si había dejado su cuarto de inquilinato era porque todas le daban cariño y compañía y escuchaban sus historias de guerra y de su añorada Hamburgo. Y oía las de ellas, hijas también de la guerra. *Putear no tiene disculpa*, decía alguna pero lo justificaba por el tiempo productivo que les quedaba y ante la falta de oportunidades. Además *cuando una se putea ya no puede hacer una familia*, afirmaba otra en las tardes de chocolate y tostadas, en la pista de baile o en una de las salas de la casa. El tema del negocio de las esmeraldas era obligatorio y las mujeres debían avivarlo para que los esmeralderos *enguacados* dejaran buenas ganancias a doña Blanca.

No faltaba quien se vanagloriara de conocer no sólo las leyendas sino las valentías en las minas.

—Cuando uno encuentra la veta o se va a *enguacar,* es a *Santa Rosa o al charco*; o sale con las piedras o muere, se queda *chupando gladiolo*. Si lo tapa un barranco, que lo tape; si consigue algo, queda uno hecho.

—Pero dicen que es una plata maldita.

—Maldita tu vida de puta cara, se te acaba el cuerpo y sigues en la pobreza.

—Cuando se oye el grito de *¡pirita!* es porque la pirita de hierro es una señal de que está cerca el premio mayor.

—Allí, la vida vale poco. Uno está listo al escuchar las explosiones que sacuden las entrañas de la mina y van dejando miles de agujeros calientes, entre treinta y siete y treinta y nueve grados en la superficie. Por ahí entran y salen los guaqueros, día y noche, con la esperanza de que el corte pinte y la suerte cambie. En espera de una piedra que se tragan o esconden para salir de pobres. Algunos sólo han logrado sobrevivir a los derrumbes, a las hernias, a los hongos y a los sabañones que curan con manotadas de pólvora. Porque los dueños de la mina tienen prohibido robar y al que atrapen, es hombre muerto. Es la ley de la mina.

—Es la guerra verde.

—La muerte nos persigue desde los tiempos de los españoles. Nadie sabe cuál fue el botín que se llevaron ni cuántos los muertos. Dicen que fueron veinte mil libras de oro y dieciocho mil de esmeraldas. Las piedras formaban una pila tan alta que ni un hombre a caballo podía verse por encima de ella. De Muzo sacaban costales llenos de piedras. Siempre ha sido así. Uno disfruta pero espera que la suerte le cambie.

—A nosotros nos da una extraña enfermedad en los ojos, de tanto mirar la luz de las piedras a través de los prismas. Las esmeraldas cristalizan como hexágonos y aún en estado bruto y sin pulir, despiden llamaradas de verde centelleante.

—¿Cómo son los tamaños?

—Una de las esmeraldas más grande fue la pepita de aterciopelado verdor que poseían los mongoles de la India. Pesaba setenta y ocho quilates y podría valer más de cuatrocientos mil dólares. En Nueva York se ha exhibido la esmeralda imperial Atahualpa, del último de los Incas.

—¿Es cierto que las esmeraldas son mágicas?

—Son amables y buenas, es la mejor curadora. Para los sanadores y brujos resulta imprescindible. Rompe los bloqueos emocionales en el corazón, alivia trastornos cardíacos, presión arterial, neuralgias y asma. Su máxima carga de energía es bajo la luna llena y bajo la lluvia. Dicen que afina el chacra entrecejo y el chacra corazón.

—¿Chacras?

De las otras mesas llegaban distintas historias. El ambiente de licor, con sexo incluido final, enardecía las fiestas.

—Después del cierre de la Empresa Colombiana de Minas —Ecominas— por el presidente Misael Pastrana Borrero y de militarizar la zona desalojando a más de quince mil *guaqueros*, el gobierno adjudicó, mediante licitación, las minas a los patrones con el compromiso que organizaran su propia seguridad. Hombres armados con autorización del gobierno empezaron a llegar a las minas, acrecentando la guerra con el poder de las armas. Las guardias civiles de defensa particular patrullaban.

Los hombres con botas de cuero y puntas de hierro, reloj, anillo y pulsera, interrumpían las conversaciones porque decían haber visto movimientos extraños cerca de la casa de doña Blanca Varón. Debajo de sus chaquetas, sus pistolas Browning nueve milímetros.

Uno de los más viejos dijo que le debían mucho a Efraín González, que algunos de sus guardaespaldas eran familiares del más hombre de los hombres de las minas.

—En la pasada Guerra Goda —dijo— bandoleros como *Chispas* fueron llamados por los cafeteros liberales del Quindío para contrarrestar las actividades de Efraín González que sobrevivía de las colectas de los cafeteros conservadores de la población de Pijao. Ese sí era un hombre bragado. Uno de los *cojonudos* que se volvieron rojistas. Era de Puente Nacional, Santander. Gente brava. Estaba en la guerra por resarcimiento, cobrando la vida de su papá, su hijo y su compañera.

—¿Cómo lo mataron?

—Pregúnteme primero cómo vivió. La policía y el ejército querían tenerlo como presa, vivo o muerto. Pero siempre se les volaba, por algo le decían *pájaro*. Le llegó el arrepentimiento de los asesinatos que cometió por venganza. Se volvió monje y se internó en un convento de Villa de Leyva, en el Desierto de la Candelaria, donde lo llamaban hermano Juanito. Lo vieron haciendo obras de caridad y hasta decían que era un santo que hacía milagros. Pero hasta su refugio llegó el ejército a sacarlo.

—Él era el juez supremo en la zona. Si la policía lo buscaba se transformaba en flor. Bajaba todos los domingos a la iglesia de Chiquinquirá a confesar sus pecados y a recibir la absolución. Cuando lo tenían cercado se volvía mariposa, por eso lo apodaron *El Siete Colores*.

—También decían que tenía pactos con el diablo y que lo invocaba en ceremonias de magia negra.

—Pero cuando veía a un sacerdote se hincaba y le pedía la bendición. Sacaba el manojo de escapularios que colgaba en su cuello y lo ponía frente a las manos del cura para que le regalara la señal de la cruz.

313

—Cuando arrodillaba a sus víctimas les daba la opción de que rezaran antes de meterles el tiro en la cabeza.

—También los hacía besar sus escapularios.

—¡A la piel de ese hombre no le entraba nada!

—Pero le llegó la hora. El coronel José Joaquín Matallana lo quería muerto para entregárselo al gobierno como uno más de sus trofeos, como los bandoleros del Tolima. Supo dónde estaba Efraín y llegó con más de mil soldados, armados hasta los dientes. Recuerdo muy bien que era el 9 de julio de 1965, a las tres y treinta de la tarde. El ejército rodeó una casa del barrio San José, en la Calle Veintisiete sur con Catorce. Matallana le habló desde el megáfono: "¡entréguese y le respetamos la vida!". Ya la gente estaba aglomerándose en las calles y tuvieron que poner guardias para que no se acercaran. Llegó la prensa y los transmóviles de las emisoras que empezaron a narrar en directo. Nadie respondió desde la casa. Matallana ordenó una avanzada hasta la puerta. Los uniformados golpearon. Nadie abrió. La tumbaron y el pelotón de soldados penetró despacio. Se oyó la primera ráfaga y cayeron los primeros muertos. Matallana creyó que la casa estaba llena de compinches de Efraín González. Volvió a pedirle que se entregara pero desde el fondo del solar le gritaron: "¡Vengan por mí si son tan verracos!". Era la voz gruesa y firme de *Juanito*. La balacera fue insistente, desde los carros militares. Los pobres policías a los que llamaban *tombos* estaban cagados de miedo, agazapados detrás de los *jeeps*. Tenían que ser muchos los amigos de González para que salieran tantas balas de distintos lugares y ventanas. Matallana volvió a repicar por el megáfono y desde adentro le dijeron que trajeran a la hija de Rojas Pinilla, a María Eugenia Rojas de Moreno o al representante rojista Luis Alfredo Cuadros Pinilla. Por el radio el Ministro de Guerra, general Revéiz Pizarro, no autorizó la conexión y responsabilizó a Matallana de ser el culpable del desastre público si el bandolero salía con vida. Matallana ordenó los primeros disparos con un cañón antiaéreo de cuarenta milímetros. Los bombazos rompieron las paredes de la fachada y abrieron dos boquetes. Los muros de las casas vecinas se fracturaron. El público empezó a chiflar a los soldados escondidos en sus cascos nuevos y sus uniformes caqui. Vinieron más balas, más morteros y más granadas. La gente veía la sombra de un hombre que desde los escombros contestaba el fuego. *Son varios fantasmas*, cuchicheó uno de los curiosos y lo confirmó el padre Alfonso Garabito, párroco del barrio Olaya. La audiencia crecía, se dijo que había más de diez mil personas. La noche empezaba a caer, una garantía para González. Pero Matallana se vino, a las siete y media, con cincuenta bombas lacrimógenas. Entre la nube de gas, un hombre vestido de negro, con ruana blanca, empapada la pierna derecha de sangre disparaba una ametralladora y una pistola calibre 45. Saltaba como una liebre a pesar de su herida. Trataba de alcanzar la calle y la multitud. La gente corrió por los andenes vecinos y se tiraron boca abajo. Unos dijeron que un soldado, parapetado detrás del muro, le disparó, atravesándole la garganta; otros, que en la huída se encontró con un fotógrafo que al sentir terror le rompió la cámara en la cabeza; otros que una mujer lo vendió y hasta especularon que alcanzó a ganar el tumulto que lo vitoreaba.

—Con los días los de la mina pusieron un cartel frente a la casa del barrio San José, donde Efraín dio la última batalla; decía: *aquí libraron su lucha dos valientes batallones contra un cobarde que se defendió con una escopeta.*

Dicen que en su guerra de venganza ajustició a más de cien personas.

LOS TÚNELES DEL TIEMPO

El nunca regreso

La fotografía con Matilde y su cuerpo de pájaro en la Plaza de Bolívar empezaba a desaparecer en el plano ilusorio del papel. Sombras penumbrosas se la comían. La llevó a la selva y de la selva regresó con otras sombras grisáceas como los recuerdos del dolor. No podía evitarlo, se perdía sin que sus ruegos en las pesadillas y en las tardes de soledad fueran oídos. Primero la sonrisa. Esa boca besada tantas veces, esos labios sonrosados, tibios en los suyos, ahora desdibujados en el claroscuro. Luego sus ojos, su mirada de temor frente a la cámara, hundiéndose en las cuencas, como si la calavera los consumiera frente a su mirada. La envolvió en papel de seda, la llevó en la cartera de viaje pero se la tragaba la semi oscuridad de los momentos al sacarla y verla a la luz de una fogata o una vela, en la profunda manigua del sur. Quiso ir a buscar un nuevo fotógrafo para que la salvara de la muerte pero ya sucumbía al tiempo y derrotaba los recuerdos. Después la hermosa cabellera: quedaba su silueta enmarcándole la cara. Como si fuera envejeciendo el pelo se volvía gris y se lo engullía el fondo del límite grisáceo. A pesar de que la sabía de memoria, perderla en la maraña de esos rasguños que ahora perforaban sus expresiones en la fotografía, lo llenaban de impotencia y llanto. Mientras él, con su sombrero Panamá y las alas de su traje al viento de la vespertina, escondido a los ojos de quienes pudieran encontrarlos para denunciarlos, también navegaba en el gris de la desaparición. No le importaba cómo se veía de feliz cuando le entregaron la foto y pasó la mano discretamente por la espalda de Matilde. No permitiría que se fuera del plano ilusorio porque era lo que le quedaba del amor, de su remembranza. Fue inevitable, cuando regresó a Bogotá, en la cartera de cuero los dos eran invisibles y todo lo que habían sentido hasta ese momento de la mancha negra, era el túnel del nunca regreso.

ÁNGEL COMO DEMONIO

Los laberintos del tiempo y de la muerte

No supo en qué momento estaba en todas las camas. Una noche, después del concierto y los rones, la más bella de todas ganó la apuesta. Hendrik aceptó sus encantos porque ella no había estado con ningún hombre ese diciembre. La llamaban Johanna pero su verdadero nombre era Patricia. Tenía el corazón deshecho por un amor de adolescencia; fue dama de compañía al principio, luego visitante casual de la casa de doña Blanca, trabajadora sexual permanente, ese término que les daba la dueña como una manera de dignificar el oficio. Patricia enviaba dinero a sus padres que se encargaron de su hijo no deseado y juntaba para comprar un apartamento en el barrio Chapinero. Sus clientes no le daban ropa fina y las comisiones para la Casa no le permitían ahorrar lo suficiente. Los contrabandistas, ahora en el negocio de la marihuana, la preferían porque tenían con qué pagar su tarifa.

Johanna-Patricia había llegado a Bogotá convencida de que sólo la belleza la llevaría al éxito. Encontraría un hombre que la amara y respetara por encima de su pasado; que le perdonaría el haberse entregado a su primer novio, el haber *metido las patas* por amor. Recibió consejo de Blanca y fue a Planificación Familiar a hacerse poner el dispositivo para evitar los hijos. No le importó que la iglesia la señalara por atentar contra los principios morales. Convenció a otras muchachas a hacer lo mismo a pesar de que jóvenes revoltosos aseguraran que los norteamericanos esterilizaban a las mujeres con sus pastillas y dispositivos enviados por la Fundación Rockefeller. Algunas prefirieron el condón al escuchar que el Papa excomulgaba las que se pusieran el anillo y ellas, de todas maneras, aspiraban al perdón. Johanna exigía a sus clientes preservativos porque no se dejaría contagiar de las venéreas que muchos traían de La Guajira; menos cuando supo que los costeños hacían porquerías con las burras. Para ir a la cama tenía que tomarse unos cuantos *brandys* primero. Hendrik no esperó a que amaneciera para evitar verle la cara. Y para no mirar su arrepentimiento en el espejo: ya no era un ángel. Johanna lo había arrullado en medio de la borrachera de los dos, le hizo el amor como si fuera el adolescente que aún recordaba y evocaba. Se había ganado el derecho de la santidad del extranjero que tenía dedos mágicos y decía palabras bellas en varios idiomas. No quería violentar su sueño y por eso se fueron a un hotel ese fin de semana a no hablar, a sólo mirarse; estaban íngrimos e indefensos a pesar de enfrentarse con la muerte todas las noches. Porque en los últimos meses, cuando no volvieron los políticos y sí los esmeralderos y traficantes de marihuana, no faltó quién la amenazara si no lo complacía.

Fue el mismo año en que se acabaron los conciertos de *jazz* y Blanca preparó su viaje a España. Los nuevos clientes querían oír vallenatos y rancheras. Cuando parqueaban las camionetas se oía decir que acababan de llegar los *emergentes*, con sus millones. Hablaban de cómo estaban llenando la cabeza a los gringos, de *Santa Marta Gold* o *Punto Rojo*, la mejor yerba del mundo. Eran los llamados *marimberos* con sus pintas estrambóticas hablando duro y poniendo sobre las mesas sus revólveres. Se ufanaban de tener en Maicao y Riohacha mansiones con sótanos blindados llenos de comida para muchas semanas en caso de guerra, no sólo con sus competidores sino con los policías insobornables. También decían ser dueños de aerolíneas y equipos de fútbol y que varios familiares de políticos importantes y hasta del mismo Presidente de la República participaban del negocio. El futuro de Colombia lo garantizaban los dólares, tan verdes como la hoja de marihuana y tan compactos como las pacas que fletaban por barco y aire a Miami. *Mientras haya plata hay que disfrutar*, gritaban y cerraban los sitios para que todas las putas estuvieran sólo a su servicio. Los esmeralderos de Boyacá pasaron a segundo plano cuando los *emergentes* llegaban a divertirse. Bastaron unos pocos años para que los gringos crearan la marihuana sintética, que sembraban en azoteas, balcones y jardines, la que decían que no tenía semilla, para que los *emergentes* se dieran cuenta de que el negocio debía cambiar. Los norteamericanos pedían cocaína y ellos se la darían. Un kilo de coca valía más que un buque cargado con marihuana.

Johanna-Patricia viajó a Estados Unidos con uno de los jefes que la llenó de joyas y luego la botó en el aeropuerto de Los Ángeles. No sólo la cargaron con cocaína sino que la contactaron con los vendedores que la llevaron al consumo y la promiscuidad. El músico la encontraría, años después, buscando a Matilde-Julieta por las calles de Bogotá. Hendrik había entregado la habitación de doña Blanca donde convivía con la organeta Yamaha que le hacía tocar en las madrugadas; se fue a otra del Santafé porque una noche de tormenta volvió su ángel protector, entró por la ventana a quitarle la botella de la mano y a indicarle el regreso. Recoger los pasos es como repisar la vida para hallar la muerte, —pensó—. Por eso volvió a la casa de La Merced, pasó el corredor de pinos candelabro y golpeó con arrojo. Se había puesto el vestido negro y los zapatos de charol, se arregló la barba y cortó los bucles que caían sobre sus hombros. Como siempre que regresaba o como siempre que se despedía, fue al Pasaje Hernández donde su amigo sastre, no sólo para que le hablara de cómo estaba el país sino para que le hiciera un nuevo traje porque el que llevaba puesto se deshilachaba por dentro; como él. Lo encontró más encorvado sobre la Singer y menos hablador. A pesar de que le preguntó cómo iba la música y su sinfonía inconclusa, le dio pena por él sin saber que el sastre sintió lo mismo. Los amigos de las tertulias habían muerto o desaparecido o se los devoró la ciudad. *Esta urbe se traga la gente sin que uno se dé cuenta*, —dijo— sirviendo el único café que le ofreció en las dos horas que estuvieron mirándose y conversando deshilvanadamente. Cuando le preguntó si había vuelto a la selva, Hendrik mintió diciendo que acababa de llegar de Bolivia, que estuvo con las guerrillas del Che Guevara y que luego de la traición y el fusilamiento del comandante decidió volver a Bogotá. *Debiste seguir por allá... o si es que la guerrilla te gusta, aquí hay hasta para escoger*, —apuntó el sastre consultando el cuaderno de contabilidad que ahora usaba para anotar medidas—. Pfalzgraf le hubiera podido contar sobre su vida disipada y cómo el país pasaba por las bocas de los clientes de las putas; cómo conocía lo que él jamás hubiera podido oír en sus tertulias de La Gran Tijera. *A este saco le cambiamos el forro y queda como nuevo, no gaste más plata en ropa de ciudad que a usted lo que le gusta es el monte*, —le recomendó cruzándolo con el metro de tela—. No lo controvirtió, se quedó como navegando en las palabras finales de esa lejana tarde cuando volvió del Trapecio Amazónico, con el alma en un hilo, a buscar a Matilde. *¿Sabe que el tatarabuelo del presidente López fue el sastre del último virrey de la Nueva Granada? Así como lo oye. ¿Y que el bisabuelo, que se llamaba Ambrosio López, gestó la sociedad de artesanos que se levantaron a mediados del siglo XIX? Así como lo oye. ¿Y que fue el papá, Alfonso López Pumarejo, el que organizó la caída de la hegemonía conservadora? Así como lo oye. Por eso uno se pre-*

gunta ¿por qué traiciona a la clase popular y media? Pueden ser cosas de banqueros y de negocios, —se respondió como para un pequeño auditorio. No querían hablar más. Estuvieron en silencio escuchando la lluvia sobre la marquesina. La radio, sintonizada en Nuevo Mundo dio la hora y Hendrik aprovechó para despedirse. El sastre le dio la fecha para el nuevo vestido y siguió en su labor de marcar con su tiza plana un corte negro, de paño inglés. Cuando el músico llegó a la puerta lo oyó desde el fondo: *piénsalo bien que en la guerra siempre mueren los más güevones*. No le dijo más. Los pasos de Hendrik llevaron el compás de la lluvia.

Abrió el paraguas que cargaba como un violín. Pasó por la bocacalle en busca de la Avenida Jiménez, por la notaría donde firmó los papeles de la casa de sus ángeles perdidos, como él. Tuvo la sensación de que saldrían por la puerta con barrotes y que le preguntarían por el cartapacio con los retratados. No tenía por qué temer, los confinaba en una piel sin curtir que mandó a cortar al tamaño del más grande. Si aparecieran en ese momento los llevaría a su cuarto y los entregaría como el tesoro que no guardó sino que lo persiguió siempre. Se confundió con los hongos humanos que arrastraban el afán por las aceras. Pensó que había estado viviendo como un vampiro, como le dijera una vez Matilde, entre las fiestas de la noche y la soledad del sueño, con las cortinas cerradas. Ahora Nosferatu volvía a ponerse la capa en procura de sus víctimas. Las calles respiraban el seco olor a asfalto. Miró hacia los cerros cubiertos con velo de neblina y recordó los regalos de ramas de pinos y eucaliptos que se dieron con Matilde, en las caminatas, cuando decidieron disfrazarse de invisibles. Ya en la Carrera Séptima sintió que el olor del asfalto se entremezclaba con el de los perros calientes que vendían en carritos callejeros; que ya no salía el aroma a chocolate caliente de El Florida, donde también se escondieron alguna vez. Ahora sólo tenía como propósito seguir hacia el norte para encontrarse con la puerta donde conoció el amor y la desdicha. No podía esquivar el recuerdo de Magdalena y Laura al acercarse al Parque Santander. Ya no estaba el Hotel Regina donde almorzaron varias veces y, aunque le contaron que la torre de Avianca se había incendiado del piso catorce al cuarenta, con cuatro muertos y un centenar de heridos, al mirarla hacia lo más alto le producía mareo. No quiso elucubrar más sus derrotas y avanzó con pasos largos. Caminó con el Concierto No.1, de Brahms en su cabeza; lo oyó durante media hora mientras avanzaba por las calles que tantas veces lo llevaron hasta donde su alumna dorada lo esperaba para entregarle el olor a yerbas frescas de su pelo cuando él se paraba detrás a indicarle el movimiento de los dedos sobre la hilera marfilada. Comparaba la música con el amor: cuando es hermoso y ardiente, hace daño.

Tomó aire antes de subir a encontrar la puerta de Matilde. Golpeó despacio para no interrumpir su concierto. Cuando la hoja dejó al descubierto una mujer uniformada de doméstica detuvo las notas.

—Vengo a mi clase.

No lo dejaron entrar. Se quedó abandonado en una de las bancas del Parque Nacional. Volvió la cabeza hacia el norte; no conocía ni quería saber qué había en esa otra parte de la ciudad, para él Bogotá terminaba en esa banca, mirando hacia la ventana de Matilde. Ahora el amor por ella no lo mataba, lo fortalecía. Permaneció quieto, con los ojos llenos de lágrimas. Sabía que, como en la fotografía, la perdía en los laberintos del tiempo y la muerte.

Nosferatu contra ataca

La ciudad desde el convexo cielo negro

…fui como Nosferatu hasta la iglesia para robarme el cadáver de Matilde pero no lo encontré. La dejaron sola en la sala principal de la casa de La Merced en la media noche y yo, arropado con mi capa negra, me deslicé por las paredes hasta su ataúd labrado para sacarla de la diminuta prisión. Mis largas uñas no impidieron que levantara la tapa pequeña que daba a su cara maquillada. Detrás del vidrio me miró con la misma ternura de la primera vez que la visité con mi traje de vampiro enamorado.

…en las habitaciones del segundo piso dormían su viudo desolado y su hijo, preparando las venganzas. Matilde tenía un vestido sastre, el pelo recogido con una hebilla de nácar y los pendientes de oro que le regaló Augusto, de su exclusivo muestrario. Debía lucirlos hasta el último momento cuando descendiera a la bóveda que compraron en el Cementerio Central. El cuello de la blusa lo remataba un botón imitación camafeo, de marfil ordinario. Lo retiré para besarla como ella pedía con sus ojos oscuros. La tapa principal estaba ajustada con tornillos pero mis uñas pulgares los sacaron sin dificultad. Emergió de la urna como si naciera, como hongo venenoso. La tomé entre mis brazos fríos, su cuerpo yerto y sus mejillas sudando los polvos de arroz y la base que aplican a los cadáveres para inspirar compasión. Atravesamos las paredes y salimos a la calle, en procura del Parque Nacional donde conversamos y oímos el rumor de la noche como Preludios. Nos besamos muchas veces, comprendimos que la muerte es una mentira y que los dos viviríamos por siempre y para siempre. Allá, en La Merced, quedaba el dolor de dos hombres solitarios, aquí estaba la eternidad. Buscamos el Cerro de Monserrate para mirar la ciudad desde el convexo cielo negro.

Los billetes de las fotografías

Hermoso ángel, marino y poeta

Todas las mañanas sacaba los billetes. Desde el primer día del regreso de la selva puso los que le quedaban al lado de los retratados. Las nuevas denominaciones jamás llegaron a sus manos. Los ajados billetes de *El Bogotazo* todavía podía utilizarlos en algunos almacenes de abarrotes y la casera los recibía a regañadientes.

Aunque la ciudad se expandía como una mancha hacia todos los puntos cardinales, Hendrik sabía que su mundo presente —si podía construirlo desde el pasado— estaba en el círculo, de la Plaza de Bolívar hasta el Parque Nacional al norte y hasta el Hospital de La Hortúa al sur. Lo demás era de los otros inmigrantes de la guerra. A la pensión también llegaban los recién expulsados antes de que el oscuro túnel de la miseria los condujera a sórdidos lugares de los que Hendrik tenía noticia y que después frecuentaría con dolor. Cuando las familias se hacinaban en una habitación del barrio Santafé los soldados las sacaban a culatazos porque decían que eran guerrilleros enmascarados y que el presidente Julio César Turbay Ayala los acabaría como fuera. A él, a Pfalzgraf, también lo llevaron a la Estación de la Cuarenta a interrogarlo creyéndolo recién llegado de Cuba o militante de la revolución internacional. Querían obligarlo a decir que formaba parte de las guerrillas urbanas del movimiento 19 de abril —M-19— y que tenía que ver con la toma de la Embajada de la República Dominicana, llena de diplomáticos y combatientes revolucionarios dispuestos a todo. Les explicó que vivía en esa ciudad porque no tenía otra, que era un expatriado y que no podía irse para ningún lado porque sus recuerdos seguían debajo del pavimento y entre los muros de las iglesias donde tocó los armonios durante años. Que era pacifista y que los débiles siempre terminaban pagando los platos rotos. Lo dejaron salir al ver sus viejos documentos y su nacionalización en regla.

—Soy un artista —le dijo al comisario.

—Precisamente, porque todos los hijueputas del "Eme 19" se las tiran de artistas.

Durante los años del Estatuto de Seguridad lo llevaron varias veces a las Inspecciones de Policía y siempre lo interrogaban por lo mismo. Por vivir en un inquilinato, sin trabajo fijo y con partituras y retratos de gente muerta.

—Algún secreto tiene este gringo —cuchicheó el cabo, jefe del operativo—. Y los billetes viejos ¿de dónde los sacaba? ¿No serán parte de los asaltos a los bancos que hacen los guerrilleros?

Luego se daban cuenta de que algunos ya no estaban en circulación y dejaban al loquito alemán que se fuera sin antes advertirle que no se metiera en *güevonadas* de la guerrilla porque lo harían cantar por fuera de su orquesta.

Continuaban rompiendo puertas y sacando indefensos, arrastrados hasta los camiones y las radio patrullas. Las largas hileras de jóvenes universitarios y empleados esperaban los veredictos. Unos se quedaban en las comisarías y otros eran llevados al Cantón Norte donde les sacarían el alma con sus métodos de tortura puestos a prueba desde antes.

—¿Sabe, conoce o ha oído hablar de Carlos Toledo Plata, Pablo García o Felipe González?

—¿Sabe, conoce o ha oído hablar de Carlos Duplat, Iván Marino Ospina y Omaira Pabón?

—¿Sabe, conoce o ha oído hablar del Operativo Libertad y Democracia?

Ninguno de los indefensos sabía que el presidente Turbay Ayala había anunciado al país —a través de la televisión a color que él inauguró en Colombia— que había realizado contra el M-19 mil treinta y dos allanamientos, seiscientos ochenta y cinco detenciones y que eran parte de las estadísticas con las que se triunfaba en la guerra. Con esos desmantelamientos no aceptaría levantar el Estado de Sitio y mucho menos derogar el Estatuto de Seguridad, tenía armas mortales con las que los hundiría y los haría podrir en las cárceles. No toleraría el desprestigio internacional sobre vejámenes y desapariciones, porque el único preso político era él. A pesar de que los vecinos relataban a Hendrik las torturas y le mostraban las cicatrices en sus cabezas hechas por el caballo Pinocho que utilizaban para que dijeran dónde estaban las armas, no quería oír más porque las escenas lo atormentarían en sus medias noches, revueltas con las otras que conocía de Alemania. Él poco quería saber de suplicios y desmanes porque bastantes tenía con su enemigo invisible que lo asustaba cuando rompían las puertas de la vecindad y veía los soldados saltar por los solares y las bardas. Alistaba sus retratados sobre la cama, ponía sus billetes en el armario y, como un perturbado, cerraba los ojos para escuchar a Chopin y el murmullo del agua que los acordes le proporcionaban. Dejaba la puerta entreabierta para que no despedazaran sus marcos y repetía su historia de refugiado. Entre los piquetes siempre había uno o dos que lo conocían y gritaban, *¡este demente hijueputa sigue vivo de milagro!* Se largaban hacia otra puerta y los gritos de las mujeres tampoco lo movían de la cama. Cuando el silencio retomaba sus resquicios envolvía los retratos, sin mirarlos, sacaba los billetes, los dejaba en el lugar de siempre y se recostaba a esperar la hora de su clase en la casa de La Merced.

Le gustaba ir a los sitios históricos porque sabía que en ellos estarían su Matilde y su música. Ese diciembre, frío y triste, se le exacerbaban las ganas de escribir sus melodías, en un pentagrama imaginario donde las notas se movían al ritmo de los compases. Tocando los troncos de los árboles que guardaban la Quinta o Casa de Bolívar, presentía que allí le ocurriría algo extraordinario; como la muerte o la fascinación.

Un hombre lo persiguió al verlo deambular por el barrio Las Nieves, detrás de los enormes pinos de la vivienda del Libertador, moviendo los brazos como si dirigiera una orquesta invisible; lo asoció con Julieta sin saber porqué. Se hizo el turista para acercarse y Hendrik, sabiendo que era un vendedor ambulante, aceptó sin temor la conversación. Hablaron de música y del asesinato de John Lennon. Hendrik le comentó que merodeaba la vecindad de la Casa de Bolívar porque estaba escribiendo un Réquiem por el Libertador y quería impregnarse de su presencia o del viento que bajaba de Monserrate y que seguramente el dueño de casa olió y sintió en su piel antes de las traiciones.

—*Un requiescat in pace. Requiem aeterna dona eis Domine. Et lux aeterna luceat eis.* Una composición musical en honor al guerrero heroico. Con la hermosa Manuelita, la Libertadora, como Tristán e Isolda.

El recién llegado, que vendía piezas artesanales que le daban sus amigos *hippies* de la Calle Sesenta, agarradas con nodrizas en un pedazo de terciopelo negro, le preguntó si era alemán o norteamericano.

—Soy hamburgués —le respondió Hendrik, sin ánimo de nada—. ¿Y cómo fue eso de la muerte de Lennon? —preguntó con la misma despreocupación.

—Un hombre de apellido Chapman escuchó una voz interior que le pedía que lo matara, además era la única forma de salir de la puta oscuridad del anonimato. Un *man* de veinticinco años, loco. *Llevado.* El Beatle vivía en un edificio maldito donde filmaron *El bebé de Rosemary*... la Semilla del

Diablo o algo así. Dicen que una novelita que Chapman tenía entre la chaqueta lo enloqueció, lo *corrió*. Los desquiciados que además leen libros. La misma novelita que llevaba el que intentó matar al presidente Reagan. A Lennon le dieron tres *pepazos* o disparos. Salía de su flamante carro, con su mujer, una japonesita. Eran las once de la noche. Esa tarde el asesino le pidió un autógrafo para el *elepé* que tenía en la portada la foto del edificio donde lo esperaría para acribillarlo, darle *materile*. Lennon tenía cuarenta años. ¿A usted también lo hirieron de tres balazos?

Hendrik se extrañó.

—No, nunca.

—Entonces Julieta habla por hablar, dice pura mierda.

Así supo las historias y que, Matilde-Julieta, estaba viva. Cuando le tendió el trapo con los aretes y las manillas, Hendrik sacó uno de los viejos billetes que se reproducían al lado de los retratados y se lo entregó despacio.

—Quiero que me diga dónde puedo encontrar a su amiga.

Él lo miró arrebatándole el billete, enrolló la tela y preguntó despacio:

—¿Usted es el músico alemán que viene por ella?

Hendrik no quiso entender y sacó otro de los ajados.

—¿Puede localizar a su amiga?

—En tiempo de navidad es difícil, pero se lo prometo. ¿Y a usted, dónde lo puedo encontrar?

—En esta misma banca. Queda como testigo la Casa del Libertador. No me falle.

—Sería después de navidad, tengo compromisos con mi familia.

—Entonces, antes de Año Nuevo.

Hendrik se quedó navegando entre el frío de la tarde, mirando la fachada de la Quinta, tratando de enganchar los últimos acordes de su Réquiem por el Libertador Simón Bolívar.

Comanche conocía a Julieta desde los años en que se pavoneaba con Augusto Bernal, su esposo, por las calles del Centro, por las joyerías de la Calle Sexta y los salones de moda. La tenía presente porque, como dependiente de Ónix y Esmeraldas, el almacén de su padrino, la recibió con discreción porque era la señora de un rico. Le gustaba, la creía bonita, coqueta y muy joven para su marido. Años después la distinguió entre el grupo que se formaba en un bar cerca al Ventorrillo, donde combinaban cerveza con aguardiente, chicha con alcohol y llegaban los *jíbaros* a ofrecer yerba. No podía creer que una mujer de la elegancia de los buenos tiempos, se sentara ahora con los dipsómanos de La Candelaria, junto con otras amigas a las que ya se les veían los vestidos descoloridos y los pespuntes reventados. La vio gastar muchas veces rondas completas y fue uno de los que la aplaudió al ser invitado. Escuchó comentarios de los que participaron de las farras en La Merced, las bacanales y los robos hasta cuando la sacaron con la policía porque como venganza el hijastro le hizo lanzamiento de la mansión que el marido le dejó.

Entre las historias de Julieta se mencionaba a un alemán que había sido su profesor de piano, un hermoso ángel, marino y poeta, rico magnate que había combatido en la guerra y que se fugó con grandes sumas de sus amigos nazis. No todos los de la Gestapo estaban en Argentina. Decía que el alemán había regresado a Berlín y que volvería por Julieta una vez terminara la guerra en Colombia. Que había sido su amante y su marido, su maestro y su benefactor hasta cuando vinieron por él para ejecutarlo. Lo habían herido con tres tiros, como a Gaitán, pero logró salvarse porque ella le pagó los mejores médicos. Las cartas, que dijo que le llegaban, jamás las mostró pero evocaba pedazos de mundos y ciudades de luces y castillos, de grandes avenidas y salones donde se disfrutaba música clásica y se comía caviar negro, como sopa. Después del desalojo alquiló un apartamento cerca de la Avenida Diecinueve, en un segundo piso y compró unos muebles usados pero bonitos para proseguir su vida; insistía sobre la llegada de su esposo alemán que la sacaría de la inmundicia.

Muy puntales, Hendrik y el hombre se encontraron en la banca del parque, el Día de Los Santos Inocentes. Le informó que Julieta vivía de la caridad pública, en una pieza del barrio Las Cruces. La persiguió por las calles de la Candelaria a discreta distancia. Le tenía la dirección exacta. Antes de avanzar por el costado donde estuvo la fábrica de cerveza Germania, en busca de una *aguadepanela* caliente con queso y bizcochos, que el informante pedía a Hendrik, le advirtió que ya no era la Julieta que él conoció en los buenos tiempos. Que la verdad, él también la vio por esa época y que de ella no quedaban ni los rastros.

—Si quiere, maestro, vamos los dos a buscarla.

Hendrik sacó un fajo pequeño.

—Vamos pero no quiero hablar con ella en su presencia. Son cosas personales y deudas sentimentales del pasado.

—Como usted mande, jefe.

Le pasó otros billetes sin quitar sus ojos azules del rostro estragado del hombre.

—Estos los vendo como antigüedades.

El encuentro

Mataron el rinoceronte en una parranda vallenata
y la jirafa se la devoraron o bajaron un domingo
con aguardiente, cerveza y marihuana

La casera le dijo que no podía entrar, que Julieta debía tres meses de alquiler. *Comanche* le ofreció uno de los aretes de su trapo pero ella necesitaba plata. Hendrik sacó sus viejos billetes y se los entregó para que autorizara su encuentro. Ella le devolvió dos y le indicó el último lugar del patio.

—Está muy enferma —le dijo la gorda casera en tono amable.

El músico se quitó el sombrero y cruzó el corredor escuchando quejidos de dolor más allá de las puertas ajustadas. El olor a encerrado y ropa húmeda podrida lo atacó. Todo lo avasallaba, pero saber que tendría a Matilde ante sus ojos, le dio el valor que le hacía falta. La vio en el fondo semioscuro, sobre el colchón rayado, percudido. Estaba de espaldas, dormida. Pasó la puerta como metiéndose en un fétido agujero.

—¡Matilde!

El cuerpo de la mujer, con yin y camiseta, no se movió.

—¡Matilde, soy yo, Hendrik!

Miró alrededor como con una cámara azulosa y esquiva. Un reverbero y una olla golpeada en uno de los rincones. Se dio valor y avanzó hasta el borde del lecho metálico. Estiró el brazo para tocarla pero se acobardó. La creyó muerta y puso su mano helada sobre su antebrazo desnudo. Julieta no se sobresaltó, golpeó los dedos de Hendrik como si fueran las patas de un animal.

—¡Matilde, soy yo, Hendrik!

El olor agrio del cuarto cambió en la respiración del hamburgués, por el de hierbas frescas, el aroma de la coronilla de Matilde en sus tardes de clases. La mujer giró el rollo de su escuálida humanidad y entreabrió los ojos como si despertara de un largo y doloroso sueño. Su mirada, salpicada con manchas rojas. Lo observó como en una pesadilla, iluminado por la escasa luz de la tarde que se colaba por la puerta entreabierta. Se frotó los párpados para salir de la ensoñación pero él seguía ahí, a contra luz, con el sombrero en la mano y sin una palabra que rompiera el hielo. Se incorporó sobre los codos y sintió lástima por su estado. Trató de no llorar pero no pudo evitarlo.

—¡¿Mi alemán?!
—Soy yo.

La abrazó contra las solapas gastadas de su vestido ratón. La arrulló por largos minutos, sin palabras.

—No soy Matilde, soy Julieta —lo inundó con su aliento putrefacto.

—Lo sé.

Se dejó arrastrar hasta la puerta. Le puso una chaqueta de cuero manchado que encontró en el suelo. La llevó por el mismo pasillo como saliendo de una guarida boscosa. *Comanche* la saludó con la cabeza y le abrió espacio para que ganaran la calle.

No permitió que la llevara al médico, tampoco quiso comer nada. Se subieron a un taxi y Hendrik dio la dirección del barrio Santafé. No hablaron durante el trayecto y el chofer bajó todos los vidrios. Fue la primera de muchas veces que la enjabonó en su baño, con agua caliente; le lavó la cabellera con champú oloroso a yerbas frescas y la metió en su cama para que reposara en paz. A pesar de sus cuarenta y cinco años aún conservaba un poco de dureza en sus carnes y tersura en sus mejillas. Siempre lloraba para que no la dejara sola por las calles y, a pesar de que Hendrik se lo prometía, ella terminaba fugándose en las madrugadas. Salía como ratón perseguido en busca de la libertad porque su ángel protector no le permitía fumar ni beber mientras convalecía. No la abrazaba en la cama, sólo la orientaba con sus manos de pianista para que se pusiera de espaldas y creer que era el dorso de Matilde y ejecutar los Preludios que disfrutaron en el segundo piso de la escuela. La espalda que amó, besó, deseó y empujó en sus ímpetus de enamorado que quiere todo sabiéndolo imposible.

Volvía a buscarla a Las Cruces pero la señora obesa lo miraba con pesar y le tendía la mano para que pagara el arriendo.

—No se sabe cuándo llegue; cuando aparezca hay que tenerle el cuarto listo porque vendrá muriéndose.

Buscó a *Comanche* para que lo ayudara a encontrarla pero él ya no quería saber más de los billetes manoseados porque siempre tenía problemas para que se los cambiaran.

El grupo armado de la mafia, además de asesinar presuntos guerrilleros, se dedicó a la *limpieza social*. Lo llamaron Muerte a Secuestradores —mas—. Deambulaba por las calles tenebrosas de Bogotá en busca de indigentes para dispararles desde las camionetas; Hendrik tuvo la corazonada de que perdería a Matilde definitivamente. Si los asesinos ajustaban cuentas con sus enemigos revolucionarios y de otras bandas, los desamparados de la ciudad morirían entre sus mantas grises manchadas con pepitas rojas, azules y amarillas. Los arrojaban a las tumbas de los nn porque no se mancharían las manos con esos despojos humanos. Estaban armados con lujoso arsenal que los narcotraficantes proveían para enfrentarse con los que interfirieran en el negocio y el poder. Los desamparados, calificados como *desechables*, caían en los juegos de puntería de los sicarios. El mas formaba parte del grupo militar de los narcos desde cuando arrojaron al estadio de fútbol de Cali, al Pascual Guerrero, miles de hojas desde una avioneta, volantes que llenaron el rectángulo de la cancha, y llovieron sobre las cabezas de los aficionados. Una carta dirigida a los secuestradores comunes y a los secuestradores subversivos anunciándoles que se alistaran porque serían ejecutados. La misiva —como la catalogaron muchos— se componía de once puntos y cuatrocientas palabras. Muchos de los criminales provenían de la ciudad de Medellín donde además de las tradiciones de desfiles florares y rosarios en las iglesias y las casas, empezaron a armarse para defender el negocio de narcóticos y para hacerle frente a los grupos guerrilleros que les secuestraban a hijos y familiares. Los jóvenes encontraron a los jefes mayores y menores y, con maletas repletas de billetes producto de la venta de la coca, se daban la gran vida. Junto con el dinero recibieron metralletas y todos los *juguetes* que pidieron y los adiestraron para formar parte del mejor ejército privado de Colombia. En muchos lugares se decía que ahora sí se tendría seguridad y miraban con simpatía a los nuevos pistoleros. Esos eran los que llegaban a Bogotá a ajustar cuentas y a entrenar puntería con los habitantes de la calle. Hendrik lo sabía y todos los días buscaba a Julieta-Matilde en callejuelas solitarias para guarecerla en su refugio. Los desarrapados lo conocían y le daban señas equivocadas por una monedas. El músico salía con los bolsillos a punto de reventar por el peso de los metales. Se asustó aún más al enterarse de que los mafiosos fundaron su fuerza táctica antisecuestro y que trajeron mercenarios de Vietnam y Sur África para que la entrenara.

También se supo en las calles que los organismos del Estado o el llamado F2 y sus detectives, los guerreros del B2, la inteligencia del Departamento Administrativo de Seguridad —DAS—, los halcones de la Fuerza Aérea y los tiburones de La Marina, engrosarían esas filas. Dejaban de aparecer cadáveres de indigentes cuando ultimaban a dirigentes políticos de izquierda, periodistas y profesores. Los Tangueros, los Tiznados, La Triple A, La Mano Negra, hacían barrida por todo el país, con fusilamientos públicos.

Los buscadores de las monedas del alemán lo condujeron poco a poco al barrio de los más miserables. La llamada Calle del Cartucho se abrió para el músico transeúnte que, con los bolsillos rotos, buscaba a una mujer bonita, de pelo largo, ojos oscuros y sonrisa de ángel. No decían nada, ni apartaban sus bocas de las bolsas plásticas donde inhalaban pegante de caucho; lo miraban como una aparición y le tendían sus manos. Le ofrecían botellones de Bóxer para que pudiera encontrar a su Matilde, porque sólo drogado o *embalado* lograría hallarla. No lo creyó pero terminó aceptando los revueltos de alcohol con gasolina y aguardiente con chicha para buscarla en sus borracheras por los caminos de las fogatas donde vio salir de los hoyos secretos de la ciudad subterránea los que decían tener la verdad del laberinto. A solo doscientos sesenta pasos de la casa del Presidente de la República reptaban, en medio de los *detritus* del abandono de años en la miseria, más de trece mil indigentes perdidos para el mundo, invisibles entre ellos y señalados por los dueños de Bogotá como escoria. Hijos de los hijos de los menesterosos que desde el siglo xix estuvieron asistidos en el Asilo de Mendigos, sobreviviendo con un poco de comida que les proveía la alcaldía de entonces. Los mismos que años después poblaron los alrededores de la montaña de Monserrate y que se paseaban como la bazofia de la ciudad por el Paseo de las Aguas y de Bolívar. Ahora, en el Cartucho, se juntaban no sólo los que provenían de la miseria absoluta de la ciudad sino los espoleados por la guerra y el desamparo. Allí convergían de distintas zonas del país, primero con sus familias y luego desmembrados por la cloaca que todo lo destruye.

Hendrik entró en medio del olor alquitranado de *bazuco* y marihuana, en una borrachera que se inició en Las Cruces, al lado de *Comanche* y que luego bajó con la horda hasta las primeras calles del barrio impenetrable para seres distintos a la conmiseración. El olor antiguo a matadero, a reses y vísceras en descomposición, estaba ahí volatizado entre las cenizas de las llantas quemadas que Hendrik vio como luces de navidad. Le ofrecieron de todo y dejó que las miles de manos metieran sus uñas mugrientas entre sus bolsillos, le tocaran la barba para comprobar si estaba ahí, parado, extraviado entre aquellos a los que la vida ya no les importaba porque seguramente la llevaban puesta en sus harapos y su carga de cartones y bolsas repletas de sobras de restaurante. Le dieron una manotada de arroz y él se la comió porque le ardía el estómago por el alcohol antiséptico que le obligó a tomar *Comanche,* ya en la segunda cuadra del barrio. Un niño lo condujo de la mano hacia el lugar o *cambuche* donde Matilde lo esperaba hacía ya veinte años. Lo llevó como en paseo de jardín y lo depositó encima de un motón de arena para que esperara al amor de su vida. Pfalzgraf oyó de nuevo el Preludio de Chopin y los acordes lejanos de la voz de su alumna dorada en medio de ese lugar maravilloso donde deberían seguir viviendo juntos, lejos de las amenazas y de los ojos inquisidores de Federico, su hijo. Dos barrios de santos los albergarían: Santa Inés y San Victorino. Escuchó llantos de bebés y disparos entre las ruinas. A pesar de estar muy cerca del Batallón Guardia Presidencial y a cinco cuadras del Palacio del Congreso de la República, alguien caía acribillado y era conducido a un solar para ser enterrado mientras los demás, testigos de su propia desgracia, volteaban a armar su *bazuco* y entregarse al desenfreno de la promiscuidad. Las mujeres les abrían sus piernas a quienes les regalaran un cigarrillo, o un billete.

Julieta llegó, tapándose la cara con un rebozo español deshilachado que encontró en la basura del norte de Bogotá. Saludó a Hendrik con un beso en la mejilla porque sabía que él era un ángel y a los ángeles asexuados no les gusta la babosería de los enamorados; además, ella ya tenía su *man* que la trasnochaba y la golpeaba en las *trabas* colectivas. Detrás de ella, *Comanche* protegía los pedazos de pertenencias que le quedaban al músico y las palabras en idioma extraño que le dijo a su enamorada. Jamás supo cuánto tiempo estuvo recorriendo las treinta y dos manzanas que compartían las hordas enfundadas en sus cobijas, que ocupaban en las noches las calles de la capital como fantasmas hundidos en los desperdicios. No supo si durmió o murió muchas veces en ese gueto, tierra de nadie.

Algunos especularon que se llamaba el Cartucho por la flor y las dos calles que le dieron origen a sus *cambuches*, la flor blanca que se abría y se iba cerrando, se iba angostando hasta el punto final donde los que llegaban jamás volvían. Una muchacha joven, vestida como hombre, *La Pantera*, se arriesgó a tocarlo dormido para saber si era de verdad y salió corriendo a decirle a todos los locos sociales o *llevados* de su *mansión* o *barequera*, que se encomendaran al extranjero porque no le entraba la bala, ni el cuchillo, ni el amor. No pudo mostrarle las tetas que fueron su orgullo de mujer porque se le habían secado de tanto *soplar o meter porquerías*. Se fue quitando las cuatro chaquetas y los tres pantalones que la protegían del frío y se dio cuenta de que debajo no estaba tan sucia como por encima y que hacía muchos meses que no tocaba el agua. Pero con ese hombre que parecía de luz no le importó, lo llevó de la mano, sin dejar de chupar su *bazuco* que también metía en la boca de él, perdido entre el humo maloliente del alquitrán, combinación de cocaína, gasolina roja, amoníaco, kerosene, éter, ácido sulfúrico, permanganato de potasio, soda cáustica, revueltos en talco, harina de plátano y ladrillo molido. El olor atraía a los de las otras cuadras que pedían por favor una prueba de *bicha*[13]. Se sonrió y mostró sus dientes amarillos llenos de sarro de tantos días y de tantas hambres. La cara del músico sobresalía entre las demás, idénticas, con los ojos desorbitados, sin desprecios. Muerto para el amor y el sexo.

13 (N. del E.). Cigarro de *bazuco*.

Lo llevaron al gueto de los extranjeros para que pudiera hablar con alguien. Allí estaban los cirqueros franceses que según La Pantera se quedaron después de una temporada de su carpa ambulante en el Cartucho, alrededor de una fogata alimentada con cauchos de las líneas de teléfono y de la electricidad, que chirriaban y hacían reír a todos los indigentes o ñeros acurrucados, buscando calor, en un solo montón de harapos. En el grupo discutían periodistas de la televisión que cayeron de los pisos de sus elegantes apartamentos a esa calle de sobrevivencia, actrices, poetas, músicos, niños bien, políticos y militares, sin retorno posible. También arropados hasta la cabeza los franceses le confirmaron que habían vendido todo, los animales, las jaulas, los carromatos, todo porque con cocaína a dos mil pesos, cualquiera se hace colombiano. Lo último que les quedó fue el rinoceronte y la jirafa. Se supo después que mataron el rinoceronte en una parranda vallenata y la jirafa se la devoraron o bajaron un domingo con aguardiente, cerveza y marihuana. Fue la última vez que vio a Julieta-Matilde seguir hacia lo profundo de la calle, de allí donde dicen no se regresa jamás. Aunque lo invitó con la mano y él la siguió varios metros, se detuvo al ver que se quemaba con las estrellitas amarillas que desprendía la fogata. Vio a Johanna-Patricia caminando hacia el túnel, a dejarse regurgitar por la calle angosta. Lloró despacio, se sentó donde pudo y recibió lo que le dieron.

Amaneció con el sol en la cara y al levantarse el lugar estaba vacío. Los habitantes del Cartucho se habían dispersado por la ciudad como todos los días, en busca de las bolsas de basura por las avenidas y en las puertas de los restaurantes, en los semáforos y bajo los puentes, al lado de las universidades donde las muchachas les daban monedas para que no las tocaran, ni les robaran las carteras. Se vio desvalido y quiso llamar a *La Pantera* o al *Comanche* pero su voz no le salió. Al levan-

345

tarse se dio cuenta de que no tenía sus zapatos de charol y que sus pies sangraban. Caminó en busca de la salida del barrio, siguió caminando en círculo hasta cuando un niño lo llevó de la mano y le mostró al fondo la Plaza de Bolívar. Pensó dos veces si realmente quería ir hacia allá o devolverse hasta la calle sin retorno. Pero vio las palomas, el cerúleo de la montaña y el aire menos contaminado allá, entre la gente.

Muerte de los retratados

Ni siquiera los muertos tienen regreso

Hendrik estuvo bajo la cobija gris no supo cuánto tiempo. Cuando la policía lo destapó, tenía los ojos abiertos, los labios resecos y la barba chamuscada. Lo echaron al platón de una camioneta y lo llevaron a la Estación para lavarlo con manguera. Al desnudarlo se dieron cuenta de las llagas que llenaban su cuerpo, pero no les importó. Volvieron a ponerle los restos del vestido ratón y le tomaron fotografías. Los periódicos de la tarde lo mostraron en las páginas interiores junto a una croniquilla donde se solicitaba que si alguien conocía a este extranjero, se dirigiera a la Estación Cuarenta.

Federico Bernal estaba en el centro de la ciudad, en una silla de los lustradores de zapatos cuando lo vio en manos de su vecino. La misma mirada azul que él recordaba de su niñez, al lado de Matilde, en las lecciones de piano. Una mirada que le llegó hasta lo más profundo de su recuerdo revuelto con odio, venganza y desespero. Pidió prestado el vespertino y se enfrentó sin reato al que le quitó el amor de su madre. Hendrik parecía un extraviado del mundo, con las manos recogidas, tiritando de frío. Rememoró su nombre y lo masculló entre dientes: *Hendrik*. Devolvió el periódico y mientras acababan de limpiar sus zapatos pensó en Matilde, en su rostro de felicidad cada vez que él entraba a la sala de música, en la alegría que llenaba la casa cuando tomaban el té o conversaban sobre la música y el pianoforte. Sintió su mano grande cuando lo llevó al parque vecino y lo montó en los caballitos de madera, en las tazas gigantes, le compró algodón rosado que se le desleía en la boca y le dijo que alguna vez serían buenos amigos. Él lo odiaba porque le arrebató lo que no pudo pelear, la presencia y los mimos que descubrió en sus ojos de espía, ese vicio que no pudo evitar en su vida. Fue hasta un puesto de revistas y compró el periódico con un poco de pudor. Abría y cerraba las páginas esquivando esos ojos, huyendo de ellos como desde hacía más de veinte años. Sin saber por qué estaba conduciendo rumbo a la Estación de Policía. Quizá podría encararlo, reprocharle el daño que le hizo, golpearlo como hubiera querido desde el tiempo del dolor. Plegó el periódico y lo puso en la silla vecina, como un pasajero impertinente. Antes de ingresar a la comisaría se dio cuenta de que no tenía claro nada. ¿Diría acaso que era un familiar lejano? ¿Su padrastro? La sola idea lo sobrecogió. Intentó devolverse al parqueadero pero le faltó valor. Muchas veces quiso ir a buscarlo a su almacén y escuela pero igual, como ahora, se acobardaba en el instante final.

Dio espacio a los detenidos que entraban a punta de culata, jóvenes universitarios que eran parte de la cacería de brujas que se extendía por la ciudad. El pago que el patrón de los narcotraficantes, Pablo Escobar Gaviria, hacía por la ejecución de policías, dos millones por cada uno, alertaba a los uniformados ante cualquier sospecha. El movimiento era de zozobra porque acababan de matar al Ministro de Justicia. Dos sicarios lo esperaron a cuatro cuadras de su casa y le vaciaron veinticinco tiros de una Ingram. A pesar de haberlo vinculado con la mafia, el ministro Lara Bonilla había dicho: *la única manera de mostrar al país que soy un hombre honesto es jugándome la vida contra la mafia.* Ahora se la cobraban. Siete balazos entraron en su cuerpo. Poco le sirvieron su carro Mercedes Benz blindado y las dos Toyotas Land Cruiser de sus escoltas. Federico había leído en los titulares que lo ultimaron en la Calle Ciento Veintisiete con Avenida Boyacá. Desde una moto roja, el parrillero hizo los disparos acertando tres en el cráneo, uno en el cuello, dos en el pecho y uno en el brazo derecho. En la persecución, el joven sicario lanzó una granada que no dio en su objetivo. El pavimento mojado hizo resbalar la moto. El asesino de la Ingram se estrelló perdiendo la vida y el conductor quedó con el vehículo encima, herido. Byron de Jesús Velásquez Arenas, de dieciséis años, le había cumplido a su patrón pero caía preso. Los sicarios venían de Medellín. Al lado de las noticias del asesinato la foto de Hendrik, con una expresión menos dramática que la del asesino de la moto. En los radios transistores de los transeúntes y de los que llegaban a la comisaría a preguntar por familiares desaparecidos, se oía la voz del Presidente de la República retando a la mafia: *no más tertulias de salón para comentarios divertidos sobre quién acaba de hacerse rico con el tráfico de monedas manchadas de sangre. Colombia entregará a los delincuentes solicitados por la comisión de delitos en otros países.*

Federico Bernal preguntó al primer policía dónde podía averiguar por un indigente. Le indicaron uno de los corredores. Avanzó como poseído por el tumulto de muerte que deambulaba dentro de la comandancia. Los trescientos muertos del terremoto de Popayán ya eran historia frente a los asesinatos que iniciaba la mafia. Hendrik estaba en cuclillas en uno de los patios. Federico lo vio desde lejos y un revuelto de repulsión y ternura lo erizaron. Descalzo y siguiendo el compás de los policías que marchaban entrando y saliendo, no sabía que el niño que tantas veces lo espió se hallaba a sólo cinco metros, otra vez detallándolo. Federico Bernal decidió recular y buscar ayuda. Telefoneó a su amigo del colegio y le pidió que se encontraran a almorzar en el Refugio Alpino. Alejandro cumplió como siempre que alguno de los dos llamaba con carácter urgente. Le preguntó si recordaba al profesor de música que iba a la casa de La Merced pero Alejandro no tenía la menor idea, en esos años él vivía como pobre en espera de la herencia de su padre. No importaba, pero le contó que lo publicaron en el vespertino y que tenía un sentimiento encontrado.

—¿Es un viejo?

—Debe tener más de sesenta.

—¿Qué hay que hacer?

—Quiero sacarlo de la Estación y llevarlo a un lugar decente, no sé si se lo merece pero eso es lo que quiero.

—¿Si lo merece?

—Historias del pasado de nuestros padres que es mejor olvidar con la conciencia tranquila.

Alejandro sacó a Hendrik esa misma tarde. Se presentó como un lejano alumno pero el músico lo descubrió ya en la calle.

—¿Eres un amigo de *Comanche*?

Le mintió. Quería ayudarlo pero Hendrik se negaba. Le pidió que lo llevara al Santafé a recoger sus cosas, al lugar donde había vivido por años. Antes de tomar una determinación, Alejandro consultó por teléfono a Federico. La dueña de la casa no quiso dejarlos entrar por los arrendamientos atrasados del músico. Pagaron pero la habitación ya no estaba disponible. Le entregaron el vestido sin estrenar, los zapatos y la camisa azul celeste.

—¿Y la carpeta con los retratados?

—La mujer que usted traía algunas veces vino por ellos, con la llave de la pieza y una nota suya.

Hendrik pensó en los billetes que tenía en medio de sus parientes y la respiración se le fue por unos instantes. Creyó desvanecer pero luego se dio cuenta de que le pertenecían, que estarían pasando por la calle angosta del Cartucho, hacia el fondo, de donde ni siquiera los muertos tienen regreso. Se puso el traje nuevo, se acicaló como para dirigir el último concierto y pidió que lo dejaran en la calle.

—No puedo hacer eso, maestro —se excusó Alejandro.

—Usted no tiene compromisos conmigo, debo regresar donde me están esperando.

Lo llevó a una peluquería, le hizo cortar el pelo como se lo pidió, le pulieron la barba y, cuando salieron de nuevo en busca de un restaurante, volvió a ser el ángel que las mujeres veían como la única y posible felicidad. Mientras comían, llamó de nuevo a Federico para que le diera instrucciones.

—Dile que tenemos una orquesta para que dirija y una escuela para las clases, en las afueras de la ciudad. Ya tengo el hospicio arreglado para él. No me falles, Alejandro. Yo estaré entre las cortinas, no te preocupes, el administrador es un viejo amigo de la familia.

Los ancianos lo recibieron con alborozo. Le asignaron un pequeño cuarto y le prometieron un piano para la siguiente semana. Federico escuchó que preguntó por su madre.

DESDE EL TÚNEL DE LA VIDA EN LA MUERTE

Mi fantasma enamorado, lo llevarás con la música
en el aire del no tiempo

Desde los eucaliptus Hendrik la escuchó. Esa voz podría reconocerla en medio de la muchedumbre:

…soy Matilde Aguirre. He muerto a mis treinta y un años para convertirme en eterna enamorada. Fui juzgada como adúltera, como madre sin corazón. Imposible resistir la dulce melodía adherida a las manos mágicas de mi amante: el pianista que llegó de Hamburgo, que cruzó la neblina para perturbar mi existencia, encender mi cuerpo de placer y culpa. Neblina, respiración leve en medio de mis piernas apretadas. No puedo evitarlo, está ahí, adentro, con la bruma desaparecida, iluminada con los primeros rayos del alba. Permanecí presintiéndolo, con una flor amarilla en la mano, y la espina clavada junto a la gota de sangre.

…las notas de Brahms que viajan con el aire desde su cripta del segundo piso, en el barrio de La Candelaria, me abren el pecho, se introducen como dardos en el centro de mi corazón. Soy una pecadora enamorada… y merezco la muerte.

…amante, maestro, preceptor. Espejo sin imagen, tiempo sin tiempo. *Quiero irme lejos contigo. Dejaré a mi hijo por ti. Me mostrarás la salida de los barcos y navegaremos por tus mares y lagos.*

…escapar no fue nunca mi alternativa. Me hizo conocer el amor que mereció mi expiación. Mi amor, cruzó el mar, atravesó la selva, padeció la tortura, el desahucio y la orfandad para encontrarme. Huía para encontrarme… yo lo encontré para huir, existir, conocer el abismo de sus besos, su cuerpo hundiendo mi reproche, gozando mi pecado… como yo. Acercándome en cada entrega a la inmolación. Creí que los dos moriríamos desnudos en la tina de pedernal, bañados con hierbas frescas, adornados con pétalos de violetas. Agua tibia en una sola placenta. Yo plantada, tú enraizado, seres de tempestades que serán derrotados. Ahora el fantasma errante y enamorado soy yo. Cuánto amo nuestro destino… la dolorosa y lujuriosa ruina. Somos un preludio infinito… una sinfonía inconclusa que escribirás para los dos en la oscura bóveda de tu cabeza. Inconclusa como nuestro amor… dolorosa como la tragedia. Ocupas todo mi cuerpo… penetrado por los acordes de Chopin y los movimientos de nuestras pasiones ocultas, atravesado por lo que siempre nos pertenece y nadie podrá asesinar: la música.

…¡abrígame, mago de los dedos y los besos! No me dejes ir, pero no me detengas! ¡Ay como duele el amor aún en la muerte! Me lastima, lacera, me roba la respiración… duele y me llama… lo busco porque detrás está mi enamorado pianista que extraerá la lanza de mi pecho y taponará mis heridas con su boca… convirtiendo el dolor en placer… ¡Ay, cómo duele el placer! …dolor de lo inapropiado… placer de lo prohibido.

…desangrada en el amor, la mañana que me viste me

devuelve la vida para esperar otra vez la noche y encontrarme de nuevo con el dolor …con el placer.

…lamo tus cicatrices, las borro con mis besos, tienes tantas en tu hermoso cuerpo que sanaron pero no desaparecieron… desaparecen… aparecen… Lames mis cicatrices, mis dolores… las desapareces… al día siguiente otras sangran y tengo que buscarte para que las cures… noches, días, laceraciones… noches, días, tratando la larga y enconada enfermedad del amor.

…dibujo con mis dedos la cruz que hacen los vellos suaves en tu pecho. Me quedo adormecida sabiéndote mío, mío en esa cruz, tuya debajo de esa cruz, arriba de la cruz… allí donde es imposible negarte la eternidad.

…quítame otra vez la hebilla de nácar, el sombrero que sostiene la malla telaraña con la que me oculto del mundo cuando vengo a visitarte, la urdimbre para que nadie vea mis ojos de enamorada… quítame el broche camafeo, el vestido sastre y mis ropas pequeñas… búscame en todos los poros porque sabes bien que en todos estaré esperándote.

…éstas lágrimas fueron de placer… ahora de dolor… debo dejarte… huir otra vez ocultándome del mundo… de las miradas de mi hijo, de las manos torpes de mi marido. Es tiempo de cancelar las deudas de la traición… ya no podrás franquear la ciudad ni venir a la sala del barrio La Merced a despojarme de mis vergüenzas.

...seremos trashumantes... errantes del amor... mi pianista que llegó de Hamburgo, mi Hendrik... mi dulce pecado, eterno desvarío...

...sí, la muerte es una mentira.... Navegaremos el Báltico, no existirán las guerras y derrotaremos la frágil memoria de la Historia.

...mi cuerpo muerto será para mi esposo y mi hijo... el otro, mi fantasma enamorado, lo llevarás con la música en el aire del no tiempo.

La orquesta del hospicio

Porque la música es amor en busca de palabras

Alejandro hiló la historia durante varios meses, mientras Hendrik interpretaba Brahms en las tardes, para un público escaso, largos silencios porque el músico, en su ejecución sin instrumento, se trasportaba a lugares perdidos en la memoria. Siempre que se despedía lo recomendaba al director y al personal como un gran músico enamorado. Hendrik organizaba el coro y la orquesta. Pintó sobre una tabla las teclas del piano: las cincuenta y dos blancas, las treinta y seis negras. Su mejor comediante, el seductor que se ofrece sin reservas, sin recatos. El héroe doméstico. Su otro yo. El amigo de Federico que lo visitaba al principio para cumplirle y luego por saber más de la historia de Pfalzgraf, entendía por qué Bernal no quería verlo pero tampoco abandonarlo. No había respuestas justificadas cuando lo interrogaba luego de los silenciosos conciertos. Sólo sabía que la Matilde que nombraba en el torrente de su memoria desquiciada era la alumna de La Merced, la madre de Federico. Las palabras apasionadas en el tono, incoherentes, le daban la idea de que la amaba y moriría por ella. También entendió que escribía un preludio, o una sinfonía, o un réquiem; para ella. Una vez por mes asistía a los conciertos que preparaba con otros obnubilados que, dirigidos por él, interpretaban instrumentos inexistentes. Chelos, violines, oboes, clarinetes, flautas, tubas, trompetas y percusiones, en medio del bosque. En ocasiones Alejandro asistía con la novia de turno, o con una de las mujeres que sacaba de los lugares de diversión que frecuentaba, y para pasar la tarde escuchando los imperceptibles sonidos de los instrumentos invisibles.

Cuando los músicos improvisados se marchaban ellos, Matilde y Hendrik, caminaban por entre los eucaliptos, revivían sucesos al revés, la historia cuando vivieron en Hamburgo, en el número 4 de la Karlgasse. Alejandro lo indagaba sobre lo que escribía en los cuadernos de espiral con hojas de pentagramas y él contestaba con palabras de sus maestros, *componer no es difícil, lo complicado es dejar caer bajo la mesa, las notas que son superfluas.* Fueron varios años de puntuales visitas —aunque se espaciaron con el tiempo— en las que se volvieron amigos. En ocasiones lo encontraba triste y lelo en el verde del jardín, pero al ser interrogado decía que *quien ha disfrutado con los sublimes placeres de la música, deberá ser eternamente adicto a este arte supremo, y jamás renegará de él.* Federico acompañaba a su amigo en algunas visitas pero se quedaba a discreta distancia. Estuvo muy cerca simulando una conversación con una enfermera para poder oír lo que le decía a Alejandro: *en verdad, si no fuera por la música, habría más razones para volverme loco.* Le pareció que esas palabras las pronunció junto a su madre, susurradas como las oyó, muy cerca de las mejillas tersas de ella. Pensó que si estuviera loco lo abordaría y le diría cuánto lo odiaba o cuánto lo necesitaba.

—¿Y si muere? —le preguntó a Alejandro camino a Bogotá.

—Cuando la gente se muere, se entierra o se crema y se deja en el recuerdo —le contestó Alejandro con alguna sorna.

—Nadie sabe quiénes son sus familiares.

—Tú eres su familiar ¿o soy yo?

En otra de las entrevistas hablaron con el director para aclarar el asunto en caso de muerte. Él les explicó que en la tarifa del *Hogar* estaban cubiertos los gastos de funeraria y exequias y que en el cementerio local, atrás de la capilla, tenían un panteón para los viejos que carecían de todo. Les dijo que no se preocuparan que Hendrik ya vivía de nuevo en Hamburgo.

En los días soleados lo encontraban más hablador, citando frases y conceptos de sus lejanas lecturas. No volvía a su amado poeta pero sí a las sentencias que le recalcaba a Alejandro y que después le pedía las repitiera. Al nombrar a su Matilde siempre sentenciaba *que sólo hay tres voces dignas de romper el silencio: la de la poesía, la de la música, y la del amor*. No envejecía y enterraba con música invisible a sus compañeros de orquesta. *La música es la armonía del cielo y de la tierra*, sentenciaba en los funerales. El director le propuso comprarle una organeta pero se sintió ofendido. Se sentaba en las bancas del jardín a escuchar a su alumna dorada ejecutar en la sala de música, emergiendo del mismo ramo de rosas amarillas. Y le hablaba en secreto para que ninguno de los paseantes se diera cuenta. Con los años abrazaba a Alejandro y empezó a llamarlo ángel protector porque le llevaba frutas, libros y partituras. Y respondía cuando le preguntaba por la composición para Matilde: *el infierno está lleno de músicos aficionados. Creo que voy a escribirle unos versos porque la música es amor en busca de palabras*. Una tarde le preguntó quién era el hombre que venía con él y que lo observaba desde lejos. No le confesó que desentrañó los ojos de su Matilde en esa mirada esquiva. Alejandro le dijo que era un amigo que tenía a su abuelo en el *Hogar* y que no le gustaba hacer amistades. *Dile que después del silencio, lo que más se acerca a expresar lo inexpresable, es la música, que no deje de oír a Brahms. Dile que la música es el arte más directo, entra por el oído y va al corazón. Que no tenga odios por nada. Lutero decía que en la tierra nada se presta tanto para alegrar al melancólico, para entristecer al alegre, para infundir coraje a los que desesperan, para enorgullecer al humilde y debilitar la envidia y el odio, como la música. Dile que un día venga a saludarme, que he sido un buen ser humano y jamás hice mal a nadie.*

Alejandro le pidió que confiara en él, que le diera los papeles para mostrarlos a la Filarmónica, que algunas personas se interesaban en su trabajo como compositor, que podría recibir una buena cantidad de dinero. *La única manera de que un músico gane dinero, es vendiendo sus instrumentos y yo no tengo ninguno. No está inconclusa, toda la tengo aquí, en mi corazón, al lado de Matilde, lo demás es vanidad. Ya Goethe me murmulla: todo lo cercano se aleja, se aleja de nuestros ojos. La vejez, la suprema soledad.*

La última vez que lo visitaron Federico se acercó con dudas porque Alejandro le comentó que lo veía muy melancólico y que presentía que ese ángel tomaría vuelo pronto. No enfrentaron las miradas, el azul de los ojos de Hendrik, ahora aguamarina. No sabía por qué Federico intuyó que lloraba cuando lo evitó. *La música excava el cielo, es eco del mundo invisible*, le musitó a Alejandro en el abrazo final. Le entregó la bolsita de terciopelo —que no separó jamás de su cuerpo— donde guardaba el granate que Matilde le regaló en una de sus tardes oscuras del segundo piso del almacén de pianos y un papel donde alguna vez estuvieron dos personajes ahora si invisibles para siempre. *Para que en tu viaje por la vida y el amor, ilumine el camino incierto de la felicidad.*

En el entierro Federico lloró, abrazó el féretro, lo detalló por última vez enfundado en su traje negro, nuevo, en los enormes zapatos de charol que rozaban la tapa y supo que ahora sí era huérfano de todo.

Bogotá, 1992-2012

LAS OTRAS VOCES QUE HABLAN EN
EL QUINTETO DE LA FRÁGIL MEMORIA

Aída Martínez, Alberto Donadío, Alberto Lleras Camargo, Alfonso López Michelsen, Alfonso Reyes Echandía, Andrés Almarales, Álvaro Fayad, Álvaro Cuartas, Álvaro Ponce, Antonio Álvarez, Antonio Villegas, Arturo Alape, Bernardo Jaramillo, Belisario Betancur, Camilo Torres Restrepo, Carlos Arango Vélez, Carlos Betancur Jaramillo, Carlos Eduardo Jaramillo, Carlos Lleras Restrepo, Carlos Eduardo Uribe, Carlos Orlando Pardo, Carlos Pardo Viña, Carlos Perozzo, Cecilia de Robledo, Daniel Samper Pizano, Darío Mesa, Darío Ortiz Vidales, David Gómez, Eduardo Santa, Eutiquio Leal, Elsa Castañeda Bernal, Fabio Castillo, Fernando Ayala Poveda, Fernando Morales, Fernando Viviescas, Francisco Ochoa, Gerardo Molina, Germán Castro Caicedo, Germán Guzmán Campos, Gonzalo Arango, Gonzalo Sánchez, Gustavo Rojas Pinilla, Guadalupe Salcedo, Hernán Vergara, Hermes Tovar, Horacio Gómez, Hernando Guerra, Iván Marino Ospina, Jaime Bateman, Javier Ocampo, Jorge Eliécer Gaitán, Jorge Eliécer Pardo, Jorge Mora, Jorge Serpa Erazo, Jota Mario Arbeláez, José Afranio Ortiz, José Asunción Silva, José del Carmen Buitrago, José Eustasio Rivera, Juan Carlos Giraldo, Julio César Turbay Ayala, Luis Otero, Luis Eduardo Rodríguez, Laura Restrepo, Laureano Gómez, León de Greiff, León Valencia, Leonidas Arango, Leovigildo Bernal, Luis Eduardo Nieto, Luis López de Mesa, Manuel Vicente Peña, Marco Palacio, María Clara Ospina, Miguel Torres, Olga Behar, Óscar Alarcón, Patricia Lara, Pedro Claver Téllez, Rafael Méndez, Rafael Pardo, Rafael Uribe Uribe, Rafael Samudio, René González-Medina, Ricardo Arias, Ricardo Peñaranda, Ricardo Sánchez, Rodolfo García García, Rodrigo Escobar-Holguín, Sady González, Santiago García, Silvia Aponte, Silvia Galvis, Vera Grave, Virginia Vallejo, William Ospina.

Adolfo Hitler, Albert Camus, Andre Breton, Allan Bullock, Allen Ginsberg, Ariel Dorfman, Bertol Brecht, Carlos Gardel, Carlos Puebla, Carlos Santana, César Vallejo, Constatino Kavafis, Chalchaleros, Chopin, Chilam Balam, Claude Samuel, cnn, David Bushnell, Donny Meertens, Elias Canetti, Elvis Presley, Felix Garzo, Fray Pedro Simón, Guy de Maupassan, H.R. Roper, Henrich Heine, Herbert Braun, Jack Kerouac, Johannes Brahms, Jean Paul Sartre, Jorge Luis Borges, Jacques Aprille-Gniset, James Henderson, Joan Manuel Serrat, John Lennon, José Cordovéz Moure, José Martí, Julio Cortázar, León Tolstoi, Marta Scavac, Margarita Yuorcenar, Malcolm Deas, Malcolm Menzeis, Margie Paley, Mario Benedetti, Pablo Milanés, Paul Oquist, Robert L. Stevenson, René Crevel, Salvador Dalí, Salvador Allende, Simone de Beauvoir, Tristan Tzara, Víctor Jara, Yves y Ada Rémy, W.G. Sebald.

ESTA NOVELA FORMA PARTE DE
EL *QUINTETO DE LA FRÁGIL MEMORIA*

Contenido

El pianista que llegó de Hamburgo
de Jorge Eliécer Pardo
Se terminó de imprimir en abril de 2014
500 ejemplares